テキスト
国際開発論
貧困をなくすミレニアム開発目標へのアプローチ

勝間 靖 編著

ミネルヴァ書房

はじめに

　本書『テキスト国際開発論』は，国際社会においてミレニアム開発目標を達成しようという模索が続くなか，その現状と課題を客観的に捉えようという試みのなかから生まれた。そして，ミレニアム開発目標を，途上国における貧困削減へのアプローチとして位置づけ，その現状を把握し，問題を分析し，将来とるべき行動のための課題を明らかにしようとする。

　想定している主な読者は，国際協力のキャリアを視野に入れながら大学で学んでいる学部上級生や大学院修士課程の学生である。しかし，同時に，開発政策・開発援助実施の機関や NGO などの実務者にも読み応えがあるような内容にしている。また，関心をもった一般市民の方にも読みやすいように，各章のはじめに「この章で学ぶこと」を簡潔に要約し，最後に「今後の学習のための参考文献」を入れるなど，自分で学ぶためのテキストとなるような工夫を重ねた。

　執筆者は，ミレニアム開発目標の理論と実践に精通した気鋭の専門家にお願いした。つまり，各章は「実践する研究者」に，コラムは「研究する実務者」に執筆していただいた。とくに各章の執筆者については，日本国際連合学会（http://www.geocities.jp/jaunshp/），国際開発学会（www.jasid.org），日本国際保健医療学会（http://jaih.umin.ac.jp/ja/），日本比較教育学会（http://www.gakkai.ne.jp/jces/）などで研究交流をしてきた「仲間」が担当してくれている。

　本書の中心テーマである「ミレニアム開発目標」であるが，残念ながら，日本ではいまだに十分に周知されていないようである。そこで，2011年2月11日には，日本国際連合協会東京都本部に協力して，「あと5年!! どうなるミレニアム開発目標——世界から貧困をなくすために私たちができること」と題したシンポジウムを JICA 地球広場で開催し，国連職員，NGO 実務者，学生をパネリストに迎えて，100人以上の市民の方とミレニアム開発目標について議論をした。関心ある方は，日本国際連合協会東京都本部のホームページ（http://www.tokyo-icc.jp/kokuren/）から報告書などをダウンロードして読んでいただきたい。

　本書『テキスト国際開発論』でも，まず，『国連ミレニアム宣言』やミレニア

ム開発目標とは何か，という基礎的なことから学んでいく。序章では，本書の全体を概観できるようにしている。とくに，表序-4では，ミレニアム開発目標の特定の目標に関心がある読者のために，関連している章はどれかが一目で分かるようにした。たとえば，目標2「初等教育の完全普及の達成」にとくに興味があれば，まず9〜12章を読んでみるという学習の方法も可能である。

　ミレニアム開発目標には，理論的な側面と，実践的な側面がある。大学で研究していると，なかなか最先端の実践的な議論に触れる機会がないものである。そうしたなか，2011年6月2日から，日本政府・UNDP・UNICEF・世界銀行・JICAの共催で，「ミレニアム開発目標フォローアップ閣僚会合」が三田共用会議所で開催されたが（http://www.mofa.go.jp/mofaj/gaiko/oda/doukou/mdgs/followup.html），「MDGs達成における人間の安全保障と衡平性」セッションにおいて報告する機会を与えられ，多くの参加者と意見交換することができた。この点で，外務省国際協力局の皆さんにお礼申し上げたい。

　お隣の韓国は，OECDのDAC加盟国となり，新興の援助国としてミレニアム開発目標への貢献を真剣に検討しているところである。こうしたなか，韓国の国際開発学会である韓国国際開発協力学会から招かれ，2010年11月26日にソウルの梨花女子大学で開催された国際協力会議で報告し，韓国の研究者や実務者と意見交換することができた。日本からの報告者として推薦してくれた国際開発学会に感謝する。

　編者が所属する早稲田大学には，日米研究機構（http://www.kikou.waseda.ac.jp/wojuss/）の国際協力グループを通して，いろいろな研究上の便宜を図っていただいた。本書の発想の多くは，ここでの研究活動から得ることができたことを記しておく。

　早稲田大学国際学術院にある大学院アジア太平洋研究科（http://waseda.jp/gsaps/）では，「人間開発論とミレニアム開発目標」という講義科目を英語と日本語で開講している。受講した大学院生に，本書の草稿の一部を読んでもらう機会があり，理解しやすさなどについてフィードバックをもらった。とくに，アジア太平洋研究科大学院生の加藤真理子さんと林良樹さん，政治学研究科大学院生の加藤幹也さんから詳細なコメントをいただいたことは，本書をより読みやすくするうえで大いに役立った。

　最後に，ミネルヴァ書房編集部の下村麻優子さんには，本書の企画段階から大

変にお世話になった。彼女のていねいなフォローがなければ，本書は完成しなかったといっても過言ではない。ここで感謝の意を表したい。

　読者の皆さまには，本書を批判的に読んでいただき，建設的な意見を寄せてくださるようにお願いしたい。そして，ともに，ミレニアム開発目標を達成するための貧困削減アプローチのあり方を模索していただければ幸いである。

　　　2011年10月18日，ワシントンDC
　　　ジョージ・ワシントン大学エリオット国際情勢スクールにて

勝間　靖

目　　次

はじめに

序　章　国際開発とミレニアム開発目標 …………………… 勝間　靖… 1
　　　　　──貧困削減アプローチをめぐって──

　1　ミレニアム開発目標とは？ …………………………………………… 2
　2　ターゲットは達成されるのか？──指標の設定と測定 ……………… 6
　3　ミレニアム開発目標をめぐる3つの論点 …………………………… 14
　4　この本で学ぶこと …………………………………………………… 17

第Ⅰ部　貧困をなくすための国際開発

第1章　所得貧困 …………………………………………… 山形辰史… 25
　　　　　──貧しさを量的に把握するために──

　1　貧困の諸相 …………………………………………………………… 26
　2　所得貧困とは？ ……………………………………………………… 27
　3　所得貧困の指標 ……………………………………………………… 32
　4　貧困から抜け出すために …………………………………………… 37
　コラム1　MDGsのためにアーティストができること ……………… 39

第2章　マイクロファイナンス ……………………………… 伊東早苗… 41
　　　　　──貧困層に役立つ金融サービス──

　1　マイクロファイナンスの変遷と現状 ……………………………… 42
　2　マイクロファイナンスとミレニアム開発目標 …………………… 45
　3　マイクロファイナンス機関の戦略 ………………………………… 47

v

4	マイクロファイナンスの社会的使命 … 50
コラム2	ボリビアにおける金融システム改革とマイクロファイナンス … 55

第3章 コミュニティの参加 … 真崎克彦 … 56
──住民参加の定着に向けて──

1	コミュニティ参加の今日的意義 … 57
2	コミュニティ参加の実際と課題 … 60
3	PRA／PLAを通したコミュニティ参加支援 … 62
4	コミュニティ参加支援の新展開 … 66
5	ミレニアム開発目標の実現に向けて … 69
コラム3	住民の学校運営能力が向上する, 教室ができる … 72

第4章 飢餓と栄養不良 … 高橋基樹 … 73
──食料安全保障を目指して──

1	ミレニアム開発目標と飢餓・栄養不良 … 74
2	飢餓と栄養不良をとらえる視点 … 74
3	飢餓の歴史・現状 … 79
4	飢餓のメカニズム … 81
5	飢餓のない世界を目指して──国際援助および政府の対応と課題 … 87
コラム4	エチオピアにおける栄養改善のための戦略 … 90

第Ⅱ部　生存のための人間開発

第5章 子どもの健康 … 松山章子 … 95
──未来の担い手の健やかな成長のために──

1	途上国の子どもの生存と健康 … 96
2	5歳未満児の健康 … 102
3	もっとも危険な誕生からの1カ月 … 106
4	ミレニアム開発目標と子どもの健康 … 108

コラム5　幼い子どもの命を救う「ワクチン債」……………………………111

第6章　女性の健康 ……………………………………… 兵藤智佳 … 113
　　　　　――「性と生殖に関する健康と権利」を中心として――

1　女性の健康をめぐる現状 ………………………………………114
2　「人口抑制政策」から「性と生殖に関する健康と権利」へ………115
3　「性と生殖に関する健康と権利」の実現に向けて ……………118
4　妊産婦の健康の向上を目指して ………………………………120
5　「女性の健康」をめぐる日本での取組み ………………………123
6　保健医療サービスを受ける権利 ………………………………125
コラム6　ザンビアでの妊産婦の健康の改善 ……………………………128

第7章　HIV／エイズ，結核とマラリア ………………… 大谷順子 … 129
　　　　　――世界3大感染症との闘いを中心として――

1　世界的目標としての感染症対策 ………………………………130
2　世界3大感染症の概要 …………………………………………131
3　開発課題としてのエイズ ………………………………………134
4　開発課題としての結核 …………………………………………139
5　開発課題としてのマラリア ……………………………………141
6　感染症対策のための国際的な取組み …………………………141
コラム7　蚊帳が欲しい ……………………………………………………148

第8章　水と衛生 ………………………………………… 杉田映理 … 150
　　　　　――人びとの命と生活を衛るために――

1　なぜ水と衛生が重要か …………………………………………151
2　水・衛生分野への国際社会の取組みとミレニアム開発目標 …155
3　安全な水へのアクセス向上にむけた課題 ……………………161
4　衛生改善への様々なアプローチ ………………………………165
コラム8　「安全な飲料水」のために ………………………………………169

第Ⅲ部　成長と発達のための人間開発

第9章　乳幼児のケアと教育 …………………………………… 浜野　隆…173
　　　　　──早期介入と子どもの発達──

　1　世界の幼児と「乳幼児のケアと教育」………………………………… 174
　2　「乳幼児のケアと教育」への注目 ……………………………………… 178
　3　「乳幼児のケアと教育」に関する国際協力 …………………………… 181
　4　日本の協力可能性 ……………………………………………………… 187
　コラム9　出生登録と母子健康手帳 ……………………………………… 190

第10章　初等教育 ……………………………………………… 櫻井里穂…192
　　　　　──すべての子どもに教育を──

　1　初等教育の普遍的な達成を目指して ………………………………… 193
　2　普遍的初等教育達成への挑戦──権利としての教育 ……………… 196
　3　初等教育が普遍的にならない諸原因 ………………………………… 200
　4　普遍的初等教育達成のためのパートナーシップ …………………… 204
　コラム10　西アフリカで進む「みんなの学校プロジェクト」………… 209

第11章　教育とジェンダー …………………………………… 北村友人…210
　　　　　──男女間の格差是正と女性のエンパワーメント──

　1　教育におけるジェンダー格差の現状 ………………………………… 211
　2　ジェンダー格差是正の国際的取組み ………………………………… 216
　3　教育のジェンダー平等へ向けた途上国の取組み──バングラデシュの事例 … 221
　4　教育におけるジェンダー平等実現への道筋 ………………………… 223
　コラム11　西アフリカの女子教育 ……………………………………… 227

第12章　教育と情報通信技術 ………………………………… 山口しのぶ…228
　　　　　──持続可能な活用を目指して──

1	ミレニアム開発目標における教育とICT……………………………229
2	教育開発のためのICT………………………………………………234
3	教育とICT──ベスト・プラクティスの実例………………………238
4	ミレニアム開発目標到達のツールとしてのICT……………………242

コラム12　携帯識字プログラム……………………………………………247

第Ⅳ部　国際開発のパートナー

第13章　援助機関と被援助国………………………………稲田十一…251
────パートナーシップとオーナーシップ────

1　国際援助協調の進展………………………………………………252
2　カンボジアにおける援助協調とオーナーシップ…………………262
3　新興ドナーと国際援助協調の将来…………………………………267
コラム13　マダガスカルにおける教育ドナー・グループ………………270

第14章　国連の役割……………………………………………大平　剛…271
────MDGsの達成と機構改革────

1　開発援助のアクターとしての国連…………………………………272
2　フォーラムとしての国連……………………………………………273
3　ミレニアム開発目標と本部レベルでの国連改革…………………274
4　現地レベルにおける国連の取組み…………………………………277
5　目標達成のためのパートナーシップ………………………………280
6　国連が果たす役割……………………………………………………283
コラム14　人間の安全保障…………………………………………………286

第15章　NGOと開発協力………………………………………上村雄彦…288
────MDGsの達成とNGOの可能性────

1　NGOとミレニアム開発目標…………………………………………289
2　NGOの起源と開発NGOの「5世代仮説」…………………………290

3　第3世代の成功と転機——サルボダヤ・シュラマダーナ運動……………293
　　4　開発資金の調達を目指す第5世代——スタンプ・アウト・ポヴァティ（SOP）…299
　　5　NGOの今後……………………………………………………………………302
　　コラム15　貧困問題の構造的解決を目指すNGOのアドボカシー活動………304

第16章　企業の社会貢献と社会的責任……………………………吉田秀美…306
　　　　　　——本業の強みを生かした継続的な活動——

　　1　国際協力の新たな担い手としての企業……………………………………307
　　2　企業の社会的責任（CSR）とは何か………………………………………309
　　3　国連と企業……………………………………………………………………313
　　4　企業の取組み事例……………………………………………………………315
　　5　ミレニアム開発目標達成のために…………………………………………318
　　コラム16　殺虫加工した蚊帳をめぐる技術革新……………………………320

略語一覧
索　引

序章 国際開発とミレニアム開発目標
──貧困削減アプローチをめぐって──

勝間　靖

> **この章で学ぶこと**
>
> 　序章では，この本のタイトルにも入っている「国際開発」や「ミレニアム開発目標（MDGs）」という用語について，まず第1節のなかで確認しておきたい。その際，2000年の国連ミレニアム・サミットにおいて採択された『国連ミレニアム宣言』についても解説することにする。
> 　次に，第2節では，MDGs の具体的な内容について説明する。まず，MDGs を構成する「目標」「ターゲット」「指標」の相互の階層的な関係について理解を深める。さらに，MDGs の8つの目標のそれぞれについて，「目標」「ターゲット」「指標」の具体的な内容を確認する。そのうえで，「指標」ごとの情報源となるデータをどのように収集しているかについて，実際におこなわれている世帯調査などをもとに説明する。そして，MDGs の進捗状況をモニターするために，収集されたデータがデータベースとして公開されていることをみる。はたして，2015年までに MDGs は達成されつつあるのか，具体的な進捗状況について，ターゲットのレベルで確認しておこう。地域ごとのデータからみると，サハラ以南アフリカや南アジアにおいては MDGs へ向けての進捗は順調でない。他方，同じサハラ以南アフリカにあっても，一部の国では MDGs の達成へ向けて順調に進捗していることから分かるように，地域内に差異があることも分かる。
> 　第3節においては，MDGs をめぐって議論が活発化している3つの論点を指摘しておきたい。つまり，「MDG 加速化枠組み」「量だけでなく質」「国内における公平性の重視」の3点である。
> 　最後に，第4節では，この本の全体をとおして学ぶ内容について，章ごとに簡単な説明をしておこう。
>
> **キーワード**　人間開発，国際開発目標，国連ミレニアム宣言，ターゲット，指標

1　ミレニアム開発目標とは？

　世界には極度の貧困にあえいでいる人びとがいまだに大勢いる。とくに，サハラ砂漠以南のアフリカ（サハラ以南アフリカ）をみると，人口増加もあり，極度の貧困におかれている人の絶対数は，むしろ増えているのである。他方，人口比については多少の改善がみられ，1990年の約58％から，2005年の51％へと人口に占める貧困者の割合は減っている。しかし，それでも，いまだにアフリカの人びとの半数が貧困に苦しんでいるというのは，私たちにとって衝撃的な事実である。

　その一方で，貧困の削減へ向けた前進もみられる。国連が毎年発行する『国連ミレニアム開発目標報告』の2010年版によると，途上国において1日あたり1ドル（正確には2005年における1米ドル25セント相当）未満で生活を強いられる人の数は，1990年に約18億人だったのが，2005年には約14億人へと減少した。全世界的な貧困率は，46％から27％へと減っており，さらに2015年までには，15％へと低下する見込みである。とくにアジアにおいては，中国やインドの急速な経済成長のおかげもあり，さらに数億人が極度の貧困から抜け出すと予測されている。

　以上のような，所得が極度に低いという貧困の問題とその削減は，本書のテーマである「ミレニアム開発目標（Millennium Development Goals: MDGs）」の中核に位置づけられる（所得貧困については第1章参照）。他方，所得が1日あたり1ドル未満しかないというのは，「貧困」という概念の1つの側面に過ぎない。貧困の別の側面として，飢餓に苦しみ，栄養状態が悪い，ということもあるだろう。また，生まれてきた子どもが，病気などに脅かされ，生き延びることが難しい，という状態も貧困である。さらに，質の良い教育を受ける機会がない，ということも貧困の一形態であろう。

　このように，「貧困」という概念は多面的である。前者の所得貧困のなかでも1日あたり1ドル未満といった貧困線より下を「絶対的貧困」と呼ぶ。後者の生存・発達・参加といった人間開発の機会が剥奪された状況については，人間的貧困と考えられる。たとえば，多次元貧困指数（multidimensional poverty index: MPI）は，健康，教育，生活水準という人間開発に関連した3つの次元にある10指標から計算される（詳しくは www.ophi.org.uk を参照）。そして，本書のテーマであるMDGsは，所得貧困だけでなく，保健や教育といった人間開発の欠如を

も含んだ，広い意味での貧困をなくすことを目標としている。

（1）国際開発目標とMDGs

こうしたMDGsは，実際のところ，とくに目新しい内容ではない。実は，それ以前から国際開発目標（international development goals: IDGs）と呼ばれていたものが，MDGsについての世界的な合意が形成される土台となっている。

まず第1に，1990年以降の国連開発の潮流をみると，個々のターゲットについてはすでに合意があったことがわかる。つまり，その内容の多くは，1990年9月に国連で開催された「子どものための世界サミット」において国連加盟国の国家元首や政府首脳によって採択された文書に遡ることができる。この「子どものための世界サミット」採択文書は，1989年の国連総会で採択された『子どもの権利条約』の実現へ向けた具体的な人間開発政策であった。また，それは同時に，その半年前の1990年3月にタイのジョムティエンにおいて世界の教育大臣を中心に合意された『万人のための教育世界宣言』を踏まえたものでもあった。

その後，1995年にコペンハーゲンで開催された「世界社会開発サミット」においては，保健や教育といった基礎的な社会サービスの重視が合意された。具体的には，「20／20イニシアティブ」など，人間開発へ向けた基礎的な社会サービスのための国家予算や開発援助をそれぞれ20％に増やすことが提案されたのである。

第2に，1990年代，援助を供与する側にある先進工業国のあいだでは，とくに経済協力開発機構（Organisation for Economic Co-operation and Development: OECD）の開発援助委員会（Development Assistance Committee: DAC）を舞台として，新たな開発援助のあり方が議論された。その結果，『DAC新開発戦略』（1996年）が発表された。この『DAC新開発戦略』の策定にあたっては，日本が主導的な役割を果たした。その際，「子どものための世界サミット」採択文書が参考にされたと聞く。

『DAC新開発戦略』をみると，MDGsの目標やターゲットがすでに先取りされていたことがわかる。したがって，MDGsそのものの内容については目新しさがないかもしれない。それでもなお，OECD本部のあるパリを舞台として，援助を供与する側の国のみで合意された開発援助政策『DAC新開発戦略』が，その後，国連総会が開催されるニューヨークの会場へ持ち込まれ，そこで援助国だけでなく被援助国を含む国連加盟国すべての元首と首脳によって合意され，世

界共通の国際開発政策として MDGs に収斂されたことの意味は大きいといえよう。

(2) 国連ミレニアム宣言と MDGs

MDGs と呼ばれている国際開発政策は，正確には，『国連ミレニアム宣言』に起因する。2000年9月の国連ミレニアム・サミットにおいて採択された『国連ミレニアム宣言』は，国連加盟国の国家元首および政府首脳が，21世紀を迎えようとするときに，「平和・安全保障・軍縮」「開発と貧困」「環境の保護」「人権・民主主義・よい統治」「弱者の保護」「アフリカのニーズへの対応」「国連の強化」などについて，決意を新たにしたものである。

そのなかで，「開発と貧困」「アフリカのニーズへの対応」「環境の保護」との関連において，MDGs という2015年までの具体的な目標が設定されたのである。表序－1にあるように，目標の内容としては，「極度の貧困と飢餓の軽減」，「初等教育の完全普及」，「ジェンダー平等と女性の地位向上」，「乳幼児死亡の削減」，「妊産婦の健康の改善」，「HIV／エイズやマラリアなどの疾病の蔓延防止」，「環境の持続可能性の確保」，「開発のためのグローバル・パートナーシップの推進」が含まれている。そして，これらの開発目標は，2015年までに国際社会が達成すべきものとして年限が設定され，その進捗がモニターされている。

さて，こうした MDGs の達成へ向けた活動のためには，追加的な開発資金が必要とされる。もちろん，途上国の自助努力は大切であるが，それには限界があるため，先進国による開発援助が不可欠とされる。国連開発資金会議とそこで採択された『モンテレー合意』(2002年)を経て，2005年の世界サミットにおいては，「2015年までに ODA の対 GNI 比0.7％目標の達成，2010年まで少なくとも最低0.5％目標の達成」と年限をつけた合意に至っている。しかしながら，世界的な経済危機の影響もあり，一部の国を除いて，多くの援助国は，目標を達成するどころか，後退しているのが現状であり，国際社会にとっての大きな懸念材料となっている。

とくに，2011年3月11日の東日本大震災と原子力発電所事故によって甚大な被害を受けている日本では，こうした国内における緊急事態にあって，開発援助をしている余裕などないのではないか，という声が聞かれる。しかし同時に，アフリカやアジアなどの貧しい国の人びとが現地にある日本大使館に被災地への義援

金を届けており，日本との国際的な連帯を強調していることも報じられている。こうしたニュースを聞くたびに，これまで日本が国際社会の一員として開発協力を積極的に行ってきたことは，国家間の友好的な外交にとどまらず，世界の人びととの「絆(きずな)」を強めることにつながっていたことに今さらながら気づかされる。そして，東日本大震災からの復興が一段落したときには，これまで以上に国際協力に積極的に取り組む機運が生まれるのではないかと思う。

さて，ODAの絶対額の増加だけが課題ではない。むしろ，既存のODAの質の向上についても議論されている。とくに『パリ援助効果宣言』（2005年）に沿って，援助のもたらす効果について改善が求められている。そこでは，援助効果向上の5原則として，①オーナーシップ（ownership）または自助努力，②アラインメント（alignment），つまり制度・政策への協調，③援助の調和化（harmonization），④開発成果の管理，⑤相互への説明責任があげられている。途上国のオーナーシップまたは自助努力が強調されるが，その際には，途上国政府の主体性を意味することが多い。しかし，政府だけでなく，途上国のなかで貧困に苦しむ人びととそのコミュニティこそが主体となった開発が重要だという指摘もある（とくに第4章を参照）。

こうした開発の「質」をめぐる議論は，開発パートナーシップのあり方を問い直しているが，それはMDGsでは目標8の「開発のためのグローバルなパートナーシップの推進」として位置づけられている。なかでも，援助機関と被援助国との新しい関係が模索されている（とくに第13章を参照）。また，国連においても，本部レベルでの国連開発グループ（United Nations Development Group: UNDG）の設置や，支援対象国レベルでの国連カントリーチームによる国連開発援助枠組み（United Nations development assistance framework: UNDAF）の形成など，「一丸となっての支援（delivering as one）」のための改革が進められている（とくに第14章を参照）。

さらに，被援助国である途上国，援助国である先進国，国連の開発機関を超えて，より広い開発パートナーシップの構築が必要とされている。とくに，NGOはこれまで大きな役割を果たしてきたが，その役割についてもアドボカシーがますます重要となってきている（第15章を参照）。また，企業の役割も再認識されてきており，企業の社会的責任（corporate social responsibility: CSR）やBOP（base of the pyramid）ビジネスといった用語が一般にも使われるようになってきてい

る。

2　ターゲットは達成されるのか？
――指標の設定と測定――

　MDGs の特徴の1つとして，開発の成果を重視（result-based）するという考え方が顕著である。そこでは，具体的な開発課題に関する個々の目標へ向けて，結果に焦点を絞ったスマート（SMART）なターゲットを設定し，具体的な指標によって進捗をモニターするという発想がある。ここでいう SMART は，「特定できて（specific）」「測定可能で（measurable）」「達成可能で（achievable）」「妥当性があり（relevant）」「達成期限がある（time-bound）」という要件を満たしたターゲットを意味する。

　（1）目標，ターゲット，指標
　MDGs のなかには，「乳幼児死亡の削減」という目標4がある（表序 - 1 を参照）。この保健目標については，「2015年までに5歳未満児の死亡率を1990年の水準の3分の1に削減する」というターゲットが SMART な形で設定される。まず，5歳の誕生日を迎える前に死亡する子ども，は特定（specific）できる。そして，生まれてきた子ども全体において5歳未満で死亡する比率は，測定可能（measurable）である。もちろん，この5歳未満児死亡率が，子ども，なかでも乳幼児の健康を改善するためのターゲットとしては妥当（relevant）であることに異論はないだろう。そして，2015年までに，という達成期限（time-bound）が設けられている。もっとも，2015年までに達成可能（achievable）かどうかについては，見解の違いがあるかもしれない。

　他方，目標5「妊産婦の健康の改善」へ向けてのターゲットの1つとして「妊産婦の死亡率を1990年の水準の4分の1に削減する」ことが掲げられている点については，いまだに異論も多い。「妊産婦死亡率」は，そもそも測定が困難であるし，測定の方法によっては過去の死亡率しかわからないため，ターゲットとしては妥当でないという見解も強い。もう1つの「2015年までにリプロダクティブ・ヘルスへの普遍的アクセスを実現」というターゲットの方がより妥当だという声も聞かれる。専門家のあいだでも議論があるところだ。

表序-1　MDGsの目標，ターゲット，指標

目標	ターゲット	指標
目標1：極度の貧困と飢餓の根絶	1A：2015年までに1日1ドル未満で生活する人口の割合を1990年の水準から半減させる。 1B：女性，若者を含むすべての人びとに，完全かつ生産的な雇用，そしてディーセント・ワークの提供を実現する。 1C：2015年までに飢餓に苦しむ人口の割合を1990年の水準から半減させる。	1.1：1日1ドル（購買力平価）未満で生活する人口の割合 1.2：貧困ギャップ比率 1.3：国内消費全体のうち，最も貧しい5分の1の人口が占める割合 1.4：就業者1人あたりのGDP成長率 1.5：労働年齢人口に占める就業者の割合 1.6：1日1ドル（購買力平価）未満で生活する就業者の割合 1.7：総就業者に占める自営業者と家族労働者の割合 1.8：低体重の5歳未満児の割合 1.9：カロリー消費が必要最低限のレベル未満の人口の割合
目標2：初等教育の完全普及の達成	2A：2015年までに，すべての子どもが男女の区別なく初等教育の全課程を修了できるようにする。	2.1：初等教育における純就学率 2.2：第1学年に就学した生徒のうち初等教育の最終学年まで到達する生徒の割合 2.3：15～24歳の男女の識字率
目標3：ジェンダー平等推進と女性のエンパワーメント	3A：可能な限り2005年までに，初等・中等教育における男女格差を解消し，2015年までにすべての教育レベルにおける男女格差を解消する。	3.1：初等・中等・高等教育における男子生徒に対する女子生徒の比率 3.2：非農業部門における女性賃金労働者の割合 3.3：国会議員における女性の割合
目標4：乳幼児死亡の削減	4A：2015年までに5歳未満児の死亡率を1990年の水準の3分の1へと引き下げる。	4.1：5歳未満児の死亡率 4.2：乳児死亡率 4.3：はしかの予防接種を受けた1歳児の割合
目標5：妊産婦の健康の改善	5A：2015年までに妊産婦の死亡率を1990年の水準の4分の1へと引き下げる。 5B：2015年までにリプロダクティブ・ヘルスへの普遍的アクセスを実現する。	5.1：妊産婦死亡率 5.2：医師・助産師の立会いによる出産の割合 5.3：避妊具普及率 5.4：青年期女子による出産率 5.5：産前ケアの機会 5.6：家族計画の必要性が満たされていない割合

目標	ターゲット	指標
目標6：HIV／エイズ、マラリア、その他の疾病との闘い	6A：HIV／エイズの蔓延を2015年までに阻止し、その後に縮小させる。	6.1：15～24歳のHIV感染率 6.2：最後のハイリスク性交渉におけるコンドーム使用率 6.3：HIV／エイズに関する正確かつ包括的な情報をもつ15～24歳の割合 6.4：10～14歳の、エイズ孤児ではない子どもの就学率に対するエイズ孤児の就学率
	6B：2010年までにHIV／エイズの治療への普遍的なアクセスを実現する。	6.5：治療を必要とするHIV感染者のうち、抗レトロウイルス薬へのアクセスを有する者の割合
	6C：マラリアおよびその他の主要な疾病の発生を2015年までに阻止し、その後に縮小させる。	6.6：マラリア有病率およびマラリアによる死亡率 6.7：殺虫剤で加工した蚊帳を使用する5歳未満児の割合 6.8：適切な抗マラリア薬により治療を受ける5歳未満児の割合 6.9：結核の有病率および結核による死亡率 6.10：DOTSのもとで発見され、治療された結核患者の割合
目標7：環境の持続可能性の確保	7A：持続可能な開発の原則を国家政策およびプログラムに反映させ、環境資源の喪失を減少させる。	7.1：森林面積の割合 7.2：二酸化炭素の総排出量、1人当たり排出量、GDP1ドル（購買力平価）当たり排出量 7.3：オゾン層破壊物質の消費量 7.4：安全な生態系限界内での漁獲資源の割合 7.5：再生可能な水資源総量の割合 7.6：保護対象となっている陸域と海域の割合 7.7：絶滅危惧に瀕する生物の割合
	7B：生物多様性の損失を2010年までに確実に減少させ、その後も継続的に減少させ続ける。	
	7C：2015年までに、安全な飲料水および衛生施設を継続的に利用できない人びとの割合を半減する。	7.8：改良飲料水源を継続して利用できる人口の割合 7.9：改良衛生施設を利用できる人口の割合
	7D：2020年までに、少なくとも1億人のスラム居住者の生活を改善する。	7.10：スラムに居住する都市人口の割合

目標	ターゲット	指標	分類
目標8：開発のためのグローバルなパートナーシップの推進	8A：さらに開放的で、ルールに基づく、予測可能でかつ差別的でない貿易および金融システムを構築する（良い統治、開発および貧困削減を国内的および国際的に公約することを含む）。	*以下に挙げられた指標のいくつかについては、後発途上国、アフリカ、内陸途上国、小島嶼途上国に関してそれぞれ個別的にモニターされる。	政府開発援助（ODA）
	8B：後発途上国の特別なニーズに取り組む（後発途上国からの輸入品に対する無税・無枠、重債務貧困国[HIPC]に対する債務救済および二国間債務の帳消しのためのプログラムの拡大、貧困削減にコミットしている国に対するより寛大なODAの供与を含む）。	8.1：ODA 支出純額（全体および後発途上国向け）がOECD／DACドナー諸国のGNIに占める割合 8.2：基礎的社会サービス（基礎教育、基礎保健、栄養、安全な水と衛生）間ODAの割合 8.3：DACドナー諸国のアンタイド化された二国間ODA受取額 8.4：内陸途上国のGNIに対するODA受取額 8.5：小島嶼途上国のGNIに対するODA受取額	
	8C：内陸途上国および小島嶼途上国の特別なニーズに取り組む（小島嶼途上国のための持続可能な開発プログラムおよび第22回国連総会特別会合の規定に基づく）。	8.6：先進国における、途上国および後発途上国からの産品輸入（価格ベース、武器を除く）割合 8.7：先進国における、途上国からの農産品・衣料輸入品に対する平均関税率 8.8：OECD諸国における国内農業補助金のGDP比 8.9：貿易キャパシティ育成支援のためのODAの割合	市場アクセス
	8D：債務を長期的に持続可能なものとするために、国内的および国際的措置を通じて途上国の債務問題に包括的に取り組む。	8.10：HIPCイニシアティブおよびMDRIイニシアティブの決定時および完了時に到達した国の数 8.11：HIPCイニシアティブおよびMDRIイニシアティブのもとでコミットされた債務救済額 8.12：商品およびサービスの輸出額に対する債務返済額の割合	債務持続可能性
	8E：製薬会社と協力して、途上国において人びとが安価な必須医薬品を入手できるようにする。	8.13：安価な必須医薬品を継続的に入手できる人口の割合	
	8F：民間部門と協力して、とくに情報・通信における新技術による利益が得られるようにする。	8.14：人口100人当たりの電話回線加入者数 8.15：人口100人当たりの携帯電話加入者数 8.16：人口100人当たりのインターネット利用者数	

出典：United Nations（2008）, "Official List of MDG Indicators" を筆者が翻訳。

さて，こうしたターゲットについて状況を把握し，進捗をモニターするためには，データ収集が比較的容易な指標について，あらかじめ合意しておく必要がある。目標4「乳幼児死亡の削減」の場合，「5歳未満児の死亡率」のほか，出生から満1歳までの「乳児死亡率」や，「はしかの予防接種を受けた1歳児の割合」といった指標があげられているが，こうした指標を実際にモニターできるように調査・研究環境を整備することが必要とされ，そのためのデータ収集とデータベース構築が課題となった経緯がある。

（2）データ収集

　指標ごとのデータを途上国において収集するためのノウハウは，1990年以降に急速に発展してきた。とくに，「子どものための世界サミット」（1990年）以降，目標へ向けた進捗状況を指標によってモニターする役割を担うことになった国連児童基金（UNICEF）は，データ収集に加えて，データベースの構築に努めてきた。

　まず，データ収集においては，米国国際開発庁（USAID）の主導による人口保健調査（demographic and health survey: DHS）のほか，1990年代初めにUNICEFが中心となって開発した複数指標クラスター調査（multiple indicator cluster survey: MICS）といった世帯調査が重要な役割を果たしてきた。人口が正確に把握されていない多くの途上国において，割合や比率を出すためには，サンプル（標本）を対象とした調査が有効だからである。

　DHSは，途上国が人口・保健・栄養のプログラムをモニターできるようにUSAIDがデータ収集を支援するものであるが，毎年およそ10カ国のペースで実施されている。人口と保健という名称のとおり，かなり包括的な世帯調査で，費用もかなりかかる。また，USAIDが人口・保健・栄養のプログラムを大規模に実施している途上国に限られるので，これだけで世界規模または地域ごとでの進捗をモニターすることはできない。

　これに対してMICSは，1990年の「子どものための世界サミット」を契機に構想され，DHSを補完するために実施される世帯調査である。1990年以前は，たとえば子どもの栄養不良のデータはほとんど存在しない状況で，UNICEFはみずから調査に乗り出すことを決意したのである。DHSと共通する指標については，担当者との協議を経て，データの互換性を確保しており，調査の重複を避

けるようにしている。また，指標の数を絞った結果，必要とされるサンプル規模がDHSよりも小さいため，低コストで実施できるのがMICSのメリットである。調査実施国の選択においては，DHS対象国と重複しないよう，調整が行われている（詳しくはwww.childinfo.orgを参照）。

　以上のように，1990年以降から世帯調査が充実してくるようになり，多くの途上国においてデータが存在するようになった。このこともあって，MDGsでは，1990年をベースラインとして，2015年までに達成すべき目標およびターゲットを設定している。つまり，『国連ミレニアム宣言』が採択された2000年からではなくて，1990年にまでさらに10年遡り，1990年から2015年までの25年間で達成すべき目標となっていることに注意したい。

　もちろん，多くの途上国では，DHSやMICSといった調査以外にもデータ源は存在する。国勢調査が10年に1度ほど定期的におこなわれる国もあるし，人口動態統計の確度が比較的高いとされる場合もある。それら既存のデータを有効に活用することも重要である。しかし，仮に存在していても，そのデータが一般に公開されるような形で管理されていないなど，データ入手が実際には難しい場合も多い。また，既存のデータの存在を知らないまま，同じような調査が繰り返されるという無駄も報告されている。したがって，モニタリングに不可欠とされるデータを1カ所にまとめるデータベースが必要となってくる。

（3）データベース

　データベースの構築においても，UNICEFが先駆的な作業を行った。1990年代中頃，UNICEFの南アジア地域事務所が中心となって，ChildInfoと呼ばれるデータベースを開発し，その後，UNICEFの組織全体においても採用されるに至った。そして，1990年代後半からは，「子どものための世界サミット」をフォローアップするためのChildInfoから，国連開発計画（UNDP），UNICEF，国連人口基金（UNFPA）などから構成される国連開発グループ（UNDG）が各途上国において共通国別アセスメント（common country assessment: CCA）を行うために不可欠なDevInfoへと模様替えしていくことになる（詳しくはwww.devinfo.orgを参照）。データベースの管理については，それぞれの途上国のオーナーシップを重視し，国連機関などが技術支援をおこなっている。たとえば，カンボジアでは，DevInfoを採用しながらも，その名称をCamInfoと変えて，自国のオーナ

ーシップを印象づけている。

さらに，2007年，国連は，グーグル（Google）とシスコ・システムズ（Cisco Systems）からの技術協力を得て，「ミレニアム開発目標モニター（MDG Monitor）」というウェブサイトを構築し，MDGsの進展についての情報を誰でもインターネットを通してみられるようにしている（詳しくは www.mdgmonitor.org を参照）。

（4）MDGs ターゲットの現状と進捗状況

表序-2は，MDGsのそれぞれの目標ごとに，具体的なターゲットについて，その現状と，これまでの進捗状況についてまとめたものである。

たとえば，目標1のターゲットの1つである「2015年までに1日1ドル未満で生活する人口の割合を1990年の水準から半減させる」は，「極度の貧困を半減」と簡潔に表現されている。現状については，極度な貧困がみられる地域として，サハラ以南アフリカと南アジアが際立っている。そして，これらの2つの地域における進捗状況としては，現状のままでは2015年に目標の達成が見込めないとされている。もう1つのターゲットである「2015年までに飢餓に苦しむ人口の割合を1990年の水準から半減させる」は，「飢餓の半減」と簡潔に表現されている。サハラ以南アフリカにおいては，現状として極度な飢餓がみられるとされ，進捗状況として，現状のままでは2015年までの目標達成は見込めないとされている。

サハラ以南アフリカは，MDGsの目標4〜6においても大きな課題を抱えている。5歳未満児の死亡率については，現在の数値が高いだけでなく，進捗状況としても現状のままでは2015年に目標の達成が見込めないとされている。妊産婦の死亡率については，その数値は極度に高いうえ，進捗状況についても進展がないか，または悪化さえしていると報告されている。HIV／エイズについては，現状として高度にまん延しており，進捗状況として現状のままでは2015年に目標の達成が見込めないとされている。

こうした地域ごとの現状と進捗状況に関するデータは，一般的な傾向を知るうえでは参考になるが，それぞれの地域のなかにある国ごとの進展の差異についてはあまり情報を提供してくれない。実は，同じサハラ以南アフリカにあっても，特定のMDGをすでに達成してしまった国もあれば，2015年までに達成が見込まれる国もある。こうした「成功例」を示す国では何がうまくいっているのかを探

表序-2 MDGsターゲットの現状と進捗状況（2011年7月発表）

ターゲット	アフリカ 北	アフリカ サハラ以南	アジア 東	アジア 東南	アジア 南	アジア 西	オセアニア	ラテンアメリカとカリブ	コーカサスと中央アジア
目標1：極度の貧困と飢餓の根絶									
極度の貧困を半減	低度の貧困	極度の貧困	高度の貧困	高度の貧困	極度の貧困	低度の貧困	—	中度の貧困	高度の貧困
生産的でディーセントな雇用	極度な遅れ	極度な遅れ	中度な遅れ	高度な遅れ	極度な遅れ	極度な遅れ	極度な遅れ	中度な遅れ	中度な遅れ
飢餓の半減	低度の飢餓	極度の飢餓	極度の飢餓	極度の飢餓	極度の飢餓	中度の飢餓	—	中度の飢餓	中度の飢餓
目標2：初等教育の完全普及の達成									
初等教育の完全普及	高度の就学	中度の就学	高度の就学	高度の就学	高度の就学	中度の就学	—	高度の就学	高度の就学
目標3：ジェンダー平等推進と女性のエンパワーメント									
初等教育における男女格差の解消	平等に近い	平等に近い	平等	平等	平等	平等に近い	平等から遠い	平等	平等
有給雇用における女性労働者の比率	低比率	中比率	高比率	中比率	低比率	低比率	中比率	高比率	高比率
国会における女性議員の比率	低比率	中比率	中比率	低比率	低比率	超低比率	超低比率	中比率	低比率
目標4：乳幼児死亡の削減									
5歳未満児死亡率の3分の2削減	低死亡率	超高死亡率	低死亡率	中死亡率	高死亡率	低死亡率	中死亡率	低死亡率	低死亡率
目標5：妊産婦の健康の改善									
妊産婦死亡率の4分の3削減	低死亡率	高死亡率	低死亡率	中死亡率	高死亡率	低死亡率	高死亡率	低死亡率	低死亡率
リプロダクティブ・ヘルスへのアクセス	中度のアクセス	低度のアクセス	高度のアクセス	中度のアクセス	中度のアクセス	中度のアクセス	低度のアクセス	高度のアクセス	中度のアクセス
目標6：HIV／エイズ、マラリア、その他の疾病との闘い									
HIV／エイズまん延の阻止と縮小	低度のまん延	高度のまん延	低度のまん延	中度のまん延	低度のまん延	低度のまん延	中度のまん延	中度のまん延	低度のまん延
結核まん延の阻止と縮小	低度の死亡率	高度の死亡率	中度の死亡率	高度の死亡率	高度の死亡率	低度の死亡率	中度の死亡率	低度の死亡率	中度の死亡率
目標7：環境の持続可能性の確保									
森林の喪失の回復	中度の森林	中度の森林	高度の森林	高度の森林	中度の森林	低度の森林	高度の森林	高度の森林	中度の森林
安全な飲料水を利用できない人びとの半減	高度の利用	低度の利用	中度の利用	中度の利用	中度の利用	高度の利用	低度の利用	高度の利用	中度の利用
衛生施設を利用できない人びとの半減	超低度の利用	超低度の利用	低度の利用	低度の利用	超低度の利用	中度の利用	低度の利用	中度の利用	高度の利用
スラム居住者の生活改善	中度のスラム化	極度のスラム化	高度のスラム化	高度のスラム化	高度のスラム化	中度のスラム化	中度のスラム化	中度のスラム化	—
目標8：開発のためのグローバルなパートナーシップの推進									
インターネットを利用できる人びと	高度の利用	低度の利用	高度の利用	中度の利用	低度の利用	高度の利用	低度の利用	高度の利用	高度の利用

注：■ 目標達成済み、又は2015年までに目標達成見込 □ 現状のままでは2015年までに目標達成見込めず。■ 進展なし、又は悪化。□ データ不十分。
出典：United Nations（2011），"Millennium Development Goals: 2011 Progress Chart"を筆者が翻訳。

表序-3　MDGsを達成する低所得国

MDGsとターゲット	達成済みの低所得国	達成が見込まれる低所得国
貧困	カンボジア，ケニア，モーリタニア	中央アフリカ，エチオピア，ガーナ
初等教育の完全普及	ミャンマー，タジキスタン，タンザニア	該当国なし
初等教育におけるジェンダー平等	バングラデシュ，ガンビア，ガーナ，ハイチ，ケニア，キルギスタン，マダガスカル，マラウィ，モーリタニア，ミャンマー，ルワンダ，タンザニア，ウガンダ，ザンビア，ジンバブエ	ベニン，ブルキナファソ，ブルンジ，カンボジア，コモロ，エチオピア，ギニア，ネパール，シエラレオネ，ソロモン諸島，トーゴ
中等教育におけるジェンダー平等	バングラデシュ，キルギスタン，ミャンマー	ガンビア，マラウィ，モーリタニア，ネパール，ルワンダ
5歳未満児死亡率	該当国なし	バングラデシュ，エリトリア，ラオス，マダガスカル，ネパール
安全な飲料水の利用	アフガニスタン，ブルキナファソ，コモロ，ガンビア，ガーナ，北朝鮮，キルギスタン，マラウィ，ネパール	ベニン，カンボジア，ギニア，ウガンダ
衛生施設の利用	ラオス，ミャンマー，タジキスタン	ルワンダ

出典：World Bank (2011), *Global Monitoring Report 2011*, World Bank, p.16にある表1.1を筆者が翻訳。

り，そこから教訓を学ぶことも，今後ますます必要となってくるだろう。

　表序-3にあるとおり，「極度の貧困を半減」というターゲットについて，ケニアとモーリタニアは，すでに達成済みである。また，中央アフリカ，エチオピア，ガーナは，2015年までに達成が見込まれている。次に，目標2の「初等教育の完全普及の達成」については，タンザニアがすでに達成済みである。さらに，「2015年までに5歳未満児の死亡率を1990年の水準の3分の1へと引き下げる（3分の2削減）」というターゲットについて，エリトリアとマダガスカルは達成が見込まれている。

3　ミレニアム開発目標をめぐる3つの論点

　さて，『国連ミレニアム宣言』が採択された2000年から，MDGsの達成年限である2015年に至るまでの過程において，すでに3分の2が過ぎた時期に私たちは置かれている。その意味で，残りあと数年間となったMDGsへ向けた進展と課

題について，改めて大きな注目を浴びることは間違いないであろう。ここでは，MDGsをめぐる近年の論点を3つだけ簡潔に提示しておきたい。まず，第1は，残された数年のなかで確実な成果をあげるために，MDGs達成へ向けた活動を，「選択と集中」しながら，いかに加速化すべきかという議論である。第2は，とくに保健と教育に関連したMDGsについていえることだが，これまで基礎的な社会サービスの「量」を増やすことによるアクセスの拡大に重点が置かれる傾向にあったが，今後はその「質」が問い直されてくるだろう。第3は，国内における格差を配慮し，それを是正するための，公平性の重視である。

（1）「MDG加速化枠組み」による選択と集中

「MDG加速化枠組み（MDG acceleration framework: MAF）」は，国連開発計画（UNDP）が中心となって提唱し，国連開発グループ（UNDG）によって開発に関わる32の国連機関（第14章を参照）に共通の枠組みとして位置づけられるようになった。その内容は，とくに目新しいものではないが，MDGs達成の期限が迫り，リソースも限られるなか，それぞれの途上国における「選択と集中」のための手続きを標準化したところに意義がある。

まず，途上国政府が中心となって，進捗が順調でない（off-track）とされるMDGsを特定し，そのなかから優先的に取り組むべき目標を選択する。そのうえで，MAFは4つの段階を設定している。

まず，①2015年までにそのMDGを達成するために必要とされる戦略的な活動を見出す。次に，②そうした重要な戦略的活動を効果的に実施することを妨げている障壁（bottlenecks）を分析し，それらに優先順位をつけて選ぶ。そして，③その優先順位の高い障壁を取り除くために効果的で実行可能な解決方法を決める。そして最後に，④その実施とモニタリングのための行動計画を策定する。以上のような4つの段階のそれぞれについて，作業を標準化している（UNDG, 2011）。14のパイロット国においてすでに試行されており，その経験の一部については報告されている（UNDP, 2010b）。

とにかく，各途上国において2015年までになんらかの成果を出し，そうした「成功例」に途上国が自信をつけて，次の優先される目標に取り組むことが望ましい。また，国連にとっても，その信憑性を高めるためにも，とにかく「成功例」をたくさん共有したいところである。他方，どうしても，短期に成果を出し

やすい目標に資源を集中させることによって，その目標へ向けた長期的な取組みが顧みられなかったり，MDGsの他の目標が後回しになったりといった懸念もある。

（2）「量」だけでなく「質」も

MDGsに関連した会議において繰り返し出てくる論点は，「質」の問題である。つまり，MDGsの保健や教育の分野におけるターゲットや指標をみてもわかるとおり，これまで基礎的な社会サービスの量的な増大やアクセスの拡大に力が注がれてきた。他方，そうした基礎的社会サービスそのものの質については，指標にすることも難しく，あまり関心が払われてこなかったという反省がある。

そうした教訓から，たとえば教育においては，MDGsで強調される教育への「アクセス」だけでなく，「万人のための教育（education for all: EFA）」のゴールの1つとして明記されている教育の「質」にも一層に取り組むべきだとされる（第10～11章を参照）。

（3）公平性の重視による国内格差の是正

また，基礎的社会サービスへのアクセスについては，多くの国際会議において，指標ごとの全国的な平均値を改善することが論じられる傾向が強かった。唯一の顕著な例外は，目標3に関連した教育におけるジェンダー格差の是正や女性のエンパワーメント（empowerment）くらいだろう。つまり，都市部と村落部のあいだの格差や，紛争や差別によって社会的に排除されてきた脆弱な人びとへの配慮は，これまで十分ではなかった。

従来から「人権を基盤としたアプローチ（human rights-based approach to programming）」を提唱し，「開発における人権の主流化（mainstreaming human rights in development）」を推進してきたUNICEFは，近年，子どものために保健分野のMDGsを達成するためには「子どもの生存と発達への公平性を重視したアプローチ（equity-focused approach to child survival and development）」が実践的で，費用に対して効果的（cost-effective）であると論じている（UNICEF, 2010）。

この「公平性を重視したアプローチ」は，5つの政策的な段階を踏む。①まず，最も剥奪された（deprived）人びとやコミュニティを特定する。その際，革新的な情報通信技術（information and communication technology: ICT）を活用すること

で，貧しいコミュニティの状況を把握することも実行可能となってきている。②次に，すでに実証済みで，対費用効果の高いプログラムに資金をつける。③その際，そのプログラムによって提供されるサービスを貧しい人びとが利用するうえで障壁（bottlenecks）となっているものを克服する。これまであまり重視されてこなかったサービスの質の不均等や，社会文化的な価値観が，まさに剥奪された人びとにとっての障壁となっていることが問題とされる。④また，遠隔地だったり，社会的に排除されたりして，これまでサービスを受けられなかったコミュニティにとっては，従来の保健医療施設を基盤とした（facility-based）方法には限界があるので，これまで以上にコミュニティを基盤とした（community-based）サービス提供の方法を模索しなくてはならない。⑤限られたリソースから最大限の効果を引き出すためには，貧しい人びとがサービスを利用するうえで負担させられている直接的および間接的な費用を軽減していくことが重要だとされている（UNICEF, 2010）。

こうした「公平性を重視したアプローチ」は，これまでのところ保健分野を念頭に置いて論じられているが，UNICEFによると，今後は教育などの他の分野においても応用していくとのことである。その際，教育分野ですでに議論されているインクルーシブ教育（第10章を参照）とも共通する点が多いと思われる。

4　この本で学ぶこと

それでは，最後に，本書の全体を通して学ぶ内容について章ごとに簡単に説明しておこう。

第1章「所得貧困」は，目標1のなかでも「2015年までに1日1ドル未満で生活する人口の割合を1990年の水準から半減させる」というターゲット1Aととくに関連がある章である。貧困線，貧困人口比率，貧困ギャップ比率，2乗貧困ギャップ比率などの概念を学んだうえで，貧困から抜け出すためのアプローチを考える。

第2章「マイクロファイナンス」は，目標1のターゲット1B「完全かつ生産的な雇用，そしてディーセント・ワークの提供」に加えて，目標8のターゲット8A「開放的で，ルールに基づく，予測可能でかつ差別的でない貿易および金融システムを構築」ととくに関連性が高い章である。包括的な貧困削減を目指す

NGO，零細企業家に金融サービスを提供する革新的な商業銀行，貧困層の出稼ぎ収入の送金を容易とする携帯電話事業会社などの事例を通して，マイクロファイナンスの役割とその意義を学ぶ。

第3章「コミュニティの参加」については，『国連ミレニアム宣言』のなかで「民主的で参加型の統治」として謳われている。途上国のオーナーシップと自助努力というとき，政府が念頭に置かれていることが多いが，人びとやそのコミュニティの主体性がより重視されるべきだろう。MDGsにおいては十分な記述がされていないが，目標1「極度の貧困と飢餓の根絶」のほか，すべての目標の達成においてカギとなるのは，コミュニティの参加である。この章では，そうしたコミュニティ参加をいかに支援していくべきかについて学ぶ。

第4章「飢餓と栄養不良」は，目標1のターゲット1C「2015年までに飢餓に苦しむ人口の割合を1990年の水準から半減させる」ことと非常に関連した章である。食料の安全保障という視点から，飢餓のメカニズムについて解説する。そして，飢餓のない世界へ向けて，政府と援助機関の役割は何であるかを学ぶ。

目標4と5の関連で，国連事務総長は，2010年9月の国連総会において，「女性と子どもの健康のためのグローバル戦略（global strategy for women's and children's health）」を打ち上げている。国家や国際機関だけでなく，グローバルな慈善団体，市民社会組織，ビジネス，保健医療従事者の団体，大学や研究所が子どもと女性の健康のために一致団結するように呼びかけ，共通の保健戦略を提示した。つまり，目標4「乳幼児死亡の削減」と目標5「妊産婦の健康の改善」に総合的に取り組むためのグローバルな保健戦略があることを踏まえて，それぞれについてみていく必要がある。

第5章「子どもの健康」は，目標4を中心的に扱うが，目標5のほかにも，目標1ターゲット1C，目標6「HIV／エイズ，マラリア，その他の疾病との闘い」，目標7のターゲット7C「安全な飲料水および衛生施設」，目標8のターゲット8E「安価な必須医薬品」との関係も論じている。1978年に採択された「すべての人びとに健康を」という『アルマ・アタ宣言』によって打ち出されたプライマリ・ヘルス・ケア（primary health care: PHC）の概念とその今日的な意義について学ぶ。

第6章「女性の健康」は，目標5「妊産婦の健康の改善」のほか，目標3「ジェンダー平等推進と女性のエンパワーメント」とも関連性の高いテーマを扱う。

「性と生殖に関わる健康と権利（reproductive health rights）」の概念を中心としながら，妊産婦の健康の改善や家族計画の推進について学ぶ章である．

　第7章「HIV／エイズ，結核とマラリア」は，目標6「HIV／エイズ，マラリア，その他の疾病との闘い」は当然ながら，目標4「乳幼児死亡の削減」や目標5「妊産婦の健康の改善」とも深く関連した章である．世界3大感染症として国際的な優先課題に位置づけられているHIV／エイズ，結核，マラリアについて，その現状と取組みについて学ぶ．

　第8章「水と衛生」は，目標7のターゲット7C「安全な飲料水および衛生施設を継続的に利用できない人びとの割合を半減」ととくに関連性が高い．また，子どもの死因の1つに下痢症があることから，目標4とも関連が深い．安全な水へのアクセスを向上するための課題のほか，トイレの清潔な利用や石鹸による手洗いを促進するアプローチを学ぶ．

　第9章「乳幼児のケアと教育」は，MDGsの目標1〜4に関わる．乳幼児のケアということでは，目標4の乳幼児死亡の削減のほか，目標1のターゲット1C「飢餓の半減」をモニターするための指標の1つである「低体重の5歳未満児の割合」が直接的に関係する．しかし，幼児期のケアや教育が，とくに女子について，その後の初等教育への就学に大きな影響を与えることから，目標2および3とも関連する．

　第10章「初等教育」については，すでに「万人のための教育（EFA）」のゴールがあるが，MDGsでは目標2に加え，目標3とも直接的に関係する章である．初等教育の完全普及を困難にしている原因としてあげられる児童労働，社会的排除，教育の質の問題，教育の制度的課題などについて学ぶ．

　第11章「教育とジェンダー」は，目標3に加え，目標2とも直接的に関係する章である．教育におけるジェンダー格差の現状と，それをデータとして理解するための指標について学ぶ．そして，女子の教育へのアクセスを妨げる要因を踏まえて，教育におけるジェンダー平等へ向けた国際的な取組みを解説している．

　第12章のテーマは「教育と情報通信技術」である．目標2の「初等教育の完全普及」を困難としている原因として，従来から地理的な要因があげられてきた．つまり，村落地域や過疎地域においては相変わらず教育へのアクセスが困難である．そうしたなか，情報通信技術を使った革新的な取組みが進んでいることを学ぶ．この点で，目標8のターゲット8F「とくに情報・通信における新技術によ

る利益が得られるようにする」とも関連する。

　第13章以降は，目標8「開発のためのグローバルなパートナーシップの推進」と関連する。途上国が主体となった開発を進めるうえでのパートナーとして，先進国の援助機関，国連，NGO，民間企業について考えていく。

　第13章「援助機関と被援助国」では，国際援助を協調しようとしてきた経緯について，国連，世界銀行，先進国の援助機関のそれぞれについて学ぶ。

　第14章「国連の役割」は，とくに国連による「一丸となっての支援」のための動きについてみていく。本部レベルでの国連開発グループ（UNDG）や，現地レベルでの国連カントリーチームによる国連開発援助枠組み（UNDAF）などの動きを学ぶ。

　第15章「NGOと開発協力」では，NGOも途上国開発を進めるうえでの重要なパートナーであることを再確認する。開発におけるNGOの役割の変遷を，5つの「世代」として整理する。そして，現地のNGOとのパートナーシップを目指す先進国NGO，という第3世代について事例をあげる。そして，ネットワーク，パートナーシップ，アドボカシーを掲げる第5世代のNGOによる開発資金の調達へ向けた動きをみる。

　第16章「企業の社会貢献と社会的責任」では，新たな国際協力の担い手として企業に注目が集まっていることを学ぶ。企業の社会的責任（CSR），インクルーシブ（inclusive）ビジネス，BOPビジネス，国連グローバル・コンパクトなどの動きについて解説する。

　表序-4は，第1～16章までの各章について，どのMDGsの目標やターゲットと関連したことを学べるかを単純化して整理したものである。もちろん，どの章もすべての目標と関連しているのだが，とくに関連性が高い目標には◎，関連性が高い目標には○をつけてある。たとえば，目標4「乳幼児死亡の削減」にとくに関心がある読者は，◎と○がついている4～5章と7～9章をまず読んでみるという学習の方法も可能である。

　それでは，読者のみなさん，国際開発とMDGsについて，一緒に学んでいこう！

表序-4　各章とMDGsの各目標との関連

	目標1	目標2	目標3	目標4	目標5	目標6	目標7	目標8
1章	◎							○
2章	◎							◎
3章	◎							○
4章	◎			○				○
5章	◎			◎		◎	◎	◎
6章			◎		◎			○
7章				◎	◎	◎		○
8章	○	○	○	◎	○		○	○
9章	◎	◎	○	◎				○
10章		◎	○					○
11章		◎	◎					○
12章		◎						◎
13章	○							◎
14章	○							◎
15章	○							○
16章	○							◎

注：◎＝とくに関連性が高い．○＝関連性が高い．

今後の学習のための参考文献

(1) 初級

国際連合（2013）『国連ミレニアム開発目標報告2013』国連広報センター。
　＊毎年，国連総会が開催される前に発行される報告書で，MDGs の達成へ向けた進捗や課題が示される。基礎的な情報やデータを含む資料である。
　　http://unic.or.jp/files/MDG_Report_2013_JP.pdf
国際協力機構（2010）『ミレニアム開発目標への取り組み――すべての人々が恩恵を受ける，ダイナミックな開発を目指して』国際協力機構。
　＊日本の開発援助実施機関である国際協力機構（JICA）がいかに MDGs に取り組もうとしているかを知るための資料として参考になる。
佐藤寛・アジア経済研究所開発スクール編（2007）『テキスト社会開発――貧困削減への新たな道筋』日本評論社。
佐藤寛・青山温子編（2005）『生活と開発（シリーズ国際開発第3巻）』日本評論社。
毛利勝彦編著（2008）『環境と開発のためのグローバル秩序』東信堂。

(2) 中級

United Nations (2011), *The Millennium Development Goals Report 2011*, New York: United Nations.

UNDP (2010), *The Path to Achieving the Millennium Development Goals : A Synthesis of Evidence from Around the World*, New York: UNDP.
World Bank (2011), *Global Monitoring Report 2011 : Improving the Odds of Achieving the MDGs*, Washington, D.C.: World Bank.
UN ESCAP, ADB, and UNDP (2010), *Asia-Pacific MDG Report 2010/11 : Paths to 2015――MDG Priorities in Asia and the Pacific*, New York: United Nations.

(3)上級
United Nations (2010), *MDG Gap Task Force Report 2010 : MDG8――The Global Partnership for Development at a Critical Juncture*, New York: United Nations.
UNDP (2010a), *What will It Take to Achieve the Millennium Development Goals? : An International Assessment*, New York: UNDP.
UNDP (2010b), *Unlocking Progress : MDG Acceleration on the Road to 2015*, New York: UNDP.
UNDG (2011), *MDG Acceleration Framework*, New York: UNDP.
　　＊MDG加速化枠組み（MAF）を解説する基礎的な資料として重要。国連開発計画（UNDP）が作成したが，のちに国連開発グループ（UNDG）の開発戦略として採用された。
UNICEF (2010), "Narrowing the Gaps to Meet the Goals", New York: UNICEF.
　　＊UNICEFの「公平性を重視したアプローチ」を説明する簡潔な資料。保健分野におけるMDGsの達成を中心に論じている。

(4)ウェブサイト
国連事務局MDGs
　　http://www.un.org/millenniumgoals/
国連事務局経済社会局統計課「MDGs指標」
　　http://unstats.un.org/unsd/mdg/
MDG Gap Task Force
　　http://www.un.org/esa/policy/mdggap/
国連「女性と子どもの健康のためのグローバル戦略」"Every Woman Every Child"
　　http://www.everywomaneverychild.org/
国連開発グループ（UNDG）
　　http://www.undg.org/
DevInfo
　　http://www.devinfo.org/
MDG Monitor
　　http://www.mdgmonitor.org/

第Ⅰ部

貧困をなくすための国際開発

第1章　所得貧困
——貧しさを量的に把握するために——

山形辰史

この章で学ぶこと

　貧困削減は，国際開発の目標である。貧困には，その原因や現れ方に対応したいくつかの側面がある。物質的欠乏は古来重視されてきた貧困の一側面であるが，これに加えて，差別や迫害といった人権侵害，戦争や暴力による生命や生活の危険も，今日では広い意味での「貧困」と解釈されている。このような広義の「貧困」については本書全体で取り扱うこととし，本章では狭義の「貧困」である物質的欠乏について考察する。物質的欠乏とは，消費が不十分であることを意味するが，その消費を賄う原資となるのが所得である。物質的欠乏は国連が貧困削減達成のために掲げたミレニアム開発目標（MDGs）の，第1の目標としても掲げられている。

　本章では導入部の後に，物質的欠乏を把握するために，「所得」という概念が持っている意義と限界を明らかにする。そしてその限界を補完するために，近年では人間開発指数が用いられていることを説明する。

　次に，物質的欠乏に陥っている貧困層が誰であるかを特定するための，貧困指標について説明する。貧困指標は，どの国・地域が最も開発を必要としているか，を考察するために重要な指針となる。

　そして最後に，貧困層が貧困から抜け出すために，どのようなアプローチが考えられているかを説明する。政府やNGOによる直接的サービス供給に加えて，貧困層自体の所得増加を目指して貧困層の雇用や起業（農業を含む）を目指す方向性について紹介する。

キーワード　貧困，安全保障，エンパワーメント，人間開発指数，貧困指標

1　貧困の諸相

　貧困とは「貧しくて困っていること」を指す。あなたが開発途上国に行って，周囲を見渡すと，物乞いや路上生活者など，何人かの「貧しくて困って」いそうな人を見出すだろうが，大半の人びとは困っているようには見えない。彼らは貧困とは無縁なのだろうか。ここから話を始めたい。
　所得が低く，それが故に栄養状態の悪い人も，普通は町や村で働いている。そのとき彼らはいきいきしており，とても困っているようには見えない。失業者はどうだろうか。失業者は家の周りでぶらぶらしている。タバコを吸ったり，茶を飲んだりしながら仲間とだべっている。彼らも困っているようには見えない。
　彼らの貧困問題とは何だろうか。それは様々な要因から「困った状態に陥りやすい」ことである。この場合「困った状態」とは，病気や怪我，そして犯罪や災害に巻き込まれやすいことなどを意味する。所得が高ければ，病気や怪我を未然に防ぐために，栄養のある食事を取ったり，安全性の高い移動手段を利用したりすることが可能である。また所得が高ければ，防犯性や耐震・耐火性の高い住居や資産を保有することができる。このように所得の高いことは困難を未然に防ぐ役割を果たすのであるが，所得の大小は他人に雇われる雇用機会や，自ら事業を興す起業機会の大小に依存する。したがって，困難を未然に防ぐには機会（opportunity）が重要なキーワードになるのである。
　次に問題になるのは，途上国の人びとがいったん困難に陥ると，その状況から立ち直りにくい，という点である。先進国には生活保護や健康保険，生命保険や損害保険が整備されている。病気になったら病院に行けばいいし，犯罪には警察が対処してくれる。理不尽な損害には裁判所が手を差し伸べ，戦争や天災には軍が出動する。このように人びとが困難に見舞われたときに，その困難を解決しようとする仕組みが用意されている。この仕組みは安全保障（security）と呼ばれ，一般に途上国では十分整備されていない（関連概念として，人びとが人間的かつ安全に暮らすことのできる環境を整えることを意味する，人間の安全保障〔human security〕がある）。
　第3の側面は，機会を活かすだけの内的条件を途上国の貧困層が備えているかどうか，そしてそれが備わっていなければ，備えるための支援をする必要がある，

という点である。「機会を活かすための内的条件」とは,具体的には,雇用機会に応じるための教育水準,労働に耐えるだけの健康水準,平等に経済・政治・社会活動をするための権利などを意味する。これらの条件は英語のパワーという語に象徴され,これらの機会をとらえる条件が満たされていくことは,エンパワーメント（empowerment）と呼ばれている。

これら3つの側面は,途上国の人びとを貧困から脱却させる要因でもある。彼らに十分な就業機会や事業機会が与えられ,それを活かすだけのパワーが彼らに備わっており,そしてまた,何らかの危険が降りかかっても,それに対処する手段や制度があれば,貧困からの脱却は容易になろう（このような視角は,世界銀行〔2002〕において展開されている）。

本章では,これら諸側面のなかでも雇用機会や事業機会を通して得られる所得に着目する。エンパワーメントに大きく関わる保健,教育,そして安全保障の役割を担うコミュニティ,国家,国際機関,NGOについては,他の章で触れられることになる。

2 所得貧困とは？

（1）行動制約としての所得

貧困の対概念は豊かさである。ある個人が,またはある社会がどれだけ豊かであるかは,どのようにして測ることができるだろうか。その1つの方法は,その個人や社会の構成員に,それぞれがどれだけ幸せかを尋ねることである。しかしこの方法の難点は,それぞれの個人が異なる判断基準を持っているので,たとえば欲のない人と欲張りな人は,同じ経済水準にあったとしても,前者は幸せであると思い,後者は不幸だと思うことにある。そのため,何らかの客観的な指標が必要となる。

ここで仮に,人びとが与えられた選択肢のなかで常に自分にとって最善のものを選ぶ,と考えるならば,「選択肢の多さ」が豊かさの指標だ,とは考えられないだろうか。伝統的な経済学はこのような立場を取り,選択肢を縛る重要な要因の1つとして所得を想定した。とりたてて資産のない人は,金を借りる当てもないとすれば,所得の範囲内に支出を収めなければならないという意味で,所得の低い人の選択肢は限定される。つまり,所得が少ないことは,選択の範囲を狭め,

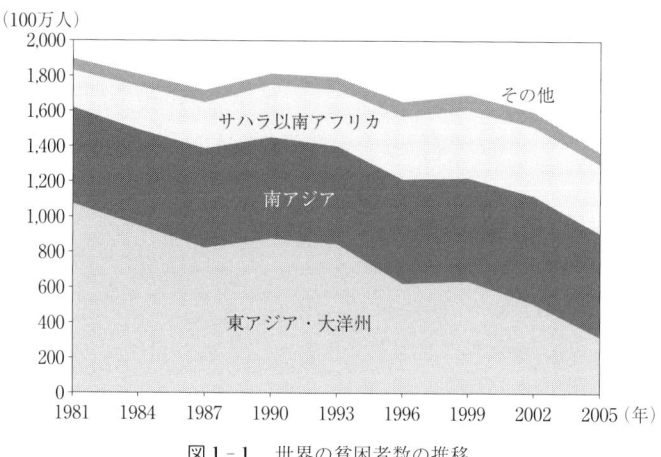

図1-1 世界の貧困者数の推移

注：2005年の（購買力を考慮した）物価を基準とした1.25ドル（1日当たり）以下で生活する人びとを貧困者と定義している。
出典：World Bank（2010）, *World Development Indicators 2010*, Washington, D. C.: World Bank, p.92.

その狭い選択の範囲から得られる幸は限られることになろう。

このような考え方から，伝統的に1人当たり所得が，豊かさ（その裏面では貧しさ）を測る指標として多用されてきた。現在最も広く用いられている貧困指標も所得（または，それによって可能になる支出）に基づいている。

図1-1は，所得を基準にして，貧困層と非貧困層を分ける貧困線（poverty line）を引き，貧困線以下の所得で暮らす貧困者の人口を，世界の各地域ごとに推計したものである。貧困線は，人びとが必要な衣食住（とくに摂取カロリーで見た栄養が重視される）を満たすために必要な支出額として算出され，国際的に用いられる標準としては，1人1日1.25ドル（2005年の物価水準）が用いられている。

この推計方法によれば，世界の貧困人口は，1981年に約19億人であったが，2005年には14億人弱へと減少していることがわかる。貧困人口を大きく減少させたのは東アジア・大洋州で，それと対照的に貧困人口が増加したのがサハラ以南アフリカである。南アジアでも貧困人口は，5億5000万人から6億人へと増加している。

ただしこれら貧困人口の推移は，世界全体の人口増加にも拠っている。総人口に対する貧困者の比率を貧困人口比率（head count ratio）と呼び，その地域別変

図1-2　貧困人口比率の推移

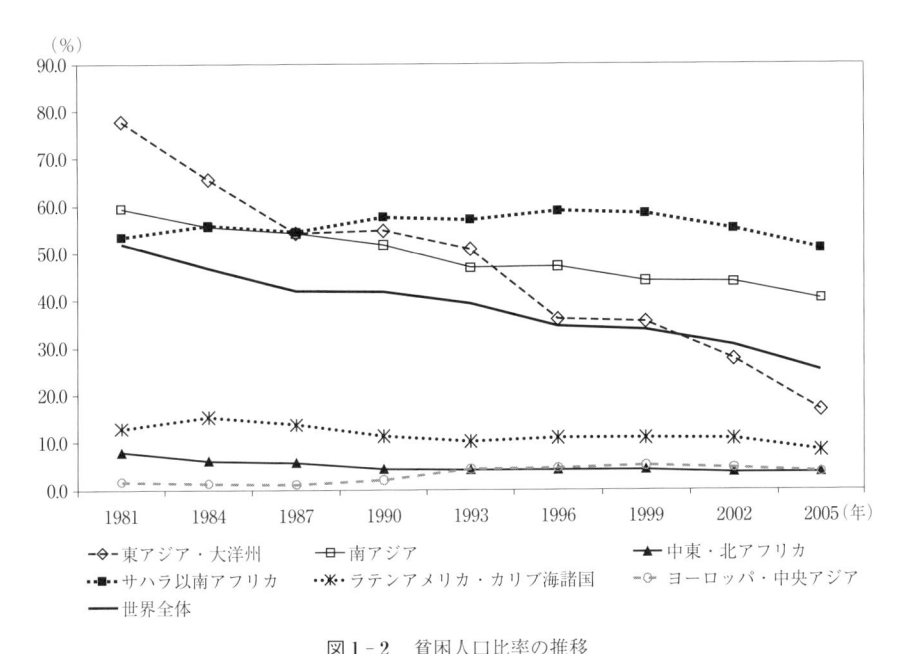

注：2005年の（購買力を考慮した）物価を基準とした1.25ドル（1日当たり）以下で生活する人びとを貧困者と定義している。
出典：World Bank（2010）, *World Development Indicators 2010*, Washington, D. C.: World Bank, p.92.

化が図1-2に示されている。これによれば，1981年には世界人口の約半数が貧困状態に置かれていたが，その比率は2005年に4分の1にまで低下している。最も顕著な低下が見られたのは東アジア・大洋州で，1981年には貧困人口比率が世界で最も高い約80％だったのが，2005年には20％以下にまで低下している。これは世界で最も人口の多い中国の経済発展によることが明らかである。もちろん他の東アジア諸国の高成長も忘れてはならない。同様に，インドが人口の大半を占める南アジアも，貧困人口比率は60％から40％へと低下している。すでに加速しているインドの経済成長がこのまま維持されれば，貧困人口比率がさらに下がることが期待される。

　対照的にサハラ以南アフリカの貧困人口比率には大きな変化が見られない。1990年代に緩やかに上昇し，60％に近づいた後，2005年には約50％の水準までわずかに低下しているのみである。このことからサハラ以南アフリカが，現在の世

界の貧困問題の焦点であることがわかる。

（2）人間開発指数

一方，人間の真の豊かさについての考察が深まると，所得のみに着目した貧困指標，開発指標のあり方に疑問が生じるようになった。たとえば，所得水準が低いながらも，比較的高い社会福祉水準を達成しているといわれるスリランカやインドのケララ州，対照的に所得が高いながらも女性の社会参加が進まないいくつかの中東諸国の存在は，所得を豊かさの代理変数とすることへの懸念を抱かせる。この懸念が正しいとしたならば，前節で展開された論理のどこに問題があったのだろうか。

その問題とは，人間の選択を制約する条件として，所得に依存する予算制約のみを想定したことにあった。人びとの行動制約が所得のみであれば，所得の高さが人間の選択肢の広さを表すことになるが，現実には，人がそれ以外の重要な行動制約に直面していることに，インド人の経済学者であるアマルティア・センは着目した。とくに途上国においては，「女性は家族以外の男性の目に触れてはならない」であるとか，「字が読めないので，安心して契約が取り交わせない」，「健康を害して，雇用機会を逃してしまう」といった制約が，人びとの行動を大きく制限する場合がある。それらの制約が人びとの行動を縛っているのであれば，もはや所得は彼らの選択の範囲の広さを代表する指標としてふさわしくない。センは，人びとの実質的な選択可能性を潜在能力（capability）と呼び，この潜在能力を計測する努力こそが必要であると主張した。

センらが提唱したのは，所得以外の制約要因を明示的に考慮に入れることによって，途上国の人びとが真に直面する「選択の範囲（潜在能力）」を描き出す試みである。具体的には，教育水準，保健水準が，所得以外の行動制約として取り上げられた。そして，所得制約に加えて，教育制約，保健制約も加味した潜在能力指標として，人間開発指数が開発された。

人間開発指数は，保健，教育，所得のそれぞれを代表する指標の単純平均として定義されている。具体的には表1−1に示したように，保健水準を代表する指標として平均寿命が採用され，教育水準を代表する指標として識字率と初等教育就学率が採用されている。所得は，世界共通の購買力基準で評価した1人当たり実質国内総生産（Gross Domestic Product: GDP）で代表されている。いずれの指

表1-1　人間開発指数（2007年）

	順位	国名	平均寿命（歳）	成人識字率（％）	就学率（％）	1人当たりGDP（ドル）	平均寿命指数	教育指数	所得指数	人間開発指数
世界の上位3カ国	1	ノルウェー	80.5	—	98.6	53,433	0.925	0.989	1.000	0.971
	2	オーストラリア	81.4	—	114.2	34,923	0.940	0.993	0.977	0.970
	3	アイスランド	81.7	—	96.0	35,742	0.946	0.980	0.981	0.969
	10	日本	82.7	—	86.6	33,632	0.961	0.949	0.971	0.960
	13	アメリカ	79.1	—	92.4	45,592	0.902	0.968	1.000	0.956
アジアの下位5カ国	137	カンボジア	60.6	76.3	58.5	1,802	0.593	0.704	0.483	0.593
	138	ミャンマー	61.2	89.9	56.3	904	0.603	0.787	0.368	0.586
	141	パキスタン	66.2	54.2	39.3	2,496	0.687	0.492	0.537	0.572
	144	ネパール	66.3	56.5	60.8	1,049	0.688	0.579	0.392	0.553
	146	バングラデシュ	65.7	53.5	52.1	1,241	0.678	0.530	0.420	0.543
世界の下位5カ国	178	マリ	48.1	26.2	46.9	1,083	0.385	0.331	0.398	0.371
	179	中央アフリカ	46.7	48.6	28.6	713	0.361	0.419	0.328	0.369
	180	シエラレオネ	47.3	38.1	44.6	679	0.371	0.403	0.320	0.365
	181	アフガニスタン	43.6	28.0	50.1	1,054	0.310	0.354	0.393	0.352
	182	ニジェール	50.8	28.7	27.2	627	0.431	0.282	0.307	0.340

注：先進国では成人識字率が100％とみなされているので，数値が示されていない。ここでの就学率は初等・中等・高等教育を対象としている。就学率は就学者数を学齢人口で割って算出するが，留年その他の理由により学齢を超える人びとが就学していると，100％を超えることがある。GDPは国内総生産の略で，国内で生み出された所得を表す。ここでは購買力を基準として国際比較可能な購買力平価GDPが用いられている。平均寿命指数，教育指数，所得指数は，それぞれ理論的な上限を仮定し，そのうち何％が満たされたかが，指数として表現されている。教育指数は成人識字率指数と就学率指数を，それぞれ3分の2，3分の1のウェイトで加重平均することにより算出している。人間開発指数は平均寿命指数，教育指数，所得指数の単純平均である。
出典：UNDP（2009），*Human Development Report 2009*, New York: UNDP.

標も（実際の値－理論的最低値）／（理論的最大値－理論的最低値）という分数で指数化される。教育指数については，教育水準を代表する識字率と教育水準の変化を代表する就学率に2対1のウェイトをつけた加重平均が採用されている。このようにして算出された平均寿命指数，教育指数，所得指数の単純平均が人間開発指数である。

　表1-1は，人間開発指数の上位の国々と下位の国々を示したものである。世界の上位3カ国はノルウェー，オーストラリア，アイスランドとなっている。日本は就学率と1人当たり所得がこれら3カ国より低いので，世界10位にランクされている。アメリカは13位で，これは平均寿命が，より上位の国々と比べて低いことによる。表では世界の下位5カ国と，アジアの下位5カ国の指標を掲げてい

る。アジアの国のなかで世界下位5カ国に入っているのはアフガニスタンだけである。それ以外のアジアの下位5カ国は世界下位5カ国に比べて平均寿命が長く、識字率が高く、就学率も高い傾向にある。1人当たり所得もやや高いが、たとえばミャンマーやネパールの1人当たり所得はマリやアフガニスタンの1人当たり所得より低い。しかし保健、教育指標では上回っているので、ミャンマーとネパールの人びとはマリやアフガニスタンの人びとより、広い選択可能性を持っている、という見方を人間開発指数は示している。

3　所得貧困の指標

ここで話を再び所得を基準とした指標に戻してみよう。というのは所得を基準にした貧困指標にもいくつかあり、それぞれに特徴を有しているからである。

（1）貧困線——貧困人口の特定

すべての貧困指標は、まず所得（または支出）を基準にした一定の貧困線（poverty line）を引き、それに満たない所得の人びとを貧困層と特定して、彼らの人数、所得を経済全体のなかで相対的に評価する仕組みになっている。したがってまず、どのようにして貧困線を引くかが問題となる。

貧困線は、各国、各地域において最低限必要とされる必須生活物資（とくに食料消費）を基準に、それら物資の消費が当該地域においておおよそ実現されるような所得（ないし総消費支出）の水準を、家計データから推定することによって求められる。したがって、各国、あるいはそれぞれの国のなかの地域によって異なる貧困線が引かれるのであるが、それでは国際比較がしにくいということから、1人1日1.25米ドル（2005年基準）と推定された国際貧困線がしばしば用いられている（図1-1を参照）。

（2）貧困人口比率——貧困の広がり

最も頻繁に言及され、MDGs においても用いられているのが貧困人口比率（P_0: head count ratio）であり、「貧困の広がり（incidence）」を示す指標として用いられている。

$$P_0 = \frac{p}{n} \tag{1}$$

　これは総人口（n）に占める貧困人口（p）の比率を示している。MDGs の第 1 のターゲットは，2015 年までに各国が，この貧困人口比率を，1990 年の水準の 2 分の 1 に下げることである。

　この指標は意味がわかりやすい反面，大きな短所を有している。それは貧困の「深さ」が指標に反映されないという点である。たとえば貧困線より低い人の所得が以前よりもっと低くなったとしても，貧困人口比率には影響がない。またこの指標は，所得が貧困線よりわずかだけ下回っている人を支援した方が，手っ取り早く改善されるので，極貧層への手当が軽んじられるという危険性がある。

（3）貧困ギャップ比率——貧困の深さ

　この短所を克服した貧困指標が貧困ギャップ比率（P_1: poverty gap ratio）で，「貧困の深さ（depth）」を表している。この指標を作成するにはまず，貧困線以下で生活している人びと（総勢 p 人）に関して，貧困線（ここでは y としている）と各人の所得（総人口 n のうち，第 i 番目に所得の低い人の所得を y_i という記号で示す）の差（$y-y_i$）を算出する。この差は貧困ギャップと呼ばれる。この貧困ギャップを貧困線で割った（$y-y_i$）／y が個人の貧困ギャップ比率である。これを足しあげて，人口 n で割ることによって，その社会の貧困ギャップ比率を得る。

$$P_1 = \frac{1}{n} \cdot \sum_{i=1}^{p} \left(\frac{y - y_i}{y} \right) = \frac{\sum_{i=1}^{p} (y - y_i)}{ny} \tag{2}$$

　この値が示している意味を考えるためには，(2)式の 2 つ目の等号の右辺 $\left[\frac{\sum_{i=1}^{p}(y-y_i)}{ny} \right]$ の表現が有用である。図 1-3 は，ある社会の構成員を所得の低い順に並べて，彼らの所得の描く線を示したものである。仮に所得がなだらかな右上がりの線を描くとすると（所得の低い順に構成員を並べているので，この線が右下がりの局面を持たないことに留意されたい），貧困線はこの曲線に p 番目の構成員の所得の高さで交わる水平線である。

　この図で貧困ギャップ比率の分子 $[\sum_{i=1}^{p}(y-y_i)]$ は，「貧困ギャップ」と示されたナイフ型の面積に相当し，分母はそれを含む長方形の面積（ny）に相当す

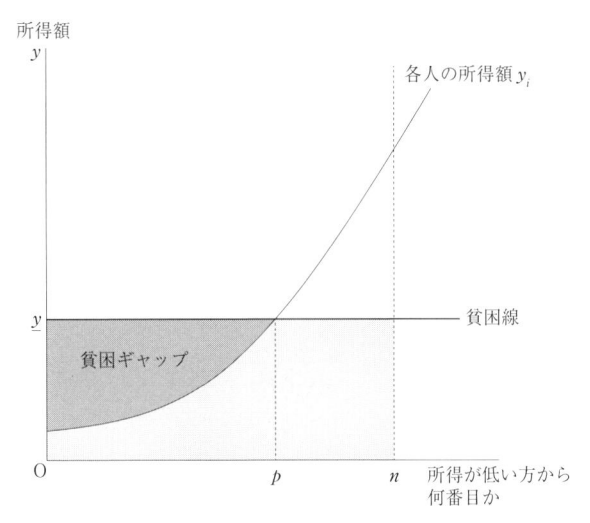

図1-3　ある社会の構成員の所得と貧困線

る。ny は，人口すべてが無収入だった場合に，その全員の所得を貧困線にまで引き上げるためにどれだけの所得補償が必要かを示している。これに対してナイフ型の面積は貧困ギャップの総額を示しており，この社会に実際に存在する貧困層全員の所得を貧困線に引き上げるために必要な所得補償額を示している。つまり（社会の）貧困ギャップ比率は，貧困が最もひどい場合に必要な所得補償額に対して，現実に必要とされる所得補償が何％に相当するかを示している。所得ギャップ比率が高いほど，より多額の所得補償が必要とされる。言い換えれば，高い貧困ギャップ比率は，貧困層の所得と貧困線の乖離が大きいことを示す。

（4）2乗貧困ギャップ比率——貧困の深刻さ

しかし貧困ギャップ比率も短所を抱えている。その短所とは，貧困層のなかでも比較的豊かな貧困層の所得の改善と，極貧層の所得の改善がまったく同じに扱われている点である。多くの読者は，極貧層の所得の1円の増加の方が，貧困線よりわずかだけ所得の低い人びとの1円の所得増よりも，その社会にとって意義が大きい，と考えるのではないだろうか。しかし，たとえば貧困層よりわずかだけ所得の低い人の所得が1円増加し，反対に1人の極貧層の所得が1円減少したとしても，貧困ギャップ比率は不変なのである。つまり貧困ギャップ比率は貧困

層のなかの所得分配の悪化をとらえられないという問題がある。

この点を改善するにはどのような指標が必要なのだろうか。貧困ギャップ比率の問題は、極貧層の貧困ギャップと、比較的豊かな貧困層の貧困ギャップとの間の差別化がなされていないことにある。極貧層の大きな貧困ギャップ比率には大きなウェイトを、そして比較的豊かな貧困層の小さな貧困ギャップ比率には小さなウェイトを与えるとするならば、この問題点は改善される。ではどのようなタイプのウェイト（w_i）が選ばれるべきだろうか。上記の条件を満たすウェイトの1つは「貧困ギャップ比率そのもの」である。つまり所得ギャップ比率に（ウェイトとしての）貧困ギャップ比率をかけた上で足し合わせれば、極貧層の貧困ギャップをより重視した貧困指標が得られる。そして、その指標は、貧困層の貧困ギャップ総額が同じでも、貧困層の間の所得分配が悪化した場合には、より高い値を取ることになるのである。このようにして求められる貧困指標を2乗貧困ギャップ比率（squared poverty gap ratio）と呼び、この指標はまた「貧困の深刻さ（severity）」とも呼ばれている。

$$P_2 = \frac{1}{n}\sum_{i=1}^{p} w_i\left(\frac{y-y_i}{y}\right) = \frac{1}{n}\sum_{i=1}^{p} \overbrace{\left(\frac{y-y_i}{y}\right)}^{\text{ウェイト}}\left(\frac{y-y_i}{y}\right) = \frac{1}{n}\sum_{i=1}^{p}\left(\frac{y-y_i}{y}\right)^2 \quad (3)$$

より一般的には、貧困ギャップ比率の2乗のみならず3乗も4乗も、上記の条件を満たすので、以下の指数が本章で紹介したすべての貧困指標の一般形として知られている。

$$P_k = \frac{1}{n}\sum_{i=1}^{p}\left(\frac{y-y_i}{y}\right)^k \quad (4)$$

この指数は、開発者の名前の頭文字を取ってFGT指数と呼ばれている（Foster, Greer & Thorbecke〔1984〕を参照）。興味深いのは、$k=0$の場合にFGT指数が貧困人口比率に一致することである。

ではこれらの指標が低所得国でどのように推移してきたのかを表1-2で観察しよう。近年、MDGsの達成度を各国毎に計測するという目的もあって、多くの低所得国で家計所得支出調査という大規模な標本（サンプル）調査が政府によってなされている。それによって収集された情報により、貧困人口比率、貧困ギ

表1-2 いくつかの国々の貧困指標

国	カンボジア		バングラデシュ		エチオピア		ザンビア		ブルキナファソ	
年/年度	1993/94	2004	1991/92	2005	1995/96	2004/05	1998	2004	1994	2003
貧困人口比率	39.0	28.0	58.8	40.0	45.5	38.7	73	68	44.5	46.4
貧困ギャップ比率	9.2	6.7	17.2	9.0	12.9	8.3	40	36	13.9	15.5
2乗貧困ギャップ比率	3.1	2.4	6.8	2.9	5.1	2.7	26	23	6.0	5.9

注:ザンビアの元データは下1桁が示されていない。
出典:カンボジア:National Institute of Statistics (2008), *Statistical Yearbook of Cambodia 2008*.
　　　バングラデシュ:Ministry of Finance (2009), *Bangladesh Economic Review 2009*, Chapter 13.
　　　エチオピア:Ministry of Finance and Economic Development (2006), *Ethiopia : Building on Progress, A Plan for Accelerated and Sustained Development to End Poverty*.
　　　ザンビア:Republic of Zamia (2006), *Fifth National Development Plan, 2006-2010*.
　　　ブルキナファソ:Ministry of Economy and development (2004), *Poverty Reduction Strategy Paper*.

ャップ比率,2乗貧困ギャップ比率が計算されている。表1-2では,カンボジア(東南アジア),バングラデシュ(南アジア),エチオピア,ザンビア(東アフリカ),ブルキナファソ(西アフリカ)の貧困状況を3つの指標で示している。

カンボジアでは「貧困の広がり」(貧困人口比率)が10年間で11ポイント低下し,それが一定程度,「貧困の深さ」(貧困ギャップ比率),「貧困の深刻さ」(2乗貧困ギャップ比率)の低下にも反映されている。バングラデシュの貧困人口比率は1991/92年度で58.8%という高い値であったが,その後約13年の間に18.8ポイントという比較的大きな低下を見せたことが注目される。

エチオピア,ザンビアでも貧困人口比率が低下しているが,カンボジア,バングラデシュほどの大きな改善ではない。一方,ブルキナファソではむしろ貧困人口比率が上昇している。貧困人口比率の上昇に伴い,貧困線からの所得の乖離も増加している(これは貧困ギャップ比率の上昇からわかる)のであるが,1つの救いは2乗貧困ギャップ比率がほとんど変化していないことである。これは貧困層の所得の貧困線からの乖離が平均的に増加していくなかで,その乖離の増加が貧困層のなかでも高所得層で起こっており,極貧層の所得はむしろ増加して,貧困層のなかの所得分配は改善された可能性を示唆している。このように,貧困人口比率は貧困者数,貧困ギャップ比率は貧困線からの所得の乖離の額,2乗貧困ギャップ比率は貧困層の間の所得分配を,それぞれ特徴づける指標として活用されている。

4　貧困から抜け出すために

　これまで，ある社会の開発の進展や貧困削減の状態が，データでどのように記述されるかを検討してきた。最後に，どのようにしたら貧困削減が可能になるのかを述べたい。

　貧困削減には大きく分けて2つのアプローチがある。これはバグワティと石川滋が整理した分類で，第1のアプローチは貧困層に対して政府，NGOなどが直接，所得移転やサービス提供をおこなうものである。第2のアプローチは，貧困層が自ら経済機会を得て所得を増加させるよう条件整備を行うものである。バグワティは前者を「直接ルート」，後者を「間接ルート」と呼んだ（J. Bhagwati〔1988〕"Poverty and Public Policy," *World Development*, Vol. 16, No. 5, pp. 539-555）。また石川は前者を pro-poor target approach，後者を broad-based growth approach と呼んでいる（石川滋〔2002〕「貧困削減か成長促進か——国際的な援助政策の見直しと途上国」『日本学士院紀要』第56巻第2号，91-131頁）。緊急支援など，第1のアプローチが必要な局面があることは明らかであるが，緊急支援ののち，徐々に第2のアプローチに進まなければならないことについては大方の賛意を得られるであろう。では貧困層が自ら所得を増加させるためにはどうすればいいのだろうか。

　原理的に言えば，貧困層が持っているもののなかで，他者に対して競争力をもっているような「資源」を活用することがポイントである。では貧困層が持っているもののなかで「他者に対して競争力をもっている資源」とは何だろうか。それは第1に「低賃金をいとわず供給しようとする労働力」であり，今ひとつは身の回りの自然や文化に関する知恵である。前者はバングラデシュやカンボジアにおいて輸出が拡大している縫製業の発展と，その結果としての（農村からの）出稼ぎ女性とその家族の所得増がその好例である（山形辰史〔2008〕「バングラデシュとカンボジア——後発国のグローバル化と貧困層」山形辰史編『貧困削減戦略再考——生計向上アプローチの可能性』岩波書店，を参照）。後者の例はマイクロファイナンスであり，貧困層でも，それぞれの地の利や企業家精神を発揮して，事業を興すことによって所得を高める可能性が期待されている（本書第2章を参照）。

　いずれにしても，貧困削減を成し遂げつつある低所得国の経験が，他の低所得国への大きな教訓となる。

今後の学習のための参考文献

(1)初級

世界銀行著，西川潤監訳，五十嵐友子訳（2002）『世界開発報告2000/2001——貧困との闘い』シュプリンガー・フェアラーク東京．
  ＊世界の貧困削減の全体像についてまとめている．世界の貧困が現在どのような状況にあるのか，また貧困削減のために，開発途上国や先進国，国際機関やNGO，民間企業などがどのような取組みを行っているかが具体的に記されている．

プーラン・デヴィ著，武者圭子訳（1997）『女盗賊プーラン（上・下）』草思社．
  ＊プーラン・デヴィの自伝である．プーランは1950年代後半にインドのウッタル・プラデシュ州で下層階級の子として生まれ，数々の肉体的・精神的・性的虐待を受けた．その後，盗賊のリーダーとなり，民衆の英雄に祭り上げられて，国会議員となったのちに暗殺されている．彼女の人生には，インドの貧困や人権問題が如実に反映されている．

ロキア・ラーマン・カビール著，大岩豊訳（2000）『7人の女の物語——バングラデシュの農村から』連合出版．
  ＊1970年代後半から90年代にかけての，バングラデシュの農村における女性の人権侵害や貧困の実態について記されている．暴力，レイプ，寄生虫，権力者や警察による嫌がらせ，といったような現実の人権問題，貧困問題が赤裸々に綴られている．

パール・バック著，小野寺健訳（1931）『大地』岩波書店．
  ＊ノーベル文学賞受賞者パール・バックの代表的小説である．20世紀前半の中国における農民の生活が描かれている．洪水や飢饉，暴力，虫害やアヘンによる貧困や社会問題が，主人公たちの人生を翻弄する．

(2)中級

黒崎卓・山形辰史（2003）『開発経済学——貧困削減へのアプローチ』日本評論社．
絵所秀紀・山崎幸治編著（1998）『開発と貧困——貧困の経済分析に向けて』アジア経済研究所．
アマルティア・セン著，黒崎卓・山崎幸治訳（2000）『貧困と飢饉』岩波書店．

(3)上級

Angus Deaton (1997), *The Analysis of Household Surveys: A Microeconometric Approach to Development Policy*, Baltimore and London: Johns Hopkins University Press.

James E. Foster, Joel Greer and Erik Thorbecke (1984), "A Class of Decomposable Poverty Measure", *Econometrica*, Vol. 52, No. 3, May, pp. 761-765.

Jonathan Haughton and Shahidur R. Khandker (2009), *Handbook on Poverty and Inequality*, Washington, D. C.: World Bank.

(4)ウェブサイト
世界銀行　Poverty Net
　　http://www.povertynet.org/
動く→動かす：GCAP（Global Call to Action Against Poverty）Japan
　　http://www.ugokuugokasu.jp/index2.html
国連開発計画東京事務所
　　http://www.undp.or.jp/index.shtml

Column 1

MDGs のためにアーティストができること

「私にできることは何ですか？」
　アーティストの MISIA に出会ったとき，私が最初に問いかけられた言葉である。アーティストにできることは何か。その真摯な問いかけから，mudef（ミューデフ）は活動を始めた。
　「music」と「design」を組み合わせて生まれた mudef は，「アーティストが，音楽とアートを通じて社会貢献を行う」ことを目的に設立された団体である。

MISIA による活動
（© mudef）

　mudef の活動の軸は MDGs にある。理事の1人である MISIA が，アフリカを訪れた際に実感したことは，「貧困も，紛争も，教育も，環境破壊も，すべての問題がつながり合っている」ということだった。あらゆる問題は密接に関わり合い，私たちも決して無関係ではない。国境も言語も人種も超える力を持つ音楽やデザインの力を生かして，様々な問題解決に関わりたい。そんな思いから，MDGs を軸に据えて事業を実施している。
　mudef メンバーと MDGs との出会いは，2005年に始まった世界的な貧困撲滅キャンペーンの日本版である「ほっとけない　世界のまずしさ」に遡る。理事の1人である信藤三雄が制作した「3秒に1人，貧困を理由として，子どもが命を落としている」ことを表現したクリッキングフィルムは，著名なアーティストたちが参加したことで大きな反響を呼んだ。この世界的キャンペーンは，具体的に援助政策を変える「原動力」となり，国際会議の場で，アーティストたちが政策提言を行う姿も見られるようになった。それ以外にも，U2のボノによる「プロダクト（RED）」といった，民間企業をパートナーとする資金創出スキームなど，著名人が国際協力で果たす可能性は広がりつつある。

第1章　所得貧困

国際社会では基本的な目標となっている MDGs であるが，残念ながら日本国内での認知率は3.8%に過ぎない（国際協力推進協会による2010年のデータ）。また，日本ではアーティストによる社会貢献も限定的なことが現状だ。まずは1人でも多くの人に認知され，MDGs 達成のための関心を持ってもらえるような社会的土壌が不可欠である。知識は世界を変える力になる。そう信じて mudef では活動を続けている。mudef について詳しくは www.mudef.net を参照してほしい。

(長島美紀)

第2章 マイクロファイナンス
──貧困層に役立つ金融サービス──

伊東早苗

───この章で学ぶこと

　本章では，ミレニアム開発目標（MDGs）の達成に，マイクロファイナンスがどのような役割を果たすのかについて理解を深める。第1節ではマイクロファイナンスの定義を説明する。それとともに，マイクロファイナンスが発展を遂げた経緯を段階的に説明し，最近の動向を把握する。

　第2節では，マイクロファイナンスとMDGsの関連を考える。とくに，目標1（極度の貧困と飢餓の根絶）と目標8（開発のためのグローバルなパートナーシップの推進）に含まれるターゲットのいくつかに注目し，これらのターゲットを達成するために，マイクロファイナンスに何ができるのかを考える。

　第3節では，第2節で注目したMDGsの3つのターゲット（貧困層の半減，差別的でない金融システムの構築，民間部門との開発パートナーシップ）に取り組むマイクロファイナンス機関の事例を紹介する。

　1つ目の事例は，バングラデシュにおける巨大NGOのバングラデシュ農村向上委員会（BRAC）である。BRACはマイクロファイナンスを，技術訓練や教育などの農村における諸活動と連携させ，包括的な貧困削減を目指している。

　2つ目の事例は，ボリビアの商業銀行，BancoSolである。BancoSolの前身はPRODEMというNGOである。PRODEMは1992年に，零細起業家への貸付けに特化した世界初の商業銀行BancoSolとして新しいスタートをきった。BRACと違い，起業する力のある貧困層を対象に，商業ベースで金融サービスを提供することを目的とする。そこで強調されるのは，零細起業家の誰もがアクセスできる金融システムの構築である。

　3つ目の事例は，ケニアにおいて普及した，携帯電話を用いる送金システムM-PESAである。このシステムの開発により，貧困層による出稼ぎ収入の送金が容易になった。システムを開発し，普及させたのは，民間の携帯電話事業会社である。

　第4節では，これらの事例検討から浮かびあがるマイクロファイナンスの社会的使命を考える。

　キーワード　貧困，金融サービス，NGO，エンパワーメント，グラミン銀行

1　マイクロファイナンスの変遷と現状

（1）マイクロファイナンスとは何か

　マイクロファイナンス（microfinance）とは，貧困層に対する金融サービスの総称である。67億の世界人口のうち，1日2ドル以下で生活する貧困層は30億人と推定され，その約80％が金融サービスへのアクセスなく暮らしているといわれる。一方，世界には約1万のマイクロファイナンス提供機関があり，そのサービスを受けている人は1億5000万人ともいわれている。そしてその4分の3は女性である。

　2006年にノーベル平和賞を受賞したバングラデシュのグラミン銀行が最初に注目された1980年代には，「マイクロファイナンス」よりも「マイクロクレジット（microcredit）」という言葉の方が一般的であった。貧困層に提供する金融サービスの柱が「融資」，すなわち「クレジット」だったためである。2000年代になると，貧困層が必要としているのは融資だけではなく，預金，保険，送金など，より総合的な金融サービスであるという認識が広まった。それにともなって，「マイクロクレジット」という狭い用語よりも，「マイクロファイナンス」という用語の方が一般的となった。

（2）開発金融と農民（1960～70年代）

　貧困層を対象とした金融サービスの歴史は，近年に始まるわけではない。地域住民によるインフォーマルなお金のやりとりは，何世紀も前から存在する。日本では13世紀から，「頼母子講」と呼ばれる相互扶助の集まりが存在し，積立金制度があったことが知られている。開発途上国でも同様の状況が存在すると考えられるが，政府機関による農村開発の手段として金融が積極的に用いられたのは，1960年代から70年代にかけてである。この時期は植民地から独立した開発途上国で，「緑の革命」が推進された時期と重なる。「緑の革命」とは，農業生産性向上のための一連の研究や灌漑施設の整備，および新技術の導入を指す。これを推進するため，途上国政府は農業銀行や農業協同組合を通じ，政府補助金や農業投入財の無料，もしくは低利子による配布をおこなった。その目的は，高収量品種の穀物や化学肥料の使用を普及させ，穀物生産性を向上させることにあった。

この目的を達成するため，農民が政府系金融機関や農業組合から融資を受け，農業に投資することが推進されたのである。ここでいわれる「農民」とは，一般に男性農民のことを指していた。当時は農作業における女性の労働は家事労働の延長とみなされ，それが「仕事」であるという認識は薄かった。

（3）マイクロクレジットの隆盛（1980～90年代）

　緑の革命と，それを支えるための農業金融は一定の成果をあげたものの，農村における貧富の差を拡大したという批判を受けた。農業組合の運営は農村の富裕層によって占有され，投入された政府補助金の使途にしばしば不正があったことも指摘されている。また，政治家は選挙の前になると農民の債務免除を頻繁におこなうため，農民の返済意欲は次第に低下していった。

　こうした様々な問題が指摘されるのと並行して，1970年にボズラップ（Boserup）の革新的な著作『経済発展における女性の役割（*Women's Role in Economic Development*）』が発刊されると，途上国の近代的農業に果たす女性の役割が新たに認識されるようになった。それまでは農村経済を担うのは「農民」であり，「男性」であるから，彼らを通じて発展を促進する方策ばかりが論じられてきた。ボズラップの主張により，「女性」の労働が経済活動として認識され，開発プロセスのなかに積極的に女性を組み入れる流れが生まれた。1975～85年「国連女性の10年」がその象徴である。同時に，農村の貧困女性を対象とした「マイクロクレジット」が国際社会の注目を集めた。

　マイクロクレジットの勃興を決定的にしたのは，バングラデシュのグラミン銀行である。グラミン銀行の創始者であるムハマド・ユヌスは，農村の土地なし貧困層は貧困から脱却するために必要な技術や知識をもっているが，投資資金がないために事業を起こすことが出来ないと考えた。また，貧困層には銀行からお金を借りるのに必要な担保がないので，彼らにお金を貸すためには，物質的な担保の代わりに社会的な担保が必要であるとも考えたのである。その考えを実行に移すため，ユヌスは貧困女性たちを血縁関係のない5人組に組織し，5人がお互いに助けあって各自が得たクレジットの返済を手伝う仕組みをつくった。国際社会はユヌスの画期的試みに喝采を送り，グラミン銀行と同様の仕組みをもつマイクロクレジット団体に資金援助を惜しまなかった。こうして「グラミン方式」として知られるマイクロクレジットのプログラムは，世界中に普及していったのであ

る。

(4) 市場アプローチ（2000年以降）

　2000年以降は，グラミン銀行の成功を踏まえ，貧困層の新たな金融ニーズの発掘や，それに対応する金融商品の開発にむけて研究開発が進んだ。とりわけこの時期には，貧困層が必要とする金融サービスはクレジットに限定されず，預金や送金などを含む包括的なものであるという認識が広がった。また，貧困層はグループ単位でなければ返済が出来ないという前提に対する疑いも生じた。グループを組織してその構成員にお金を貸し付けても，構成員同士に返済の連帯責任を負わせることは事実上難しいからである。グラミン方式を厳密に適用すれば，5人組の構成員は相互に連帯保証人になるはずだったが，クレジットの返済に関する責任は，実際には親類縁者が担うのが普通であった。農村の社会的規範に照らせば，親類縁者が助ける方が自然だともいえる。そうであれば，わざわざグループを構成しなくても，個人単位で貸付けをする方が合理的であるという見方が生まれた。同時に，貸付け対象者が女性であるか男性であるかは重要な問題ではないとする見方も生まれた。女性にローンを手渡しても，女性はその使途を自分1人で決めるわけではなく，夫と相談して決めるのが普通だからである。

　この時期の流れを一言でまとめると，それまで支配的であった「グラミン方式」から，より現実的で柔軟，かつ多様な金融サービスへの転換といえる。貧困層を十把ひとからげに論じるのではなく，彼らのなかに存在する多様なニーズに注目するようになったということである。また，マイクロファイナンスは農村開発や貧困削減の手段というよりも，潜在的に巨大な市場をもつ1つの産業分野であることが認識され始めた。この認識とともに，マイクロファイナンスを提供する機関は，援助に依存する体質を改善し，市場原理を導入して持続可能性を高めることが期待されるようになった。マイクロファイナンスを提供するNGOが，商業銀行としての法人格を得て，援助に依存せず，自己資金でマイクロファイナンスを顧客に提供する流れが生まれたのも，この時期である。現在，世界のマイクロファイナンス提供機関が貸し付けている融資総額は300億ドルと推定されるが，今後見通される需要を合わせると，2000億ドルの市場を形成するといわれている。

2　マイクロファイナンスとミレニアム開発目標

　第1節で述べたような歴史的変遷を遂げたマイクロファイナンスであるが，国際社会の目標であるミレニアム開発目標（MDGs）とはどのような関係にあるのだろうか？　本節では，MDGsの目標1と8が掲げるターゲットのうち，「貧困層の半減」，「差別的でない金融システムの構築」，および「民間部門との開発パートナーシップ」に関するターゲットをとりあげ，マイクロファイナンスがこれらのターゲットとどのような関係にあるかを論じる。

（1）貧困層の半減

　MDGsが掲げるターゲット1Aは「2015年までに1日1ドル未満で生活する人口の割合を1990年の水準から半減させる」である。マイクロクレジットが開発の処方箋として注目を浴びた1980年代には，マイクロクレジットは貧困層の起業を助けることによって貧困削減をもたらすと単純に信じられていた。実際には，様々な調査がなされたものの，マイクロクレジットが貧困削減に与える影響について明確な答えは得られていない。マイクロクレジットが実際に何に使われ，どのように貧困世帯の収入を向上させたかを証明するのは難しいためである。貸し出されたお札の1枚1枚には名前が書かれていないから，そのお金を1カ月後の起業に使ったか，それとも今日の消費に使ったかを判断するのは困難である。一定期間をおいて世帯収入が増えたことがわかったとしても，それがマイクロクレジットによるものなのか，それとも単に息子が成長してお金を稼ぐようになったためなのかを判断することも難しい。

　別の問題として，そもそも「貧困」をどのように定義するかという課題もある。「貧困」の定義によって，貧困削減が起こったか起こらないかの判断も異なるからである。貧困の度合いは所得レベルと相関していると一般には考えられているが，それ以外の考え方もある。たとえば，貧困を人びとが権利を剥奪された状態であるととらえれば，貧困層による権利の実現をもって貧困が削減されたと考えることもできる。マイクロクレジットによって世帯所得が向上したかどうかは分からなくても，マイクロクレジットを得た貧困女性が世帯内で発言力を増し，エンパワーメント（empowerment）を実現すれば，貧困削減が達成されたとみるこ

ともできる。マイクロファイナンスが直接的に貧困を削減するかを判断するのは難しいが，マイクロファイナンスによって多くの貧困層が，広い意味での便益を受けていることについては，国際的な合意が形成されている。

（2）差別的でない金融システムの構築

第1節でみたように，2000年代に入るとマイクロファイナンスはグローバルな産業分野として成長し，その目的も微妙に変化していった。すなわち，マイクロファイナンスの目的は貧困削減であるという見解に加え，誰にでもアクセスできる包摂的な金融システムの構築こそが重要だとする見方が生まれた。貧困削減効果があるかないかは別として，1人でも多くの貧困層が金融サービスを利用することによって，生活の利便性を高めることが出来ればよいとする考え方である。

こうした考え方を背景に，世界中でマイクロファイナンスの市場化が推し進められ，マイクロファイナンスを提供する機関は，NGOから民間商業銀行へと広がりをみせている。これまでマイクロファイナンスのプログラムを実施していたNGOが商業銀行としての法人格を得る例とは逆に，国内外の中堅・大手商業銀行が，中小零細企業向けのマイクロファイナンス市場に参入する例もある。これら両方の動きによって，MDGsのターゲット8A「開放的で，ルールに基づく，予測可能でかつ差別的でない貿易および金融システムを構築する」の一端が実現しつつあるといえる。

（3）民間部門との開発パートナーシップ

貧困層向けマイクロファイナンス市場に商業銀行が参入するには，多くの場合，開発援助業界との連携が必要である。近年は情報技術を用いた貧困層向け金融サービスの提供が拡大しているが，ここでも民間部門と開発援助業界とのパートナーシップが重要である。後述するM-PESAはケニアで開発された携帯電話を用いる送金サービスであるが，このシステムの開発には民間の携帯電話事業会社が関わった。システム開発のための初期費用は，開発援助機関が拠出している。MDGsにおける目標8のターゲット8F「民間部門と協力し，とくに情報・通信における新技術による利益が得られるようにする」に対応した動きといえる。

3　マイクロファイナンス機関の戦略

　本節では上述したMDGsの3つのターゲットに対応するマイクロファイナンス機関の取組みを，具体的な事例とともに紹介する。

（1）貧困脱却への包括的支援——BRAC（バングラデシュ）
　貧困削減を目指すマイクロファイナンスのアプローチとして有名なのは，バングラデシュ農村向上委員会（Bangladesh Rural Advancement Committee: BRAC）の試みである。BRACは800万人の農村貧困層を対象に活動する，アジアで最も大きい規模のNGOといわれている。バングラデシュ独立戦争後の1972年に，ファズル・ハッサン・アベッドによって被災民の救援を目的に設立された。現在BRACはバングラデシュ全土で幅広い貧困対策を展開しており，マイクロファイナンスもその一環である。バングラデシュ国外でも，アフガニスタンやウガンダなど，アジア・アフリカ各地で活動している（第5章と第11章を参照）。

　BRACがマイクロファイナンス事業を開始した時期は，グラミン銀行と同時期の1970年代半ばである。以来，長年，グラミン銀行と比較されてきた。グラミン銀行がマイクロクレジットの提供に特化した貧困対策を打ち出す一方で，BRACはマイクロクレジットを教育や技術訓練，マーケティング支援などの付帯サービスと組み合わせたことで知られる。

　グラミン銀行のアプローチが「ミニマリスト（マイクロクレジットに限定した最小限手法）」といわれるのに対し，BRACのアプローチは「クレジット・'プラス'（マイクロクレジットに付帯サービスを追加した手法）」といわれた。貧困対策としてどちらのアプローチがより有効かについては，長年，国際的に幅広い議論が展開されている。付帯サービスの提供にはコストがかかるため，財源上の持続可能性がしばしば疑問視される。しかし，コストの問題はクレジットの受け手を増やしたり，コストに見合った利子率を設定することで解消可能である。最貧困層が貧困から脱却するための支援を考えた場合，マイクロファイナンスの提供だけではなく，BRACのように様々な付帯的支援を同時に提供することが重要とする見方が，現在のところ優勢である。

（2）商業化するマイクロファイナンス―― BancoSol（ボリビア）

「差別的でない金融システムの構築」を考えるには，ボリビアの BancoSol が良い事例となる。BancoSol はマイクロファイナンスを提供するボリビアの商業銀行であるが，その前身は PRODEM という NGO である。PRODEM は1986年に設立されたが，設立後2年間で地域の金融セクターに資金提供するほどに目覚ましい拡大をとげた。その結果，1992年に1万人を超える顧客と400万ドルの融資総額を BancoSol に移転し，貧困層による中小零細起業開発を目的とした世界で初めての民間商業銀行として出発をはかった。以来，BancoSol は世界のマイクロファイナンス機関による商業化をリードする存在である。現在，BancoSol は13万人の顧客を抱え，総額3.5億ドルの融資をしている。国内8つの都市を拠点とし，100を超える店舗のネットワークを有する。融資額は最少50ドルから始まり，貧困層のなかでも経済的に比較的裕福な層にサービスを提供している。顧客の半分は女性で，物売りやお針子，パン屋などとして働く。

BancoSol が，PRODEM という NGO から商業銀行に組織形態を変えたことのメリットは，それにより市場からの資金調達が可能になったことである。NGO であり続ければ，援助ドナーからの資金援助に依存しがちで，組織としての持続可能性が不透明となる。一方，金融市場にアクセスできれば，ドナーに限定されない幅広い層から資金調達ができる。また，商業銀行としてのライセンスを得ることにより，「顧客」である貧困層からの貯蓄動員が可能になった。NGO が貯蓄を動員することには法的な規制がかかるからである。預金サービスの開始は，顧客が利用できる金融サービスの種類が広がることを意味する一方，銀行組織が運用できる資金の拡大にもつながる。こうして経営基盤を強化した BancoSol は，1997年にマイクロファイナンス機関としては初めて株主への配当をおこなった。

BancoSol の例に象徴されるマイクロファイナンスの商業化は，プラスの側面と同時にマイナスの側面も抱える。その筆頭は，マイクロファイナンスが本来持つはずの貧困対策としての社会的使命がおざなりになるという懸念である。上述した BRAC が商業化の道を選択せず，コストのかかる様々な貧困対策とセットで最貧困層にマイクロファイナンスを提供しているのとは対照的である。BancoSol が顧客にするのは，どれほど規模が小さくても何らかの「ビジネス」を営む貧困層で，それすらできる環境にない農村の最貧困層は基本的に対象としていない。

マイクロファイナンスがグローバルな産業として成長し，市場原理に基づく経

営体制を強化するにつれ,「経済的に活発な貧困層 (the economically active poor)」という名の下,(中小零細)起業家にサービスが集中する傾向は世界中でみられる。この傾向を肯定するか否かは,後述するように,マイクロファイナンスの社会的使命を何と考えるかによる。マイクロファイナンスの社会的使命は,直接的な「貧困削減」ではなく,世界中の1人でも多くの経済的に活発な人びとに,「差別なく」金融システムを提供することだとの見方もできる。この見方からすれば,BancoSol はマイクロファイナンスの社会的使命を体現する好例といえる。

(3) 民間部門による革新的試み── M-PESA(ケニア)

「民間部門とのパートナーシップ」の事例としては,それ自体がマイクロファイナンス機関の名称ではないが,ケニアで拡大する M-PESA があげられる。M は携帯 (mobile) の M で,Pesa はスワヒリ語で「お金」を意味する。マイクロファイナンス機関の商業化とは別の次元で,店舗を必要としない革新的な金融サービスの試みが,情報技術の導入によりもたらされた。M-PESA はもともとマイクロファイナンスの利用者が携帯電話を用いて,銀行の店舗や事務所のないところでローンを受けとったり返済したりできるようにと開発されたシステムの名称である。試用期間中,利用者の多くがこのシステムを家族への送金に用いたことがわかったため,送金サービスや各種支払いを可能にするシステムとして再開発された。ケニア最大の携帯電話事業会社であるサファリコムと,多国籍携帯電話事業会社のボーダフォンから業務委託を受けた IBM Global Services (IGS) 社が提携して,サービスを提供している。システム開発の初期には,イギリスの国際開発省が資金援助をした。

現在,M-PESA は主として都市の出稼ぎ労働者が農村に残した家族に送金する際に利用されている。町の食料品店など小売業者や,通話時間の転売業者などが仲介ネットワークを形成し,顧客が1カ所で支払ったお金を,別の場所で別の者が受け取れるシステムになっている。2007年3月のサービス開始以来,600万を超える加入者が,平均して1回20ドルほどの金額を送金しており,総額で17億ドルものお金が M-PESA によって振り替えられたと推定されている。

M-PESA のような携帯電話による支払いシステムが,今後,世界のマイクロファイナンス市場でどれほど拡大するかは,情報インフラの整備や技術革新,さらには法整備の進み具合による。それらの課題が解決されれば,アジアでも大き

な拡大をみる可能性がある。インドやフィリピンではその試みがすでに始まっている。ただし，こうした試みは開始されてまだ日が浅いため，今後の展開には未知な部分が大きい。上述した技術面や法律面での問題以外に，社会的な影響も指摘される。M-PESAの利用が広がったことにより，出稼ぎに出ている夫が村に残した家族のもとに帰省する頻度が減ったという調査結果もある。しかし，物理的にお金を運ぶことにまつわる不便さやリスクを大きく軽減する金融サービスの提供は，貧困層の生活に革新的な利便性をもたらすことは間違いない（M-PESAについては，第16章でも扱っている）。

4　マイクロファイナンスの社会的使命

　第3節でも言及したマイクロファイナンスの社会的使命とは，そもそも何なのであろうか。長年その社会的使命は貧困削減であると信じられてきたが，マイクロファイナンスと貧困削減との関係は明白なようでいて，実はきわめてあいまいである。マイクロファイナンスは貧困削減の手段であると何となく信じている人もいれば，マイクロファイナンスの貧困削減効果がはっきりしないから，貧困層にとってマイクロファイナンスは必要ないと考える人もいる。

　前述したように，「貧困」概念の理解が多面的であるために，異なった認識が生まれるのである。つまり，「貧困」は主として低所得水準によって規定されると考えれば，マイクロクレジットを収入創出活動に投資することで所得を上げない限り，貧困削減効果は想定しにくい。一方，「貧困」は主として人びとの無力さによって規定されると考えれば，世帯所得がすぐには上がらなくても，マイクロファイナンスとそれに付随する活動を通じ，人びとが自信と力をつけること（エンパワーメント）で，貧困削減は可能だといえる。また，貧困層が融資や貯蓄を通じて世帯内のお金の流れをうまく管理することができるようになれば，突発的なリスクから身を守り，安定した家計運営ができるようになるから，それこそが貧困削減の第一歩であるという考え方もある。マイクロクレジットをすぐに収入創出活動に投入しなくても，貧困世帯の脆弱性は長期的には軽減されると考えられるためである。

　本章のしめくくりとして，本節ではマイクロファイナンスがもつ社会的使命についての2つの考え方を紹介し，マイクロファイナンスと貧困層の関係について考察

する。その1つは，マイクロファイナンスの社会的使命を，マイクロクレジットや，それに付帯するサービスの提供を通じて，個々の貧困世帯の貧困を直接的に削減することとする考え方である。グラミン銀行やBRACは，このアプローチを具現化する組織である。もう1つは，マイクロファイナンスの社会的使命を，持続可能な金融システムの構築を通じて，1人でも多くの「経済的に活発な貧困層」に，利便性の高い各種金融サービスを提供することだとする考え方である。BancoSolが，この考え方を代表するマイクロファイナンス機関である。本節では前者を「貧困削減目的アプローチ」とよび，後者を「金融システムアプローチ」とよぶ。

(1) 貧困削減目的アプローチ

このアプローチはマイクロファイナンスの社会的使命を，単に貧困層に金融サービスへのアクセスを与えるにとどまらず，貧困層がマイクロファイナンスを通じて貧困削減を実現する手助けをすることとする。上述したように，マイクロファイナンスと貧困の関係は，貧困をどう考えるかによって様々に規定される。しかし，貧困削減を所得向上によって実現するにしろ，エンパワーメントによって実現するにしろ，そこで必要なのは，最貧困層を含む1人でも多くの貧困層が貧困を乗り越えることのできる道筋を明確に示すことである。貧困削減効果こそがマイクロファイナンスの最優先課題であるから，マイクロファイナンス機関の採算性や持続可能性は究極的な目的とはみなされない。したがって，必要があれば，補助金や援助資金を用いることも選択肢のうちと考えられる。

これに対し，組織としての存続が持続的に成り立たなければ救える貧困層の数も制限されるので，いつ途絶えるかわからない外部資金に依存すべきではないという考え方もある。こうした考えに立つマイクロファイナンス機関は，コストのかかる金融以外の活動を絞り込み，コストに見合った利子率を設定する。そして商業的な経営手法を積極的にとりいれ，市場原理に基づいた運営を心がけるのである。このように商業化するマイクロファイナンス機関の多くは，組織としての持続可能性と，貧困削減という社会的使命との間で揺れ動くが，その多くは後述する金融システムアプローチに舵取りを切り替えていく。組織としての持続可能性を高めるためには，包括的で手厚い貧困対策をしている余裕はないからである。それと同時に，金融に特化したサービスの提供そのものに，マイクロファイナンスの社会的使命を見出していく。

（2）金融システムアプローチ

　金融システムアプローチは，個々の貧困世帯が貧困を削減していく過程には直接介入しない。そのかわり，貧困層がそれまで排除されてきた金融市場に，顧客として参入することができるような仕組み作りをすることに重点を置く。結果として，多くの貧困世帯がもつ「脆弱性」を軽減できると考える。しかし，個々の貧困層が金融商品をどのように利用し，どのように貧困から脱却すべきかについては，彼ら自身の自由裁量にまかせるべきと考える。

　貧困世帯がもつ「脆弱性」とは何であろうか。所得が低く，また人間が生活するうえで基本的な権利を剥奪された人びとに対し，一時的に所得を向上させ，自信をつける手段を与えたとしても，その状態が長続きするとは限らない。こうした世帯は働き手の病気，自然災害，あるいはビジネスの失敗によって，一気に生計が悪化する可能性を秘めているからである。貧困層がもつこうした「脆弱性」を軽減するためには，一時の投資資金を貸し出すだけではなく，預金や各種保険サービスへのアクセスを提供することが重要である。多様な金融サービスへのアクセスを保障することにより，貧困層は脆弱性を軽減し，長期的にみて生活を安定させることができると考えられるためである。

　マイクロファイナンスは，そうした生活の基盤づくりに貢献し，貧困層が手にする「機会」を長期的に向上させる可能性をもつ。そして，1人でも多くの貧困層に持続的にサービスを提供するためには，マイクロファイナンス機関自身がもつ資金調達能力を高めることが大切である。顧客の貯蓄動員は，その一環ともいえる。こうした考え方にたつと，短期的な貧困削減効果のあるなしにかかわらず，包摂的な金融システムを整備し，貧富の差にかかわらず誰でもが金融サービスを利用できるような環境づくりをすることが優先課題となる。

　金融システムアプローチはこうした考え方にたつが，「貧富の差にかかわらず誰でもが利用できる」金融システムの構築といいながら，最貧困層だけは金融サービスでは救えないと主張する。そのような人びとは「経済的に不活発」であるから，金融サービスよりも慈善的な活動の恩恵を受けるべきだというのである。「最貧困層」とはどのような人びとと考えるかによるが，「病人」や「老人」以外にも，貧困ラインの底辺であえいでいる土地なし賃金労働者のような人びともいる。彼らを「経済的に活発な就労人口」から除外し，金融サービスからは恩恵を受けられない人びとと決めつけることには批判もある。マイクロクレジットを得

ることで借金地獄に陥る危険性があるような最貧困世帯でも，日々の生活のなかで，少額のお金を貯めることはできることが知られている。預金商品を中心に，そのような人びとにも開かれた金融システムの構築を目指すべきだと考えられる。

（3）マイクロファイナンスと社会的使命

　2000年以降，金融システムアプローチが影響力を増すにしたがって，マイクロファイナンスの商業化と，それに伴う社会的使命の逸脱が国際的な論争を呼んでいる。商業原理を取り入れたマイクロファイナンス機関は，利益を追求するあまり，最貧困層を含む貧困層全体への裨益という社会的な目的をないがしろにしていると批判されるためである。こうした批判に対しては，「最貧困層にはマイクロファイナンスは役に立たないから，貧困の度合いが比較的軽い，経済的に活発な貧困層を対象にするのは当然」という反論がなされることが多い。すなわち，最貧困層にとっては，金融サービスよりも社会福祉サービスの方が重要であり，そうした社会福祉サービスは，NGOやその他の慈善団体に任せるべきだということである。

　この議論をつきつめると，貧困層のなかでも貧困の度合いが比較的軽い人びとに金融サービスを提供するマイクロファイナンス機関と，最貧困層に識字教育や医療サービス，生活保護など，金融以外のサービスを提供するNGOやそれ以外の社会福祉団体との間で，棲み分けが進むことを意味する。こうした棲み分けでマイクロファイナンスの社会的使命が損なわれるかといえば，必ずしもそうとはいえない。世界で約30億人といわれる貧困層のうち，経済的に活発な人びとに各種金融サービスを持続的に提供することで，少なくとも彼らの脆弱性は軽減されるだろう。ただし，「経済的に活発な貧困層」を小規模ビジネスの経営者に限定するなど，必要以上に狭く解釈する一方，「最貧困層のためのマイクロファイナンス」という表看板だけは頑固に降ろさないマイクロファイナンス機関もみられる。こうした少数の例により，マイクロファイナンス業界全体の社会的使命を見誤らないことが大切である。

今後の学習のための参考文献

(1)初級

吉田秀美（2007）「社会開発とマイクロファイナンス」佐藤寛・アジア経済研究所開発スクール編『テキスト社会開発——貧困削減への新たな道筋』日本評論社，第5章。

＊途上国における貧困層にとって，なぜマイクロファイナンスが必要なのかをわかりやすく解説している。マイクロファイナンスの全体像についても，簡潔にまとめられている。
三井久明・鳥海直子編著（2009）『よくわかるマイクロファイナンス――新たな貧困削減モデルへの挑戦』DTP 出版。
　　＊上記と同様に，国際開発との関連でマイクロファイナンスを論じた日本語の入門書として優れている。理論や事例も加わり，全体像や研究動向がつかみやすい。
ムハマド・ユヌス／アラン・ジョリ著，猪熊弘子訳（1998）『ムハマド・ユヌス自伝――貧困なき社会を目指す銀行家』早川書房。
　　＊2006年にノーベル平和賞を受賞したバングラデシュのグラミン銀行創始者，ムハマド・ユヌスの自伝。本書を読むと，単純な真実を実行することのできる人が，世のなかを変えていくことがよくわかる。

(2)中級
Stuart Rutherford (2000), *The Poor and Their Money*, New Delhi: Oxford University Press.
　　＊途上国に住む貧困層のお金の使い方をわかりやすく，かつ深い洞察力で分析している。平易な文章で書かれており，マイクロファイナンスを学ぶものにとっての必読書。
Ester Boserup (1970), *Women's Role in Economic Development*, London: Earthscan Publications.
管正広（2008）『マイクロファイナンスのすすめ――貧困・格差を変えるビジネスモデル』東洋経済新報社。

(3)上級
David Hulme and Thankom Arun, eds. (2009), *Microfinance : A Reader*, London: Routledge.
James G. Copestake, Martin Greeley et al. (2005), *Money with a Mission, Vol. 1 & 2*, Warwickshire: ITDG Publishing.
Daryl Collins, Jonathan Morduch et al. (2009), *Portfolios of the Poor : How the World's Poor Live on $2 a Day*, Princeton: Princeton University Press.
Marguerite S. Robinson (2001), *The Microfinance Revolution : Sustainable Finance for the Poor*, Washington D.C.: World Bank & Open Society Institute.

(4)ウェブサイト
大和証券／マイクロファイナンス特集
　　http://www.daiwa.jp/microfinance/index.html
Consultative Group to Assist the Poor and the Poorest

http://www.cgap.org/p/site/c/home/
Microfinance Information Exchange
　　http://www.themix.org/about-mix/about-mix

Column 2

ボリビアにおける金融システム改革とマイクロファイナンス

　ボリビアの金融機関は，長らく国営企業，大企業，高所得者をおもな顧客としてきた。したがって，零細企業や低所得者の多くは，貯蓄や融資の機会をもたなかった。こうしたなか，低所得者が自助努力による零細事業をとおして所得を向上できるように，小口の金融サービス（マイクロファイナンス）を提供する専門の金融機関を整備することが必要と考えられるようになった。

　ボリビアでの一連の金融システム改革を進めるうえで，大きな役割を担ったのはアクシオン・インターナショナル（Accion International）という米国のNGOであった。アクシオンは，ボリビアの先進的な銀行家と協力して，まず小口融資に特化したマイクロクレジットNGOであるPRODEMの設立を主導した。そして，米国国際開発庁（USAID）の支援も得ながら，低所得者による零細事業への貸付けに成功した。その成功を土台として，米州開発銀行から融資を受けて，PRODEMというNGOをBancoSolという銀行へと転換させた。つまり，1992年，低所得者から構成されるグループへ無担保で貸し付けると同時に，貯蓄の機会を提供する世界で初めての民間商業銀行BancoSolが登場したのである。

　さらに，1995年の大統領令によって，零細企業への小口融資と小口貯蓄を提供する新しい形態のマイクロファイナンス金融機関である「民間金融基金」が認められた。これにより，ボリビアの金融システムに多くのマイクロファイナンス金融機関が参入するようになり，低所得者による零細事業への金融サービスが拡大していった。

　従来，民族衣装を着た先住民族の女性が金融機関の敷居をまたぐことなど考えられなかった。銀行はスーツを着た男性が行くところ，という先入観を打ち破り，マイクロファイナンス金融機関は先住民族女性を歓迎する。実際，女性の方が融資の返済率が高くて信用できる，という評判である。

融資を受けて毛織物を製造する先住民女性
（筆者撮影）

参考文献　勝間靖（1998）「開発援助を通したNGOの途上国政府への影響――ボリヴィアの金融システム改革を事例として」『国際政治』119号，有斐閣．

（勝間　靖）

第2章　マイクロファイナンス　55

第3章 コミュニティの参加
――住民参加の定着に向けて――

真崎克彦

この章で学ぶこと

　開発協力に際して，地域コミュニティにどのようなニーズや要望があるのかを把握せず，外部支援者が出来合いの開発案件を持ち込んでしまうと，人びとの役に立つどころか逆に迷惑をかけかねない。そこで近年，地域コミュニティの人たちが主体となって開発活動を計画・実施する「地域コミュニティの参加」（以下，コミュニティ参加）に注目が集まっている。その結果，参加型農村調査法（PRA）や参加型学習と行動（PLA）といった手法を用いた開発事業が世界各地で実施されるようになっている。そうした個々の開発事業におけるコミュニティ参加の促進は，地域住民の生活改善に対する意欲や意識を高めるという点で，ミレニアム開発目標（MDGs）の主題である極度の貧困根絶を実現するうえでの鍵を握る。

　同時に，コミュニティ参加が対象地域で中長期的に継続され，他地域にも広まるようになるには，『国連ミレニアム宣言』で謳われている「民主的で参加型の統治」体制の確立も大切である。コミュニティ参加を特定事業の枠内にとどめず，より広い局面で進めようという社会的気運を高める支援である。こうした問題意識から，世界各地では「参加型の統治」促進のための様々な開発協力アプローチが試されてきた。その代表的なものが参加型ガバナンスとシティズンシップ・アプローチである。

　本章では，そうした新機軸の試みによってコミュティ参加支援の充実化がどのように図られてきたのかを学んだうえで，極度の貧困の根絶のために開発協力の舵をどう取れば良いのかを考察したい。

キーワード　トップダウン型開発，オーナーシップ，手段としての参加，目的としての参加，PRA，PLA，参加型ガバナンス，シティズンシップ・アプローチ

1　コミュニティ参加の今日的意義

（1）トップダウン型開発事業の限界

これまでの開発協力では，地域コミュニティ（以下，コミュニティ）の人たちは往々にして受身になっていた。暮らしが良くなるとはどういう状態なのか，それを達成するには誰が何をすれば良いのかなど，支援する側がコミュニティ開発の方向性を一方的に定めがちだったからである。そうすると，支援する側は地域のニーズや要望を十分に把握できないことになり，開発事業がコミュニティの役に立たないどころか，逆に迷惑になることすらあった。地元住民のために図書館をつくったが，人びとは字が読めないので使われずに終わった，山間部に車道を建設して物資を自動車で運搬できるようにしたが，徒歩の荷運びで生計を立てていた人たちが仕事を失って路頭に迷った，といった事例である。

このように，トップダウン型で（＝コミュニティの実情を考慮することなく出来合いの）開発事業を進めると往々にして事がうまく運ばない，という反省から生まれたのが，本章で取り上げる「地域コミュニティの参加」（以下，コミュニティ参加）の支援である。問題の発掘から事業の計画づくり，活動の実施までの全プロセスに，支援する側と支援される側が協力して取り組もうというアプローチである。コミュニティ参加は今日では，地域の人たちを直に支援する草の根開発活動に限らず，ダムや道路のような大規模インフラ整備も含めて，あらゆるタイプの開発協力の常道となっている。

本章では前者の草の根開発活動に焦点を当てたい。国や地域の総体的な開発を優先すると全住民に恩恵が行き渡りにくいので，コミュニティ単位できめ細かく支援することが大切である，という立場からである。たとえば，肥料や農薬の供与，新品種の導入などを通して地域全体の農業生産性の向上を支援しても，土地を持たない小農，あるいは新技術を取り入れるだけの資金のない小農はその便益をなかなか享受できない。そうした実態を踏まえて，近年の農業支援では，家内工業などの非農業収入の創出活動を小農のために含めることが少なくない。このように，個々の住民の実態に合わせて臨機応変に対応し，開発プロセスから取り残されがちな貧困層の人たちにも目配りすることが重視されているのである。

（２）ミレニアム開発目標（MDGs）へ向けて——参加の意義

　こうしたコミュニティ参加を通した実態把握・対応は，MDGsのターゲット１である極度の貧困根絶を実現するうえでの鍵を握る。国際協力機構（JICA）の支援によるインドネシアの「スラウェシ地域能力向上プロジェクト」を取り上げてみよう（国際協力機構（2010）「貧困削減に住民の力を」『JICA's World』21号）。スラウェシ島の６州で草の根開発活動を振興すべく，NGO経験者や住民代表などの地元在住者をコミュニティのファシリテーターとして養成するプロジェクトである。ファシリテーターの仕事は，地域住民が暮らしを良くするうえで取り組むべき課題を自ら見つけ出し，どういう対策を取るべきかを主体的に考えてそれを実行できるよう，側面から支援することである。

　支援対象地の１つ，タカラール県では，住民がファシリテーターの助けを得て案出する事業を，政府機関が資金・技術面で支援するSISDUK（参加型村落開発支援システム）が整備されている。たとえば同県のアマラデヤカ村では，海水による塩害や洪水から田畑を守りたいという住民たちの申請を受けて，2005年に全長78メートルの堰が建設された。SISDUKから600万ルピア（約６万円）が供与され，住民側も1600万ルピア（約16万円）を拠出，その上，堰建設現場では100人を超える地元農民が無償労働に従事した。その結果，塩害や洪水がなくなり，米の作付け面積は100ヘクタールから200ヘクタールへと広がった。そのうえ，豆などの他の農作物も栽培されるようになり，人びとの暮らしは格段に改善した。しかも，住民は自主的に資金を積み立て始め，必要に応じてそれを用いて自分たちで堰を保守・修繕している。

　こうしたコミュニティ参加は極度の貧困の根絶を進めるうえで大切である。第１に，人びとのニーズや要望に応じて政府予算を有効活用できるうえ，住民の自発的な資金拠出や労務提供で事業費を低く抑えることもできるので，その分の予算を別の生計向上活動に廻すことが可能になる。限られた貧困削減資金をできるだけ多くの生活困窮者のために役立てていくために，コミュニティ参加は欠かせないのである。

　第２に，地域住民は問題発掘の段階から参加するので，開発事業に対するオーナーシップ（＝自分たちの活動として主体的に取り組もうという意識）がおのずと高まる。そうすると上記のように，人びとは事業実施やその後のフォローアップにも積極的に参加するようになる。しかも，その過程で人びとは活動を続けるうえで

必要な知識や技術を身につけるので、貧困削減事業の成果がコミュニティで永続的に活かされていく展望が開けることにもなる。

第3に、上記2点はコミュニティ参加を貧困根絶の「手段」と見なすものだが、コミュニティ参加は貧困根絶の「目的」そのものでもある。貧困は、お金や食糧など生活必需品の欠乏だけでなく、いざという時の周りの助けの不足というような非物質的な要因からも生じる。人びとの生存に大事な役割を果たしてきた身近な隣人どうしの結びつきも近年、時の流れとともに多くのコミュニティで弱まりつつある。そうしたなか、人びとが力を合わせて生活改善に取り組む機会としてのコミュニティ参加は、地元に本来備わっている人びと同士の持ちつ持たれつの関係性を呼び戻し、それを伸ばすという意味で、それ自体が貧困根絶の営みなのである。

（3）国連ミレニアム宣言における参加の位置づけ

こうした理由から、『国連ミレニアム宣言』のなかでも、コミュニティ参加は国際開発協力で推進されるべき基本的価値の1つとして取り上げられている。ただし、同宣言では「民意に基づく民主的で参加型の統治」（Ⅰ. 価値と原則）、「すべての国ですべての市民の真正な参加を可能にする、より包括的な政治プロセス」（Ⅴ. 人権、民主主義および良い統治）といった表現が使われている。コミュニティ参加が個々の開発事業の枠内で進められる限り、それが支援対象の人たちや地域を越えて広まることは稀であり、「すべての市民の真正な参加」につなげるには、コミュニティ参加が「民主的で参加型の統治」体制の下で進められることが欠かせないという認識である。

上記「スラウェシ地域能力向上プロジェクト」の支援対象地、タカラール県ではコミュニティ参加がSISDUKとして制度化され、「民主的で参加型の統治」体制づくりが進んだ。それがどのように村内（下記①）・県内（②）の「すべての市民の真正な参加」の具現化につながったのか、同県ならびに堰建設に取り組んだアマラデヤカ村の事例に立ち戻ろう。

①アマラデヤカ村には農業以外の仕事で生計を立てる人や土地を持たない人もおり、住民全員が等しく堰建設の便益を受けたわけではない。しかし、JICA支援終了後も定常的にコミュニティ参加による事業計画づくりが続いているので、そうした人たちも、別の機会に自分たちのニーズに応じた事業案を申請できるよ

うになっている。

　②開発協力事業では対象地域をくまなくカバーする資金的・時間的な余裕がないのが通常であり，タカラール県でも JICA 支援対象のパイロット村（＝事業を試験的に実施する場所，アマラデヤカ村もその一つ）が絞られた。しかし，同県では JICA 支援が公的制度（＝SISDUK）に結びついたため，現在では地元政府によって，JICA 支援対象外の他村も含む県内全域にエリアを広げてコミュニティ参加が継続されている。

　このようにコミュニティ参加が定着すれば「すべての市民の真正な参加」実現の展望が開けていくが，現実には，タカラール県のように地元政府が自発的に参加の制度化を進め，それに成功するようなケースは多くない。そこで参加の制度化自体を支援する新しい開発協力アプローチが登場してきたが（4節参照），その紹介に先立って，次節ではコミュニティ参加をめぐる諸課題を考察したい。

2　コミュニティ参加の実際と課題

（1）住民の主体性を尊重できているのか？

　コミュニティ参加は，実際には様々な形態を取る。大まかには，①外部で考えられた活動に住民が労務を提供する，②出来合いの案件を進めて良いかどうか住民に相談する，③住民主導で活動を計画・実施する（野田，2000，106-107頁）の3つである。支援現場ではこれまで，支援する側が既定案件を地元に持ち込む①や②が主流だった。先述のアマラデヤカ村の事例で言えば，堰建設の事業案を事前に考えておき，「労務を提供してもらえないか」と住民に打診する（①），あるいは「堰の建設を進めて良いか」どうかの判断を住民に仰ぐ（②），というやり方である。

　もちろん，塩害や洪水が村で最も切実な問題であることを支援する側が把握できていたのであれば，わざわざ活動の計画づくりを住民に任せる（③）よりも，出来合いの案件を持ち込む方（①や②）が効率的なのかもしれない。しかしそうすると，人びとは「国際協力団体に任せておけば考えてくれる，事を進めてくれる」と考えてしまい，活動に対するオーナーシップを高めるチャンスばかりか，互いに協力しながら生活改善に取り組む機会をも逸するだろう。人びと同士の持ちつ持たれつの関係性を伸ばすというコミュニティ参加の意義が活きてこないの

である（1節（2）参照）。

　住民主体の生活改善という本来の理念を実現するには，「住民をわれわれ（＝支援する側）の活動にどうやって参加させるか」といった考え方（①や②）から，「(自分たち支援する側は）住民の行う参加プロセスにどうやって参加すべきか」といった発想（③）に転換する必要がある（野田，2000，107頁）。アマラデヤカ村の事例のように，あくまでも地域住民による問題発掘と活動計画づくり・実施のプロセスを側面から助けるよう心がけることが，支援する側には望まれる。

（2）幅広い層の人たちが参加できているのか？
　ただし，個々の「地域住民」の暮らしぶりは，貧富，ジェンダー，民族，階級などの社会的条件によってまちまちである。また，われわれの身の回りの集団にもよくあるように，「誰と誰が仲間で，誰と誰の間にしこりがある」といった派閥が存在することも少なくない。したがって，住民を十把一からげにしてコミュニティ参加を進めると，弱い立場にある人たちの声が届かない，コネが横行して話合いへの参加者が偏るなど，往々にして住民にあまねく参加機会が行き渡らない。
　しかも，たとえ支援する側が地域のそうしたややこしい事情に気づいても，それに踏み込もうとすると住民との関係がぎくしゃくしかねない。支援対象者の選定が派閥に左右されたことが判明し，支援する側がそれを正そうと別グループの意向を尊重しようとしても，またさらに別グループから反発が生まれるなど，住民間の意見の収拾がつかなくなる事態が発生しかねない。
　したがって，住民たちと膝を交えながらコミュニティ参加に念入りに取り組むことは何より大切である。幅広い層の人たちが参加できるよう，話合いに来られない人たち向けに別個の会合を開く，あるいは，立場や利害の異なる人びとが譲り合いながら意見を調整するようアドバイスするなど，支援する側には様々な働きかけが求められる。この点で，次の3節で取り上げる事例は参考になる。最貧層の女性だけで話し合う機会を設けることで彼女たちの声を反映した支援案が提議されるよう取り計らい，また，最貧層の女性への配慮に反対する人たちに対しても，そうした態度が住民全体の利益にはならないことを粘り強く訴え，反対住民の説得に成功したケースである。

（3）支援する側が参加を仕切っていないか？

このようにコミュニティ参加では，地域住民に任せっ放しにせず，外部支援者が積極的に働きかけることが求められる局面も少なくない。同時に，外からの介入が往々にして欠かせないからこそ，「③住民主導で活動を計画・実施」したことに形式上はなっていても，支援する側がそのプロセスを牛耳ってしまいやすい。地域の暮らしぶりを何とか良い方向に導きたいという気持ちが先んじて，自分たち主導で活動を前へ前へと進めてしまうのである。

しかし，そうしてコミュニティ参加が，支援する側の考えた案件を立ち上げるための「手段」になってはいけない。コミュニティ参加自体が人びと同士の結び付きを強化するという「目的」を果たすよう取り計らうには（1節（2）参照），地域住民が互いの立場や利害の違いを乗り越えて1つの活動案を自ら捻出していくプロセスを省くことなく，じっくりと「③住民主導で活動を計画・実施する」過程を支援することが欠かせない。そうした真の意味でのコミュニティ参加支援を実現していくうえで有用なのが，次節の開発協力アプローチである。

3 PRA／PLA を通したコミュニティ参加支援

（1）起源と概要

第2節であげた諸課題を踏まえて出てきたのが，参加型農村調査法（participatory rural appraisal: PRA）や参加型学習と行動（participatory learning and action: PLA）と呼ばれる手法である。住民自身が自分たちの置かれている現況を把握・分析し，生活改善に必要な取組みを立案し，それを実施に移せるよう側面から支援する開発協力アプローチである。先述の「スラウェシ地域能力向上プロジェクト」と同じく，支援する側は必要に応じて脇から助言することはあっても，主導権は決して握らない。「住民の行う参加プロセスにどうやって参加すべきか」という観点から（2節（1）参照），住民みずからが行動を起こすプロセスを最優先する。

また，コミュニティ参加を支援する側が牛耳らないよう（2節（3）参照）使い勝手の良い様々なツールが草の根の人たちに紹介される。地域の現況を地図で表現する「マッピング」，地元社会の歴史的な変遷を辿った「年表づくり」，地域の諸課題に優先順位を付ける「ランキング」などである。公の場での話合いに慣れ

ない人たちに参加してもらうため，木の枝や石ころなどの身近な素材を用いて図や表を気軽に作れるよう工夫されたツールである。

ただし，自由放任にすれば地元有力者の思うままに話合いが進んでしまい，他の人たちが何も言えなくなるかもしれない（2節（2）参照）。そこで支援する側は，人びとの間でどのような対立や交渉が生じているのか，そして，その過程で蚊帳の外に置かれた人がいないか，参加の展開を注意深く見ておかなくてはならない。場合に応じて事態の是正に乗り出すためである。

（2）PRA／PLAの実例

PRA／PLAが実際どのように進められるのかを見ておこう。あるNGOのスタッフが南米A国のモンターニャ村の人たちとともに開発活動を立ち上げていくという事例である（プロジェクトPLA，2000．架空の地名が使われているが執筆者の実体験に基づく事例）。

そのNGOは以前から近くの別村で協同組合づくりを支援していたが，モンターニャ村の人たちから同様の支援を要請され，同村で事前調査を行うことにした。到着してすぐ村長に村を案内してもらうが，川向こう（川南）に連れて行ってもらえなかったこと，また，そこに瓦屋根の家がなく（つまり茅葺きの家しかなく）厳しい暮らしぶりが垣間見えることが気になり，調査では川南の人たちにも目配りしようと決意する。

1日目は，村長や学校の校長など「知識人」と言われる男性たちが村の歴史的変遷を示した「年表」を作成し，女性たちは日頃の「行動範囲図」を地面の上に描いた。また，その場に居合わせた子どもたちには，模造紙に色紙を切り貼りした「地図」をつくってもらった。こうして人びと自身による状況把握のプロセスが始まった。

2日目午前は，男性たちが「季節カレンダー」づくりに取り組み，農繁期に食料備蓄が底をつき，他家の手伝いや借金をして何とか凌ぐ生活困窮世帯の存在が確認された。そうした世帯はとくに川南に多くいる。午後は男性と女性に分かれ，村に関わる様々な組織や人間の関係を示す「ベン相関図」を作成した。そこで，村びと同士が掛け金を出し合い，お金を必要とする人に融通する日本の頼母子講（本書の第2章を参照）のような仕組みが存在することが分かる。しかし，どうやら頼母子講は男性（なかでも比較的裕福な人）に牛耳られており，女性（とくに川南

に住む貧しい女性）は蚊帳の外に置かれてきた。

　3日目は，村内の貧富の格差について話し合うため，「豊かさランキング」が男女混成でおこなわれた。村びとの考える豊かさの指標（土地所有，出稼ぎ収入，教育程度，家の造り）を用いて各世帯をランク付けしたところ，どの指標でも下位に入る家が川南に12軒あることが分かった。そこで夕刻にその最貧層の12世帯の女性たちを呼んで，彼女たちが村内で取り組める所得創出活動の可能性を話し合ってもらったところ，トマト栽培，刺繍，機織り，籐細工づくりが候補としてあげられた。「総当たりランキング」でそれらに優先順位をつけた結果，籐細工づくりが第1候補に選ばれた。

　4日目は初日同様，男性「知識人」たちとの会合を持った。彼らは川南の貧しい女性たちへの支援には関心を示さず，それよりも，野菜販売による収入向上，灌漑用ポンプの購入など，自分たちがじかに受益する活動を望んでいた。そこでNGOスタッフは，近くの別村での協同組合づくり支援は貧しい女性たちの所得向上活動として始まったこと，籐細工の流通・販売に男性たちも積極的に関わってもらうことなどを訴え，理解を得るよう努めた。

　最終日の5日目には全体集会が開かれ，村の今後の開発のあり方が話し合われた。前日までにPRA／PLAに参加した人たちの作成した図や表が披露されたが，それがきっかけとなって，貧しい女性たちから要請のあった籐細工づくり支援が話題となる。しかし，外部支援なしでも籐細工はつくれるという理由で，一部の参加者はそれに反対した。そこで，NGOスタッフは近くの別村での協同組合支援に話題を移し，一度視察に行ってみてはどうかと勧め，村びとたちもそのアイデアに同意した。こうして事前調査は終わった。

　その後，NGOは，貧しい女性たちによる籐細工づくり活動，そして比較的生活に余裕のある人も入った女性貯蓄グループの立上げを支援し始めた。後者は，女性どうしが必要時にお金を融通し合う（頼母子講のような）仕組みづくりを念頭に置く活動である。また村内の反対の根強かった前者であるが，人びとは別村訪問を通して「貧困は生活困窮者を苦しめるだけでなく（たとえばトイレのない世帯を放置しておくと水源の汚染が進むなど）村全体にとっても不利益をもたらす」ことを学び，その結果，貧しい女性たちの生活底上げに協力しようという気運が村内で高まり，実施されるにいたった。

　支援開始の2年半後には，貯蓄グループが呼び水となって，女性自身による生

計向上活動が活発化していた。近くの町まで野菜を売りに出る女性の数が多くなり，なかには政府系農業銀行の支店に融資の相談に行った人までいた。川南の貧しい女性たちの籐細工づくりも軌道に乗り始め，製品販売を首都の手工芸品団体に委託したところ少しずつ売れるようになっていた。ただし日銭稼ぎで忙しいこともあって，最貧層女性のなかには籐細工づくりや貯蓄グループにまだ加入できていない人たちも少なからずいた。そうした個人差がまだ目立つことから，引き続き，その差を埋めていくことを今後の最優先課題として，NGO 支援は継続されていった（プロジェクト PLA，2000）。

（3）PRA／PLA の教訓

以上から分かるように，PRA／PLA の力点は，本来人びとに備わっている計画策定・実行のポテンシャルを引き出すことに置かれる。従来，支援される側にはそうしたプロセスに主体的に関わる能力がないと考えられがちであった。それに対して「『ない』『できない』から始まるのではなく，むしろ『ある』『できる』から始まっていく」のが PRA／PLA である。「住民たちの『リアリティ』に配慮したプロジェクトを（支援する側主導で）実施していくというのではなく，住民自身が自分たちの『リアリティ』を『学習』し『共有』していくこと（中略）つまり開発プロセスを住民に委ねること」（プロジェクト PLA，2000，210-217頁）が最優先される。そうすれば，住民たちは自分たちを取り巻く「リアリティ」に気付き，問題解決に向けてどのような行動を取るべきかを考えることが「できる」ようになる。

その際，「開発プロセスを住民に委ねること」に安住せず，そのプロセスで取り残されかねない人たちに目配りすることも大切である。実際モンターニャ村では，2日目に男女が別々に図表を作成，3日目には最貧層の人たちだけが会合を持つなど，話し合いから排除されがちな女性や貧しい人たちもきちんと参加できるよう取り計らわれた。その結果，農繁期に生活資金のやり繰りに苦慮する最貧層の人たちがいること，また，女性たちの間にはそうした時に互いに助け合う頼母子講のようなシステムが存在しないことなどが，村びとたちによって「学習」「共有」され，貧しい女性たちによる籐細工づくりと販売，そして女性たちの貯蓄グループに対する支援案が提起されるにいたった。

もう1つ大事な点は，PRA／PLA を通して「焦らずにリラックスした態度で

（中略）住民たちの開発プロセスを促す」（プロジェクト PLA, 2000, 210頁）ことである。同じモンターニャ村の「住民」とはいえ個々人の立場や利害はまちまちであり，比較的裕福な男性「知識人」は最貧層の女性たちに対する支援案になかなか賛成できないでいた。そうしたなか，NGO 関係者は，そのアイデアを一方的に押し付けようとはせず，様々な働きかけ（4日目の「知識人」との話し合い，5日目の村全体の会議，別村の協同組合の視察など）を通して粘り強く合意形成を図り，それに成功した。

　ただし，最貧層の人たちには収入創出に取り組む時間的余裕がなく，それに必要な技能や知識も不足していることが多く，思うような成果はすぐには出にくい。現に支援開始から2年半が経過した時点でも，川南の女性のなかには活動に参加できない人が少なからずいた。このように，『国連ミレニアム宣言』で提唱されている「すべての市民の真正な参加」は簡単には達成されないのであり，PRA／PLA は1つの完結した事業というよりは，貧困根絶の端緒を開く活動として控えめにとらえられなくてはならない。次節で述べるように，『国連ミレニアム宣言』の謳う「民意に基づく民主的で参加型の統治」体制づくりを下から，そして上から手助けする活動も，PRA／PLA 支援とともに大切なのである。

4　コミュニティ参加支援の新展開

（1）参加型ガバナンスの推進

　上述の PRA／PLA のような個別事業では，貧困層の人たちの生計向上は一朝一夕には達成されにくく，しかも，対象地域が限定されるのでそれ以外の場所に成果は広がらない。そこで，コミュニティ参加を通した貧困根絶促進のための政府制度づくりに協力しようというのが参加型ガバナンス支援である。草の根の人たちの生存条件を整える公的責任を負う政府が，コミュニティ参加を全国くまなく恒常的に実施するようになれば，国全体で人びとの生活底上げが本格的に進むようになるであろう，という目論見である。

　この場合，コミュニティ参加の体制整備の一環として，地方政府の制度づくり支援が進められることが多い。民主的な手続き（＝たいていは選挙）で選ばれた地方の長が中心となったコミュニティ参加型開発行政を進めるための基盤づくり支援である。

たとえばブータンでは，2002年施行の地方分権化法で全国に205ある地区の長の選出に選挙が導入され，各地区にコミュニティ参加を通して開発事業を企画・実施する権限が与えられた。しかし，同法施行前には地区単位の草の根開発推進制度はなかったので，地区関係者には新体制に沿って開発を進めるうえで必要となる経験や能力が備わっていなかった。そこで，JICAをはじめとするいくつかの開発協力団体は，地区関係者向けの研修を支援することで，コミュニティ参加型の開発運営制度を各地区で機能させていく力になろうと考えた。

　たとえば，西部のある地区では2004年に国連開発計画（UNDP）の支援の下で歩道整備事業を計画・実施した（真崎，2009）。案件形成に際しては，まず地区長と住民代表がコミュニティ参加型の計画づくりの研修を受けた。そのうえで両者が協力して地区内各所で住民協議会を開き，そこで出された複数の事業案を比較検討し，最終的に土をならしただけの歩道を石畳にする事業案が選ばれた。採択の決め手となったのは，①歩道に石畳を敷けば雨季の移動の困難が解消され，衛生状態も向上すること，②石材が近辺で採取できること，③村内に石工技術を持つ人たちがいるため，村外の業者に頼ることなく直接村びとに賃労働機会を与えられること，の3点である。こうした条件下であれば，インフラの整備と現金収入の確保という一挙両得が実現できるというわけである。

　このように，草の根の人たちが主体的に開発事業に取り組む体制ができれば，開発予算が人びとのニーズや要望をよりよく反映した形で使われるばかりか，貧困根絶に継続的かつ広域的に取組むための基盤もできあがる。実際，上記の地区では，UNDP支援終了後も引き続き，地区長と住民たちが政府から毎年割り当てられる予算を用い，次々と生活改善に欠かせない重要案件を実施している。畑に行くための農業用道路の整備，協同組合を通して近くの町に牛乳を売りに出すためのミルク集荷センターの建設などである。しかも，こうしたコミュニティ参加型の取組みは，この地区のみならず国中で展開されるようになっており，草の根開発運営の端緒を開いたUNDPやJICAによる参加型ガバナンス支援は，ブータン政府が貧困根絶を進めるうえで大きな力となっている。

　ただし，参加型ガバナンス支援は，コミュニティ参加体制を全国的に整備するという政府政策と予算がなければスムーズに実現しない。どの国・地域でも直ちに実施できるとは限らないのである。地元のコミットメントなしにはうまくいかないという条件付きではあるが，参加型ガバナンス推進のための開発協力が国際

社会でさらに普及していけば，コミュニティ参加に中長期的かつ全域的に取り組むための下地づくりが世界各地で一層進むであろう。対象地域・期間限定の個別事業だけで貧困根絶を推進するのはおのずと無理があり，継続的かつ広域的なコミュニティ参加推進の制度づくりを目指した参加型ガバナンス支援がどれだけ広まるかが貧困根絶の重要な鍵を握る。

（2）シティズンシップ・アプローチ

参加型ガバナンス支援はコミュニティ参加を上から（＝政府政策を通して）根付かせようとする活動であるが，コミュニティ参加に取り組もうという気運を下から（＝草の根レベルで）定着させる手助けも大切である。生活改善をはばむ要因のなかには個別の開発事業では対処できないものがあり，貧困根絶に向けては，政治家や官僚や企業家など社会を動かす立場にある人たちに実際に動いてもらう必要が出てくることも少なくない。そこで近年，権力者に対する働きかけを通して自分たちの生活を取り巻く諸問題の是正を果たそうという姿勢や能力，つまりシティズンシップ（市民性）を草の根の人たちの間で醸成することを念頭に置く開発協力が登場してきた。

このシティズンシップ・アプローチでは，PRA／PLA がよく用いられる。先述の通り PRA／PLA では，住民が自分たちのコミュニティの現状を分析し，それを踏まえて具体的な開発事業計画をみずから仕立てていくプロセスを支援する。シティズンシップ・アプローチのもとではさらに，個別の事業では解決できない諸課題にも取り組もうという意欲を人びとが育むよう促し，そのうえで有力者と同等に討議できる能力を人びとが獲得できるよう支援する。

たとえば，英国の NGO ビレッジエイドは，長年，ガーナ各地で PRA／PLA を通した草の根開発事業を支援していた（ヒッキーほか，2008，10章）。やがて，開発事業に取り組む前に，まずは人びとが読み書きの能力を獲得し，そのうえで自分たちの抱える諸問題を自分の言葉で語り，それらを大所高所から把握できるようになることが，貧困根絶の土台として大切であることに気が付いた。従来のように時間と労力を惜しんで，いきなり具体的な開発事業の案出・実施から始めてしまうと，たとえその事業自体はうまくいっても，人びとの間からは，他にも山積する様々な課題に取り組もうという動きはなかなか生まれず，それどころか，人びとは再度，外部 NGO が開発事業に協力してくれるのを受身で待つことが多

かった，という反省からである。

　識字教育を基盤とする能力向上支援を受けた人たちは，受け売りの知識ではなく，自分たちの言葉で地域の現況を語れるようになり，それらを他人にも自信を持って伝えることができるようになった。しかも以下のように，地域の有力者に対して人びとが進言や抗議を行う動きが見られるようになった。

　①ある村の人たちはかつて，近くの農業普及所から技術指導を受けたことがなかった。ビレッジエイドの支援を通してその不条理さをより一層意識し始めた人びとは団体交渉に出向くようになり，やがて農業普及所はその村を活動対象に含めるようになった。

　②別の場所では，県議会にはびこる汚職のために政府の貧困削減予算がしかるべき人たちに届いていないことに住民が気づき，抗議運動を立ち上げた。中央政府はこの動きに突き動かされ，県を通さずに予算を草の根に直に届けられるよう制度を改変した。

　③各地で女性グループが結成され，従来の男性主導の地域運営では二の次にされていた衛生改善や禁酒運動に取り組み始めた。そうした活動は各地の首長にも認められ，女性の社会的役割がより広く認識されるようになった。なかには所得創出に成功し，その稼ぎを学校建設事業に寄付する女性グループまで出てきた。

　これらのエピソードが例証するように，個々の事業の枠を超えて自分たちの暮らしを左右する諸課題に主体的に取り組もう，そして必要に応じて地域の有力者に働きかけよう，というシティズンシップを人びとの間で高める支援は，一朝一夕には解決し得ない貧困問題に取り組むうえで，またそのためのコミュニティ参加を本格化するうえで大事な役割を果たす。シティズンシップ・アプローチに基づく開発協力の一層の普及が望まれるゆえんである。

5　ミレニアム開発目標の実現に向けて

　本章冒頭で見たように，貧困根絶の実現を図っていくうえで，開発協力事業をコミュニティ参加型で進めていくことは大切である。個々の支援事業を地域住民のニーズや要望に応じたものにする。また，それら事業に人びとが主体的に取り組めるよう取り計らう。そして，住民どうしで力を合わせて生活改善に取り組もうという互助の関係性を高めていくという点で，コミュニティ参加は貧困根絶の

要諦である。

　同時に，特定事業へのコミュニティ参加だけで貧困根絶が大幅な前進を見せることはない，という現実的な見解をもつことも大切である。コミュニティ参加が個別事業の枠内にとどまる限り，なかなか支援対象地を越えて参加が広まることはなく，事業で受益した人たちの間ですら参加が続くことはそう多くない。様々な要因が複雑に絡み合って生じる貧困問題は，地域・時間限定の事業で一朝一夕に解決できるものではなく，「民主的で参加型の統治」体制づくりを射程に入れた取組みも求められる。コミュニティ参加の公的制度化に協力する参加型ガバナンス支援，草の根の人たち自身の内発的なコミュニティ参加を促すシティズンシップ・アプローチのような支援のことである。

　もちろん，個別事業を通したコミュニティ参加支援に意義がないわけではない。第3節のPRA／PLAの事例で見たように，開発事業の計画づくり・実施に主体的に関わる経験がきっかけとなり，住民たちが様々な生活改善活動に中長期的に取り組むようになる場合もある。しかも，参加型ガバナンス支援やシティズンシップ・アプローチの場合，コミュニティ参加を根付かせようというコミットメントが当該地域の政府や社会に存することが前提なので，どこでもいきなり始められるわけではない。

　大事な点は，コミュニティ参加支援には様々なアプローチがあることを心に留め，1つの方法に安住した杓子定規の開発協力に終始することのないよう，支援対象国・地域の実情に応じて臨機応変に支援活動を展開していくことである。貧困根絶は一挙に達成し得ないことを肝に銘じ，どうすれば「すべての市民の真正な参加」を通して貧困層の人たちの生活底上げの実現に近づいていくことができるのかを熟慮し，個々の状況に合わせて最善策を尽くしていくことが何より求められている。

今後の学習のための参考文献

(1)初級
ソメシュ・クマール著，田中治彦監訳（2008）『参加型開発による地域づくりの方法——PRA実践ハンドブック』明石書店。
野田直人（2000）『開発フィールドワーカー』築地書館。
　　　＊コミュニティ参加の第一人者による初学者向けの概説書。実体験を踏まえつつ，コミュニティ参加支援の大切さ・難しさをわかりやすく論じている。

プロジェクトPLA編（2000）『続入門社会開発──PLA　住民主体の学習と行動による開発』国際開発ジャーナル社。
　＊PRA/PLAを支援現場でどう進めたら良いのか，またそこにどのような落とし穴があるのか，具体的事例を通して懇切丁寧に説明した入門書。
真崎克彦（2009）「筋書きを超えて『持続』する開発事業──ネパールとブータンの参加型ガバナンスの批判的考察」信田敏宏・真崎克彦編『東南アジア・南アジア　開発の人類学（みんぱく実践人類学シリーズ6）』明石書店。

(2)中級
斎藤文彦編著（2002）『参加型開発──貧しい人々が主役となる開発に向けて』日本評論社。
サミュエル・ヒッキー／ジャイルズ・モハン編著，真崎克彦監訳（2008）『変容する参加型開発──「専制」を越えて』明石書店。
　＊コミュニティ参加支援の最新動向（参加型ガバナンス，シティズンシップ・アプローチなど）を世界各地の具体例を通してありありと伝える論集。
ロバート・チャンバース著，野田直人監訳（2007）『開発の思想と行動──「責任ある豊かさ」のために』明石書店。
　＊PRA/PLAの唱道者として知られる英国の研究者が，自身の現場経験を振り返りつつ，生活困窮者に対する責任をわれわれがどう果たすべきかを説く。

(3)上級
真崎克彦（2010）『支援・発想転換・NGO──国際協力の「裏舞台」から』新評論。
　＊「コミュニティ参加」の名目で支援団体の都合が押し付けられがちな国際協力の現況を批判的に見直し，新たな国際協力のあり方を提起する書物。
Bill Cooke and Uma Kothari, eds. (2001), *Participation : The New Tyranny ?*, London: Zed Books.
Samuel Hickey, ed. (2010), *The Journal of Development Studies*, Vol. 46, No. 7 (Special Issue "The Government of Chronic Poverty"), London: Routledge.

― Column 3 ―

住民の学校運営能力が向上する，教室ができる

保護者が子どものために建てた学校
（筆者撮影）

　近年，ケニアでは，通える範囲に既存の小学校がない子どもたちのために小さな公立小学校を新たに設立することを認可し，そこへ政府が教員を派遣するという動きが活発になっている。ただし，住民が学校の土地を確保し，教室を建設する役割を負うことになる。
　CanDoは，ケニア東部州の半乾燥地で，1998年から教育・保健・環境といった複数の分野を総合した社会開発事業を展開している。住民参加による教室建設にも取り組んでいる。小さな学校では，30人程度の保護者と事業を行うが，まずは，保護者全員が，建設工程全般と作業量を理解したうえで，CanDoとの共同事業を開始することに同意する。そして，地域で入手しやすく，建設に適した石・砂・レンガのための土などといった材料に対する理解を深めたのち，それらを手作業で集め，適切な建設資材をつくる。また，保護者は，並行して建設工程をしっかり理解し，作業計画をたて，雇用する建設職人への適正な報酬額を考え，その資金集めに目処をたてる。
　教室建設に必要な現地資材がすべて収集され，職人雇用の準備が整うと，保護者とCanDoは共同で教室建設を始める。CanDoは，セメント・鉄筋・材木・トタンなどを提供し，作業工程ごとに専門家を派遣して技術指導する。保護者は，建設の単純労働者であるとともに，資材を管理する責任者でもあり，職人の雇用主として仕事の質を監督する立場でもある。
　教室の完成までに1年ほどの期間を要するが，その間に様々な課題に直面する。たとえば，必要な現地資材の総量から，保護者1人当たりの作業量を割り出すが，その作業量が多いこともあり，責任分担を積極的に果たす保護者がいる一方で，なかなか作業に参加しない保護者もいる。そのまま個人の責任を追及しても収集目標に到達しない。このような時に，保護者が話し合って，みんなで納得して作業を進めることができるような合意形成が重要である。CanDoが仲介しつつも，保護者みずからが結論を出して，目標を達成するという成功体験が，その後も，自分たちで教室を作り続けていく原動力となるのだ。

（永岡宏昌）

第4章 飢餓と栄養不良
——食料安全保障を目指して——

高橋基樹

この章で学ぶこと

　人間は食べ物なしには生きていけない。その意味で飢餓は、最も深刻な貧困のかたちだと言えるだろう。本章では飢餓を考察する視点、その実態、および現在の取組みについて学ぼう。

　ミレニアム開発目標（MDGs）は、飢餓人口比率半減のターゲットを掲げたが、飢餓の現状はどのようなものであり、どのような影響を及ぼしているのだろうか。その現状と影響をとらえるにあたっては、人によって異なる食料へのアクセスと栄養・健康のあり方を精密にとらえる必要がある。それは飢餓が、人びとの特徴、社会的な位置付け、生産や対処の能力などによって、様々なかたちで生じるからである。したがって、飢餓への対策も、その多様性に応じてきめ細かく実施すべきことがわかるだろう。この章では、こうした観点から飢餓・栄養不良にどのように対処したらよいのか、一緒に考えたいと思う。

　人類は長い間、飢餓に苦しめられてきた。それらは決して過去の話ではない。開発途上国では、飢餓がいまだに現実の問題として、人びとの身近にあり、それを考察することを通じて発生のメカニズムや、その影響のありかたを知ることができる。

　食料をめぐる危機的状況は、対応を誤ると大規模な飢饉に発展し、深刻な影響を及ぼすことがある。飢餓、栄養不良、飢饉の発生には、食料を配分するシステムの欠如や貧富の格差、食料生産の失敗、政府の能力の弱さ、社会政治的混乱など複雑な要因が関わっている。

　他方で、人びとは飢餓に対して様々なかたちで対処し、対策を講じてきた。最近では飢餓を減らし、飢饉を防ぐための対応に多様な工夫が施されているが、同時に課題も明らかになってきている。人類の一員としてそうした課題を知ることがとても大切である。

　キーワード　飢餓、栄養不良、食料安全保障、自助努力、政府の役割

1　ミレニアム開発目標と飢餓・栄養不良

　聖書にあるように，人はパンのみにて生きるわけではない。けれども，人はパン＝食料なしでは生きていけない。食べて生存していかなければ，人を愛し，働き，生を楽しむことはできないのである。
　世界には，そうした生きるために不可欠の条件である食料に事欠く人が多数存在する。そして，飢餓は発育や機能の不全，また疾病などの別の問題を引き起こし，教育や健康，ひいては経済活動に悪影響を与え，MDGs の達成を難しくする。
　以上のことをふまえて，本章では，世界における飢餓をめぐる現状と課題について考えていきたい。第2節では飢餓及び栄養不良をとらえる視点について考察する。第3節では，飢餓，栄養不良，および飢饉の歴史と現状について概観する。第4節では飢餓と栄養不良が発生するメカニズムについて分析する。第5節は，MDGs に照らし，飢餓と栄養不良を防ぎ，減らしていくために外国援助と政府の政策で何をすべきかについて議論し，締めくくりとする。

2　飢餓と栄養不良をとらえる視点

（1）世界における飢餓と栄養不良
　本章のテーマである飢餓に関わる MDGs のターゲット 1C は，「2015年までに飢餓に苦しむ人口の割合を1990年の水準から半減させる」と謳っている。
　ここで問題となっている，世界の「飢餓に苦しむ人口」の状況はどのようなものだろうか。MDGs の 1C の進捗を測るために選ばれたのは，指標1.8「低体重の5歳未満児の割合」（低体重児の比率）と指標1.9「カロリー消費量が必要最低限のレベル未満の人口の割合」（栄養不足人口の比率）の2つである。これらの指標を見ながら，世界の飢餓の現状について概観しておこう。
　表4-1は国連の『ミレニアム開発目標報告書2010年版』に示された，開発途上国全体および各地域の飢餓に関する指標の推移を抜粋したものである。低体重児の比率は，飢餓の結果としての子どもの発育不良や消耗の指標である。表4-1に見るように，1990年から2008年にかけて，途上国全体における低体重児率は，

表4-1 飢餓の削減に関するMDGsの進捗度 (単位：％)

	低体重児の比率		栄養不足人口の比率	
	1990	2008	1990-02	2005-07
サハラ以南のアフリカ	31	27	31	26
南アジア	51	46	21	21
東南アジア	37	25	24	14
オセアニア	14	14	12	13
東アジア	17	7	18	10
中南米	11	6	12	9
西アジア	14	14	5	7
北アフリカ	11	7	5％未満	5％未満
開発途上国全体	31	26	20	16

出典：United Nations, "Millennium Development Goals Report 2010." (http://www.un.org/millenniumgoals/pdf/MDG%20Report%202010%20En%20r15%20-low%20res%2020100615%20-.pdf)

　31％から26％に低下しただけである。世界の4分の1の乳幼児はいまだに低体重の状態にあることになる。MDGsの達成は，低体重児率が2015年までに15％前後になることを意味する。もし，この率が毎年一定のペースで低下していくとすると，目標達成のためには，2008年には約20％になっていなければならない。つまり，低体重児比率の削減は全体としてかなり遅れていることになる。

　表4-1に示されているように，世界で低体重児の比率が最も高いのは南アジアであり，その削減も遅々としている。次いで状況が深刻なのはサハラ以南アフリカである。経済的に豊かになりつつある東南アジアでは低体重児率の削減がかなり進んではきたが，依然としてサハラ以南アフリカとほとんど変わらず，4分の1程度の高い水準にある。また，オセアニアや西アジアなどでは削減がまったく進んでいない。他方，東アジアでは低体重児率はすでに半減を達成しており，中南米がそれに続いている。このように，世界各地域の低体重児率の高さと削減の進みぐあいは大きく異なっている。

　2つ目の「栄養不足人口の比率」は，すべての人口のなかで，十分な栄養をとれていない人びとの割合を示している。『ミレニアム開発目標報告書2010年版』によれば，途上国全体の栄養不足人口の比率は，1990年前後（1990～92年の平均）には約20％だったが，2000年代の半ば（2005～07年）には約16％に低下した（表4-1参照）。だが，開発途上国全体の人口が増加しているため，栄養不足人口はこ

の間に1300万人増えて8億3000万人となっている。これは，いまだに開発途上国の人びとのほぼ6人に1人が栄養不足に苦しんでいることを意味している。

2015年までの半減が毎年一定のペースで進むと想定した場合，栄養不足人口の比率は2006年には14％弱に低下していなければならないので，それに比べて現実の進捗はやや遅れていることになる。

表4-1に示したように地域別に見ると，サハラ以南アフリカで栄養不足人口の比率が最大であり，1990年代初めから2000年代半ばの間の比率の低下も限られている。次いで南アジアが高く，この地域では低下が見られない。また，オセアニアや西アジアでは，この比率は低いが，深刻なことに上昇している。他方で，東南アジア，東アジアなどでは同比率のかなり順調な低下が見られる。しかし，表4-1には示していないが，2000年代になってからは，東アジアでもその削減は停滞している。栄養不足人口の比率は世界の各地域で多様であるが，2000年代あるいは21世紀に入ってからの，栄養不足人口の比率の低下は，どの地域でもあまり進んでいない。

（2）飢餓・栄養不良を見る視点

依然として深刻な飢餓・栄養不良問題を考えるために，いくつか踏まえなければならないことがあるが，ここでは4つの重要な点を指摘したい。それは，①飢餓・栄養不良と食料生産・供給の関係，②栄養不足と栄養不良の違い，③世帯・個人の多様性，④飢餓・栄養不良問題の発生の態様と原因の多様性である。

第1に，飢餓・栄養不良と食料生産・供給の関係について大切なことは，飢餓や栄養不良は，食料の生産・供給が全体として潤沢であっても起こりえるということである。「飽食の時代」にあると言われる日本の商店には食品があふれ，食堂や家庭では大量の食べ残しがゴミとして廃棄されている。先進国で余った食料をうまく配分できれば，世界の飢餓・栄養不良の問題は相当程度に解決することができるのであり，そのことから飢餓・栄養不良は，食料の配分に欠陥があるために生ずる問題であることがわかる。

第2に，栄養不良と栄養不足は異なる。食料から摂取するべきなのはカロリーだけではない。身体の発育や活動にとってはタンパク質やビタミン・ミネラルなどの微量栄養素などの摂取が欠かせない。また十分な量の食料を与えられていても，疾病のための下痢などで栄養を摂取できず，栄養状態が悪化する場合も多い。

そこで、国際機関は栄養不良と栄養不足とを区別しており、MDGsでも、開発途上国の子どもたちの栄養不良の状況を重視して「低体重児の比率」を採用している。他方、「栄養不足人口の比率」は、カロリー不足の状況を示している。

第3に、飢餓・栄養不良の状況は、世帯ごと、個人ごとにその属性や環境によって様々である。たとえ、同じ地方に住み、あるいは同じように所得が低くとも、世帯・個人によって飢餓や栄養不良の状況は異なる。そうした多様性が生じるのは、各世帯や各個人が食料を入手できる可能性が互いに異なるためである。たとえば富裕な世帯は十分な食料を含む大量の財を入手する可能性を持つ。貧困な世帯はその逆であるが、しかし、自分の田畑で栽培した作物を食べられる人と、田畑を持たず、お金を出して食料を買わなければならない賃金労働者とでは、状況が大きく異なるだろう。普段の所得は同じ程度でも、市場での食料供給が途絶えたとき、あるいは賃金が得られなくなったときには、貧しい賃金労働者は田畑を持つ貧困な農民に比べて食料を手に入れるのに困ってしまうだろう。食料の入手可能性は、このように世帯間で異なるだけでなく、個人間でも異なる。たとえば、開発途上国では、同じ世帯のなかでも女性より男性が食べ物の配分において優先される傾向が強いと言われる。

個々人で食料の入手可能性が異なることは、政府や援助機関にとって重要な意味がある。それは、国やある地方で全体として食料の需要量を算出し、それを満たすように供給量を増やすだけでは、人びとの飢餓や栄養不良の解決にはつながらないということである。1996年イタリアのローマで開かれた世界食料サミットでは、食料安全保障（すなわち人びとが飢餓・栄養不良のリスクから解放されること）を「すべての人が、いかなる時でも、活動的で健康な生活のための食料摂取の必要性と食べ物の選好を満たすのに十分で、安全かつ栄養のある食料を、物理的、経済的に入手することができること」とより詳しく定義しているが、ここで重要なことは、食料の安全保障の達成のためには個々の人びとの異なる状況に応じた配分を実現しなければならないということである。

飢餓・栄養不良の状況は、食料の入手可能性だけではなく、個人の生理的特徴によっても異なる。人は年齢によって、性別によって、体格によって、必要なカロリーが左右される。

第4に、飢餓や栄養不良は、その発生の態様や原因が様々である。まず、飢餓や栄養不良は、食料の入手可能性が日常的に低いために慢性的に生じている場合

もあれば，食料の入手可能性が状況の急変によって損なわれ，多数の人が死亡する飢饉のような事例もある。開発途上国では，多数の人びとが農民であり，みずから栽培した作物を食べることを基本としている。また，人びと同士の助け合いや分け合いを通じて，食料が配分されることも多い。さらに，途上国では，しばしば食料の配給が行われている。そして，もちろん市場で食料を買う人も多い。飢餓や栄養不良はこうした多様な食料入手の経路が機能しなくなることによって生ずるのである。現実には飢餓や栄養不良は，多様な食料入手の経路の機能不全が複合することで引き起こされる。そうした複合的な機能不全は，市場や政府の失敗，また戦争などの人為的な事態によって引き起こされる。

（3）飢餓と栄養不良に関する指標

さて，ここでは（2）で述べたことを踏まえて，MDGs で掲げられた指標1.8「低体重の5歳未満児の割合」と指標1.9「カロリー消費量が必要最低限のレベル未満の人口の割合」の2つを指標とすることの意義と限界について考えてみたい。

指標1.8は5歳未満の乳幼児の総人口に占める低体重児の比率を見るものである。ここで，「低体重児」とは，同じ年齢の子どもの国際的基準人口における体重のメディアン（中央値）から標準偏差の2倍を引いた値よりも体重が低いことと定義されている。

指標1.9は，すべての人口に占める，必要最低限のカロリー消費量をまかなうのに十分な食料を摂取できていない人びとの比率を見るものである。これは，その国全体の食料供給量と家計の不平等のデータを照らし合わせながら，算出する。

これらの2つの指標は，飢餓・栄養不良の現状について国際社会の共通認識をつくり，さらなる努力が必要とされる地域や国を知り，資金や人材を配分していくために役立つ。

ただ，これらの2つの指標には限界もある。まず，他の MDGs の数量的指標と同じように，個々人の食料の入手可能性の多様さを捨象したものであることを踏まえなければならない。また，もう1つ重要な観点は，飢餓の重さ，ないし深刻さを測るのに適切な指標かどうかである。飢餓の最も深刻な形態は，餓死，あるいは飢餓の帰結としての病死である。そして極端に言うと，低体重児や栄養不足の人びとが亡くなることは，他の条件が変わらなければ，各指標が低下（改善！）することを意味している。つまり，これらの指標では飢餓の重さを測りき

れないのである。

　そして，2つの指標それぞれに，次のような意義と限界がある。まず低体重児率であるが，(2)で見たように，飢餓・栄養不良の問題を考える場合には，カロリーの摂取量に加えて，栄養不良の状態をとらえる必要がある。そこで低体重児率を栄養不足人口の比率とともに指標とすることは望ましいことであろう。また，幼い子どもは抵抗力も弱く，世帯の食料の入手可能性が危機に陥ると，そのしわ寄せを被りやすい存在である。さらに，人はとくに幼い頃に十分な栄養を与えられないと，その後の発育や成人してからの活動にも負の影響が出るおそれがある。これらの点で低体重児率は飢餓・栄養不良の指標としての重要な意義をもっている。しかし，低体重は過去の栄養不良による発育不全，あるいはつい最近の栄養不良による消耗症のどちらによっても引き起こされる。しかし，低体重児率だけでは発育不全と消耗症を区別できない。

　後者の栄養不足人口の比率の指標は，飢餓の結果より状況に注目して，人びとが最低限必要な食物を摂取できているかどうかを見たものである。この指標が，飢餓状況やその削減の進捗を測るのに，最も基本的なデータであることは間違いない。しかし，栄養不足人口の比率を計算するためには，たくさんのデータを収集しなければならないが，とくに所得が低い開発途上国ではデータが未整備なため，多くの推計値や代替値（同様の状況にある他国の数値）が用いられている場合がある。

3　飢餓の歴史・現状

(1) 歴史のなかの飢餓・飢饉

　人類はその発祥以来，長い間にわたり，飢餓におびえ，飢餓を克服するために闘い続けてきた。そのために，人びとは道具を発明し，火の使用法を発見し，土地を耕して，自然をみずからの利益のために作りかえることを学んできた。それによって食料を始めとする生活資源の生産力は徐々に拡大した。

　近代に至って科学技術が適用され，生産力は飛躍的に増大し，人口の増加を促した。人口増加はそれ自体が加速度化する傾向をもっており，生産の増加が停滞すると，生活資源の相対的な不足が懸念されるようになった。近代になっていっそう加速した人口増加を不安に思った人びとは，人口は本質的に生産よりも速く

増加するものととらえ，人口と生産の不均衡が放置されると戦争，疾病の流行や飢饉などの破局を招くという悲観的な見方をとった。

悲観的人口論は19世紀以降，現在の先進国では，貧困や飢餓が解消されていくにつれ，忘れられていった。しかし，現在の開発途上国では，20世紀になっても貧困や飢餓は解消されず，一方で人類の歴史上でも空前の人口増加が生じ，他方で繰り返し飢饉がおこり，時には1つの大飢饉で数千万人もの人びとが命を落とした。20世紀後半の一時期，悲観的人口論は途上国ではむしろ現実味を増した。

（2）現代の飢餓・栄養不良問題

第2次世界大戦直後の1948年に採択された『世界人権宣言』は，飢餓を克服できない世界の状況を踏まえて，「恐怖及び欠乏のない世界の到来」を祈念し（前文），「すべて人は，衣食住，医療及び必要な社会的施設などにより，自己及び家族の健康及び福祉に十分な生活水準を保持する権利」を持つ（25条1項）と謳ったのである。

にもかかわらず，飢餓と飢饉はその後も広く世界を苦しめ続けた。1961年には食料援助の専門機関である世界食糧計画が設立された。1960年代末のナイジェリアにおけるビアフラ戦争が引き起こした飢饉は，その悲惨な状況の映像とともに報道され，飢饉の恐ろしさを世界に思い知らせることになった。その後もアジア，アフリカの途上国の各地で飢饉が発生した。1974年には世界食料会議が開かれて『飢餓と栄養不良の撲滅に関する世界宣言』が採択された。同宣言は，すべての人びとの，飢餓と栄養不良から自由になる権利を謳い，それは先進国を始めとするすべての国々の共通の目的であるとした。

1970年代以降，アジア諸国で農業開発・食糧増産，経済成長が進み，次第に飢饉の発生地はアフリカに限られていった。1980年代に，内戦に引き裂かれたエチオピアなどアフリカ各地で発生した飢饉は強い関心を集め，飢餓救済のための国際的な市民運動が展開された。

1990年前後の東西冷戦構造の崩壊を受けて，アフリカの政治的状況が不安定化し，紛争が頻発するのに伴い，飢饉が多発した。蔓延する慢性的な栄養不足・栄養不良にも改めて関心が集まり，1996年に世界食料サミットが開かれ，『世界の食料安全保障に関するローマ宣言』が発せられた。『ローマ宣言』は，すべての人びとの食料安全保障を謳うとともに，2015年までに栄養不足の人びとを半減さ

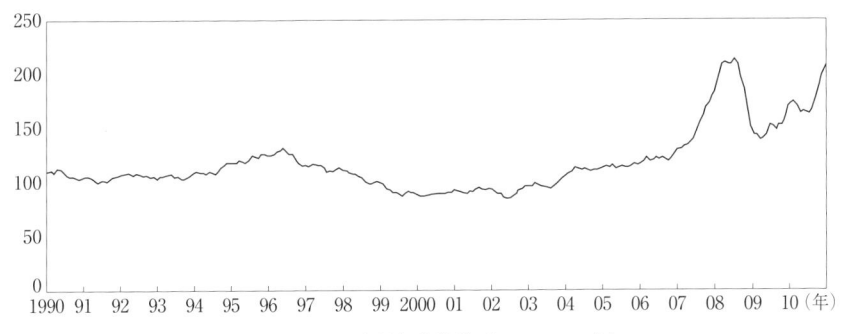

図4-1 世界食料価格指数（1990〜2010年）

注：2002〜04年を100とした場合の価格指数。
出典：国連食糧農業機関のデータ（http://www.fao.org/fileadmin/templates/worldfood/Reports_and_docs/Food_price_indices_data.xls）より筆者作成。

せるという目標を掲げ，MDGsのさきがけとなった。

しかし，その後も開発途上国では慢性的栄養不足・栄養不良は解消されず，飢饉の脅威もなくなってはいない。2000年代の後半には，飢餓へと拡大する可能性をはらんだ食料危機が，アジア・アフリカのいくつかの途上国で発生したのである。これらの食料危機の背景にあるのは，国際市場で起こった食料価格の高騰である。図4-1は，1990年代からある程度安定していた食料価格が2007年頃から急激に上昇したことを示している。これは，中国などの新興国の富裕化により食料需要が拡大したこと，また石油への需要増により代替燃料の原料としての一部穀物への需要も増大したこと，投機的な資金が食料市場に流入したことなどが原因と考えられている。

厳密な検証が必要であるが，第2節で述べたような，低体重児率や栄養不足人口の比率の削減が世界的に停滞していることには，食料価格の高騰が食料危機を招き，人びとの食料安全保障に負の影響を与えたことが関係している，と推測される。

4 飢餓のメカニズム

(1) 飢餓のメカニズムの考察の枠組み

食料安全保障は人びとのそれぞれの多様な食料入手のあり方に関わっており，複

```
┌─────────────────────┐     ┌──────┐ ┌──────────┐ ┌──────────┐ ┌──────┐ ┌──────────┐
│ マクロ的・大局的状況 │  ⊃  │ 人口 │ │マクロ経済│ │資源・気候│ │ 紛争 │ │政治・制度│
└──────────┬──────────┘     └──────┘ └──────────┘ └──────────┘ └──────┘ └──────────┘
           ↕
┌─────────────────────┐     ┌──────────┐ ┌──────────┐ ┌──────────┐ ┌──────────┐
│ 政府の食料関連政策措置│  ⊃  │配給・補助金│ │インフラ整備│ │ 技術普及 │ │ 食料備蓄 │
└──────────┬──────────┘     └──────────┘ └──────────┘ └──────────┘ └──────────┘
           ↕
┌─────────────────────┐     ┌──────────┐ ┌──────────────┐ ┌──────┐ ┌──────────┐
│ 市場などの食料配分経路│  ⊃  │ 食料市場 │ │その他の生産物市場│ │ 賃労働 │ │ 相互扶助 │
└──────────┬──────────┘     └──────────┘ └──────────────┘ └──────┘ └──────────┘
           ↕
┌─────────────────────┐     ┌──────────┐ ┌──────┐ ┌──────┐ ┌────────────┐ ┌──────────┐
│各世帯・個人の食料安全保障│ ⊃ │ 自家生産 │ │ 購買 │ │ 貯蔵 │ │世帯内での配分│ │女性の役割│
└─────────────────────┘     └──────────┘ └──────┘ └──────┘ └────────────┘ └──────────┘
```

図4-2　飢餓の考察の枠組み

出典：von-Braun et al.（1998）に基づき，筆者作成。

合的な要因によって左右される。MDGs を達成し，飢餓を根絶していくためには，飢餓や栄養不良を引き起こすメカニズムを知ることが肝心だろう。

　図4-2は，フォン・ブラウンらの飢饉の分析を参考にして作成した，簡略な考察の枠組みである。ここでは4つの次元を提示したが，その各々ごとに，人びとの食料安全保障にどのような要因が作用しているか，について説明していくことにしよう。

（2）マクロ的（大局的）状況

①世界における食料分配の不平等

　まず第2節で述べたように，世界には，食料の入手可能性における深刻な不平等がある。また，前節で見たように，食料や人びとの生産物，生活に直結した商品の国際価格の変動は，人びとの食料の入手に大きな影響を及ぼす。

②人口の変動と環境・資源，気候の変動

　各国では今日まで人口の増加や自然資源・環境の長期的な変化が生じてきた。すでに触れたように，人口の増加は食料問題に対して負の影響を及ぼすが，近現代を振り返れば先進国やアジア諸国は，結果として増加した人口を養うに足る食料などの生産の拡大におおむね成功してきた。

　他方，アフリカなどでは人口の増加に伴い，森林の減少，土壌の劣化，砂漠化などが生じ，人びとの食料生産や生活の基盤が脅かされている。温暖化など気候

変動はそうした状況を助長する恐れが強い。そして，深刻な干ばつ，洪水，不順な降雨，虫害の大規模な発生などは，食料生産ほか農村の経済活動を阻害して，人びとの食料入手可能性を多様なかたちで脅かす。

③マクロ経済状況

それぞれの国が食料を一国として自給できず，輸入に依存しているとしても，個々人の食料安全保障に深刻な不安があるとは限らない。その国が不足を補うのに十分な食料を輸入するための外貨収入を稼ぎ出すことができるかどうかが，より大きな問題である。たとえば，日本は工業製品などの輸出を通じて豊富な外貨を稼ぎ，大量の食料を輸入して国民に供給している。

また，インフレーションで食料などの値段が高騰することは，乏しい現金収入に頼る人びとの食料入手に負の影響を及ぼす。

④武力紛争と政治体制

人びとの食料の入手可能性には紛争などの社会的混乱や政府の無策などの要因が重なることが大きく影響する。紛争は，農民の食料生産やその他の経済活動を妨げ，食料の流通や配給を困難にするなどして深刻な食料危機を招くことが多い。

たとえ武力紛争がなくとも，政府が必要な政策措置を取らないと，飢餓は深刻化しかねない。MDGsを含む国際合意や憲法で，政府に必要な措置を義務づけることも無意味ではないが，法の支配が確立されていない国，為政者が国民の食料安全保障に責任感を持たない国，あるいは政府が未発達で能力が不十分な国ではあまり意味がない。政治体制や法制度のあり方は飢餓と食料問題にとって，根本的と言ってもよいほど重大な意義を持っている。

(3) 政府の食料関連政策措置

政府が人びとの食料安全保障を達成するために施すべき政策措置として次のようなものが考えられる。

①食料の配給や補助金政策

まず政府は，直接，食料を配給したり，補助金を支給して食料の値段を下げ，所得の低い人びとにとっても食料の入手を容易にすることができる。

②運輸・生産のためのインフラの整備や技術の普及

　また，食料を政府機関が配給するにせよ，市場を通じて民間業者が販売するにせよ，運輸インフラが重要な意味を持つ。人びとが住んでいる場所の隅々まで鉄道・道路などが整備されていることは，人びとの食料の入手可能性に良い影響を与えるだろう。また貯蔵施設，需要と供給の情報を結びつける通信網，農業生産の拡大と安定につながる灌漑設備などのインフラ整備にも政府は役割を果たすことができる。

　農業生産拡大のためには農業生産技術の普及や研究開発も重要であり，アジアの国々の食料増産を実現した「緑の革命」では，食料市場の発達とともに，政府の政策が重要な要因となった。

③食料備蓄と早期警戒システム

　国内に食料を備蓄し，国民が深刻な飢餓や飢饉に陥る前に食料を供給し，食料の安全保障を達成することも政府の重要な役割である。食料備蓄を食料危機の回避に役立てるためには，天候の異変などを察知し，必要な食料供給量を早めに予測する「早期警戒システム」が必要である。

④食料安全保障政策の実状

　このように，食料安全保障に向けた政府の広い範囲の役割を理屈のうえでは想定することができるが，現実の開発途上国の政府には，これらの役割を十分果たせていない例が多い。元々，アフリカを中心とする多くの国家の行政機構の歴史は浅く，また財政が逼迫したために食料の配給量や補助金を削減してしまい，人びとの食料入手可能性に負の影響を与える場合もある。指導者や政府が，期待される役割を果たす政治的意思を備えていないこともしばしば見受けられる。

　そうした政府には，積極的なインフラ整備や技術普及などの役割を期待することは難しいであろう。また，別のかたちの政府の失敗として，政府が食料流通を管理下におこうとして移動や販売を制限する結果，必要なところに食料が行き渡らなくなり，かえって食料安全保障に問題が生ずるというケースも挙げられる。

（4）市場などにおける食料配分

　政府の役割は重要ではあるが，途上国でも先進国と同じように，食料の生産と

人びとの間の配分のほとんどは民間で行われている。

①自給自足と相互扶助
　貧しい開発途上国に特徴的なのは，広く農民が自給自足を基本とし，自分の食料の多くを自分で生産していることである。また人びとは食料不足の状況のなかで，世帯の範囲を超えて相互に助け合う。

②市場を通じた食料の入手
　他方，とくに都会の住民の場合には，先進国と同様に市場での購入が一般的な食料入手のあり方である。国際市場で食料価格が高騰する場合や天候などの悪化によって食料供給が不足する場合，国内市場を通じて食料購入者に影響が及ぶ。また，市場で食料を入手する際には，購入者はもちろん現金を手にしていなければならない。したがって，人びとにとって市場で確実に食料を入手する購買力を持つためには，その他の生産物を売り，あるいは労働市場を通じて賃金を得るなど，現金収入を得る機会が確保されている必要がある。

③食料市場の未発達
　食料市場は，人びとに食料を配分する重要な役割を担うはずだが，開発途上国では食料市場が十分に機能するための条件が欠けている場合が多い。インフラの未整備に加えて，流通を担う企業や商人が存在しない地域もある。市場が機能せず，需要と供給が結び付けられないために，食料も，食料を必要とする人びとの元に届く前にしばしば劣化してしまう。皮肉なことに深刻な食料問題を抱えるアフリカ大陸では，食料の劣化による浪費が最も高い比率で生じている。

④市場機能の負の側面
　第3節で見たような国際食料市場への投機的資金の流入による価格の高騰が，人びとを飢餓に直面させる一因であったとするなら，ある人の金銭的利益の追求が他の人びとの生命を脅かした，ということになるだろう。また，食料流通業者が自分の利益に敏感であれば，干ばつが予測されるので食料価格が将来高騰することを察知した場合，価格の低いうちに食料を買い占め，退蔵しておくかもしれない。食料流通業者による買い占めは，社会にとって必要な備蓄行為の1つで，

市場の食料供給量を平準化する機能を持っているとして，その行動を正当化できないこともない。しかし，その過程で多くの人びとの餓死が放置されるとしたら，そうした市場の機能には重大な非人間性がある，ということになるだろう。

（5）世帯・個人の食料安全保障

　第3節で確認したように，食料の安全保障は，それぞれの異なる状況に応じてすべての人に十分かつ安全な食料が行き渡ることである。食料の安全保障は，その意味で各世帯や各個人が食料を入手する日常生活の次元で，最終的には実現されなければならない。

　①市場・政府の未発達と人びとの自助努力
　すでに述べたように，開発途上国の多くでは市場が未発達なため，人びとは食料の入手を市場のみに頼ることが難しい。また市場の欠陥を補うべき政府の機能も不十分であることが多い。食料安全保障のための自家生産や購買力の強化に向けて世帯・個人の自助努力や相互の協力に委ねられている部分は大きい。

　②収入源とリスクの多様化
　そうした状況の下で，各世帯・各個人は自らの食料の安全保障を達成するために様々な工夫をこらして生きている。不安定な自然条件の下にある貧困な社会では，不作リスクを分散するために様々な作物を栽培し，生業を多様化する。商品作物を生産する農民も，一定の食料作物を自分で生産し続けるのが普通である。加えてそのため，世帯や親族を超えた相互扶助のネットワークに積極的に参加し，あるいは成員の一部を出稼ぎに送り出し，送金させるなどして農業以外に所得を求めることも大事な工夫である。貯蔵もリスクを減らす重要な手段である。

　③女性の重要な役割
　開発途上国では，世帯内で女性が男性に対して食料入手可能性で差別されることが多いにもかかわらず，食料入手や栄養状態の維持は女性の肩にかかっている。とりわけ，乳児への授乳から始まって，子どもたちに食事を取らせることは，母親などの女性の責任とされていることがほとんどであろう。子どもたち自身の世帯内での発言権が弱いために母親はじめ女性が世帯内でどのような地位にあるか

は子どもの食料安全保障を左右する。

④移動という選択肢

最後に，広い範囲の親族や村落内での相互扶助は，世帯・個人の食料安全保障にきわめて重要な役割を果たしているが，自然災害や紛争によって地域社会全体の食料供給が不十分になった場合は，相互扶助だけでは食料安全保障を満たせない。そのために人びとは食料ほか生活資源のある場所を求めて移動を選択し，都市に流入し，あるいは国内避難民や難民になることも珍しくはない。

5　飢餓のない世界を目指して
――国際援助および政府の対応と課題――

本章の最後に，飢餓の削減におけるMDGsの達成とよりいっそうの進展を図るために必要となる長期的な対応と課題について，国際社会と政府の役割に焦点を当て，考えてみたい。

①平和の構築と維持

紛争は飢餓が武器として用いられる場合はもちろん，そうでない場合も食料の生産や流通を混乱させ，経済活動を停滞させ，時には破綻させ，人びとの食料安全保障を侵害する。飢餓の削減にとって明確かつ最大の敵だといってもよい。飢餓の削減，食料安全保障にとって平和は最も重要な前提だろう。

②国際的不平等の是正

世界全体の大きな食料配分の不平等を是正することは容易ではないが，最低限の食料を入手することは普遍的な基本的人権であり，それを保障するために何らかの国際的再分配の措置がとられるべきであろう。先進国や国際機関は食料援助をおこなっているが，現状では部分的な対応に過ぎず，持続可能性，援助依存の助長や生産者の意欲の阻害などの点で多くの課題がある。

③食料価格の安定と食料備蓄

国際食料市場での価格高騰による食料危機を避けるため，投機を規制すること

がまず考えられる。しかし，現実には市場の有益な機能を阻害せずに投機目的の取引だけを抑止するのには困難が伴う。規制の他に投機による食料価格の乱高下の影響を抑えるためには，食料備蓄を市場に放出したり，回収したりして賢明に運用することが考えられよう。ただ，国内の食料生産規模の小さな国で財源の乏しい政府が，独力で国際価格の変動の影響を緩和するような市場介入をおこなうことは簡単ではない。したがって，国際援助に期待される役割も大きい。仮に国際食料市場への投機に課税することが可能であれば，その財源を各国の食料備蓄の充実に振り向けることも有効な手段となろう。

④飢餓人口への直接支援とその課題

食料の直接の配給は，貧困者支援の典型であるが，単純明快に見えて実は多くの問題をはらんでいる。1つは，誰が本当に食料配給を必要としているか見極めるのが簡単ではないことである。2つ目に，食料の配給が無償でおこなわれるような場合には，人びとに配給への依存心が生まれ，勤労や投資への意欲が阻害されてしまう。こうした問題を解決するために一部の援助機関により用いられているのはフード・フォー・ワーク（food for work）という方式である。フード・フォー・ワークは労働と引き換えに食料を供給するもので，働いてでも食料を入手する必要に迫られている人に配給でき，また援助への依存も避けることができる。しかし，この方式には，食料を外から持ち込むと国内で食料を生産している人びとの増産への意欲を阻害するという問題がある。そこで，キャッシュ・フォー・ワーク（cash for work）という方法を採用している援助機関もある。どちらの方式も働くことができないために飢えているような人びとには食料を届けられないという問題がある。援助方式にさらに改良を重ねてよりよい方法を見つけ出していく必要がある。

⑤食料増産と所得の創出

各世帯の食料安全保障を長期的に達成していく道は，世帯自身の生産力，あるいは所得を得る能力を向上させていくことであろう。とくに農家の食料生産力を拡大し，安定させていくことは大変重要である。政府には，すでに述べたようなインフラの整備などを通じて，市場の発達を促すことが期待される。

また，流通業者による食料の買い占め・退蔵のかたわらで人びとが餓死するよ

うな事態に対しては，規制ばかりでなく，食料備蓄からの供給の増加などにより市場の非人間性をただしていくことが必要である。そこで，国際援助は後方支援の役割を果たすことが期待される。

⑥政治体制の改革

政府が食料安全保障に対して対応をするようになるためには，すでに述べたように，その対応を政府に義務づけるような政治体制が重要である。一般的には民主主義が重要ということになるだろうが，途上国の若い民主主義の下では政治力のない農村の貧困大衆の意見は軽視されることが多い。その点，政治指導者や政府当局者の責任はきわめて重い。同時に政府の側の失敗や怠慢をただし，政治的に軽視されがちな人びとに社会的関心を向けさせるために，野党，報道機関などが果たすべき役割も大きい。援助側も過剰な介入を慎みつつ，政治改革を促すことや報道機関の能力構築を支援することができるだろう。

⑦教育と人びとの自助努力の尊重の必要性

最終的に食料安全保障を達成するのは，個々の世帯や個人自身である。すべての政策措置と援助活動は，人びとの食料安全保障に向けた自助努力や相互扶助を阻害せず，後押しするよう立案され，実施されなければならない。とりわけ鍵となるのは，人びと自身の能力を強化する教育であろう。とくに家族の食料安全保障に決定的な役割を果たす女性に対して，食料の増産，栄養，家計の運営，育児に関する知識などを伝えることは，子どもの栄養不足・栄養不良を改善するのに大きな意味がある。

今後の学習のための参考文献

(1)初級

アフリカ日本協議会編（2009）『アフリカの食料安全保障を考える』アフリカ日本協議会。
　　http://www.ajf.gr.jp/lang_ja/activities/african_food-security.html
　　＊アフリカの食料問題に詳しい専門家が英知を結集し，食料安全保障を，食料不足のとらえ方から背景となる自然条件まで多面的に解説したもの。

西川潤（2008）『データブック――食料』岩波ブックレット。

(2)中級

アマルティア・セン著，黒崎卓・山崎幸治訳（2000）『貧困と飢饉』岩波書店。

＊エンタイトルメントの概念を導入して，単なる食料不足ではなく個々人の食料入手可能性に注目することを説き，飢餓・飢饉の研究に画期的な進展をもたらした書。食料問題のみならず貧困の研究を志す人にとって必読の書。

国際連合（2013）『国連ミレニアム開発目標報告2013』国連広報センター。
http://unic.or.jp/files/MDG_Report_2013_JP.pdf

(3)上級

Jean Drèze, Amartya Sen and Athar Hussain, eds. (1995), *Political Economy of Hunger: Selected Essays*, Oxford: Oxford University Press.

J. von Braun, Tesfaye Teklu and Patrick Webb (1998), *Famine in Africa: Causes, Reponses, and Prevention*, Baltimore and London: Johns Hopkins University Press.
＊アフリカの実例に即しながら，飢饉のメカニズムを包括的にとらえる枠組みを提示し，対応と防止を考察した書。

(4)ウェブサイト

The Official United Nations Site for the MDGs Indicators
http://unstats.un.org/unsd/mdg/Default.aspx
World Food Programme Home Page
http://www.wfp.org/our-work
Food and Agriculture Organization of the United Nations Home Page
http://www.fao.org/

■ *Column 4* ■

エチオピアにおける栄養改善のための戦略

　エチオピア北部の村で出会った1歳5カ月の男の子。1980年代の飢餓でメディアの注目をあびた地域である。小柄でせいぜい1歳くらいにしか見えないが，飢餓の報道に映し出されたような，やせ細ってお腹だけがぽっこり出た栄養失調児ではない。現在，飢餓が起こっているわけではないこの村で，この子をはじめとする子どもたちの2人に1人が慢性の栄養不良であることは，恐らく，親も地域の保健師も知らない。
　「やせ細ってお腹だけが出た栄養失調児」というのは，急性の栄養不良（身長に対する体重〔weight-for-height〕で測定される消耗症〔wasting〕）に陥った子どもを指している。とくに重度の消耗症の子どもは，治療しなければその約半数が2週間以内に死亡すると言われる。エチオピアでも5歳未満児の11％が急性の栄養不良である。
　一方で，その約4倍（47％）の子どもが慢性の栄養不良（年齢に対する身長〔height-for-age〕で測定される発育不全〔stunting〕）である。つまり，日々の栄養

摂取量や衛生状態といった生活環境・習慣の不備が，目に見えない形で少しずつ成長や知能の発達に悪影響を与えている。

さて，MDGsの目標1のターゲット1Cでは，急性と慢性の中間的指標に当たる低体重（年齢に対する体重〔weight-for-age〕で測定される発育不全〔underweight〕）が使われている。しかし，天候や自然災害，緊急食料援助の有無によって上下しやすい指標であることから，国や地域の栄養改善事業の進捗状況を測る際には，低体重に加えて，慢性の栄養不良も合わせて議論されることが多い。

慢性の栄養不良が重視されるもう1つの理由は，貧困との相関性である。2歳までに慢性の栄養不良となった子どもは，生涯にわたって労働生産性が低下したり，成人後に慢性疾患に罹りやすいことがわかっている。2005年に米国国際開発庁（USAID）などが行った試算によると，子どもの慢性栄養不良がエチオピアにもたらす経済損失は年間約2000億円に上るとも言われる。貧困は栄養問題を生み出す原因の1つであるが，同時に，栄養改善なくして貧困削減もないのである。

子どもの体重を測る地域保健師
（筆者撮影）

エチオピア政府は，貧困削減戦略文書（PRSP）のなかで栄養を重要課題として位置づけたうえで，目標1の達成を目指すべく，2008年に包括的な国家栄養戦略とその5カ年執行計画を策定した。現在，世界銀行，国連機関（UNICEF, WFP, WHO, FAOなど），二国間援助機関（JICA，欧州連合など），NGO，民間セクター等が連携して資金協力と技術協力を行っている。

この国家栄養戦略の特徴としては，次の5点があげられる。①長期的な制度・人づくりを重視（対症療法的な緊急援助に偏らず，予防を重視し，緊急事態をできるだけ未然に防ぐ）。②保健，教育，農業，水・衛生などのセクター間連携（栄養問題は多面的な社会開発の問題）。③民間セクターとの連携（地域が何を生産し，家庭がどう消費するかによって，子どもの栄養摂取量は大きく左右される）。④ドナー協調体制の確立と資金・技術協力を組み合わせた事業の面的展開（目標1を達成すべく，国レベルでの成果を上げる）。⑤研究機関との連携による結果の定量化（成果主義の徹底）。

その具体的な活動について，ここでは，主要な3つの事業のみを挙げよう。

① 治療的給食（therapeutic feeding）：緊急援助として，その都度，局地的に投入されてきた医療的介入（重度の消耗症の治療）を，保健サービスの一部として迅速に提供できるよう，物資調達・配布システム，ドナー協調などの制度を整える。それと同時に，地域保健師を育成しており，過去5年間に3万人以上を全国

配備した。
② コミュニティにおける栄養（community-based nutrition）：栄養不良を予防するため，コミュニティを第一線とする生活改善を強力に促進している。たとえば，井戸の整備，手洗いの励行によって下痢症などの感染症を予防することで，多くの子どもを慢性の栄養不良から守ることができる。他セクターと連携し，長期的計画に基づいた面的な展開を図ることにより，目標1のターゲット1C達成を目指している。
③ 官民パートナーシップ（public-private partnership）：農業分野が力を入れている価値連鎖（value chain）の創出やBOPビジネス（第16章参照）の開発といった動きと連携し，食料事情の悪い地域などで不足しがちな栄養価の高い農産物や食品が手に入るよう，生産・消費環境を整える。これに，上記の生活改善や女性の収入創出活動を連携させることによって，貧しいコミュニティでも乳幼児の栄養摂取を改善できるような仕組みを作ろうとしている。

　目標1ターゲット1Cの進捗状況が遅れている国が多数あるなかで，「何をすべきかについてはよくわかっているが，それを大規模なプログラムとしていかに人びとに届けるか」（S. Horton et al.〔2009〕, *Scaling Up Nutrition : What Will It Cost ?*, World Bank）が重要な課題となっている。これまで，効果的な事業でも，規模拡大を図る段階になると失敗することが多かった。時間が経つと政府やドナーの関心が薄れることも，1つの原因である。エチオピアでは，世界銀行などが，単年度ではなく5カ年執行計画全体に対して資金を投入しており，それに技術援助や物資調達などを随時組み合わせて面的拡大を図っている。そして，この経験を客観的に分析し，次の5カ年計画で活用するために，インパクト評価やコスト分析などにも重点をおいている。2015年はすぐそこだが，2015年以降も，栄養問題との闘いは続いていくのである。

（岡村恭子）

第Ⅱ部

生存のための人間開発

第5章 子どもの健康
――未来の担い手の健やかな成長のために――

松山章子

――この章で学ぶこと――

　本章では，子どもが途上国で生まれ育つ過程で，どのような健康のリスクと機会に直面するかについて理解を深める。現在，世界で年間9700万人の子ども達が5歳の誕生日を迎える前に命を落としており，そのほとんどが途上国の子どもである。「子どもの生存革命（child survival revolution）」が提唱された1980年初頭に比べて死亡数は減っているものの，死因のほとんどが予防可能である状況は変わっていない。また，地域格差が大きく，世界の他の地域に比べてサハラ以南アフリカや南アジアにおける子どもの死亡率の低下は鈍い。これに加えて，アフリカではHIV感染の広がりにより，過去に徐々に改善してきた子どもの死亡率がエイズによって停滞あるいは悪化している場合もある。また親が死亡したエイズ遺児の問題も深刻化している。

　5歳未満児死亡のなかの約40％が生後1カ月以内であり，そのほとんどが基礎的な保健医療，つまりプライマリ・ヘルス・ケア（primary health care: PHC）を受けることなく自宅で死亡している。5歳未満児死亡率全体として低下傾向にあるなか，新生児死亡が子どもの死亡全体に占める割合は総体的に拡大しており，今後，新生児の生存と健康が子どもの健康を守るうえで鍵となる。新生児死亡を防ぐためには，子ども側にのみ焦点を当てたアプローチではなく，母親と子どもに対する継続したケアが必要である。

　ミレニアム開発目標（MDGs）の観点からすると，子どもの健康改善のためには，新生児ケア，予防接種，下痢性疾患，急性呼吸器感染症などへの対策，妊産婦ケア，適切な救急産科ケア，などの直接的なものに加えて，長期的には，女の子への教育，貧困の解消と食料・栄養問題，ジェンダー問題への取組みなどが大きな役割を果たす。

キーワード　5歳未満児死亡率，乳児死亡率，子どもの生存，新生児死亡，母親と子どもに対する継続ケア，プライマリ・ヘルス・ケア（PHC）

1　途上国の子どもの生存と健康

　子どもは，母親のお腹のなかにいるときからすでに母親の栄養状態や健康状態に大きく左右され，生まれた後の生存の確率に影響がでる。出生後1カ月の最も死亡のリスクが高いとされる新生児期，1歳未満の乳児期，1歳から5歳までの幼児といわれる時期を経て，社会によって定義は異なるものの，おおむね15歳ぐらいまでが大きな意味で子どもの期間とみなされる。

　思春期に入ると男女ともに性的活動が可能となり，それに伴う様々な健康上の問題，たとえば若年妊娠，レイプ，中絶，性行為感染症，HIV／エイズなどに直面する。また，もともと栄養状態が良くない途上国の貧困家庭の思春期の女の子の場合，月経による鉄分欠乏貧血症，早婚による若年妊娠などにより，本人はもとより，生まれてくる子どもの健康にも悪影響を与えている。このように，ひとくちに子どもの健康といっても，ライフ・サイクルでみると，生まれる前から思春期に至るまでの長期間にわたる多様な問題が起こっている。

　ここでは，紙面が限られているため，公衆衛生学上，最も脆弱なグループの1つである5歳未満の子どもの健康に焦点を当てて概説する。

（1）ネパールの事例──感染症と栄養失調の悪循環

　ネパール東南部に位置するオカルドゥンガ郡は標高2000メートル近くの山岳地帯である。車が通れる道はなく，唯一の交通手段は人間の足だ。この辺鄙な山奥にある郡で唯一の病院であるミッション・ホスピタルの診療室で，ツック・バハドゥール君（3歳2カ月）はべそをかいたような顔をして母親のラマ・クマリさんに抱かれていた。ツック君は母親に連れられてクンタデビ村から2時間歩いてこの病院にやって来た。体重は同じ年齢の子どもに比べてずっと少ない9.8キログラム（3歳では体重11.3キログラムから14.5キログラムが正常範囲）。手足は細くお腹だけがぷっくりと膨らんでいて，体のあちらこちらに虫にさされてひっかいたような跡がある。疥癬，貧血，か細い手足に比べてアンバランスに大きなお腹，赤茶けた髪，そしてぐずりがちで元気がないなど栄養失調児に特有の症状を示している（図5-1）。栄養失調には大きく2つのタイプがある。一つはエネルギー不足が原因で起こる低体重が特徴で，体つきも細く（お腹だけ出ている），顔は年

寄りのように皺が多く,「マラスムス」といわれる。もう一つは,蛋白質摂取不足により起こる栄養失調の「クワシオコール」であり,ツック君のような症状(腫れぼったい顔,赤茶けた髪,皮膚病,上腕部は細いが手足は腫れぼったい,いつもぐずっていて元気がない,成長の停滞など)を呈する。両病態を合併するマラスミッククワシオコールもある。

ツック君が病院に来たのは今回が初めてではない。ツック君のカルテには,ネパールで多くの子どもが陥る感染症―栄養不良の悪循環の過程が克明に記録されている。出生体重は3.2キログラムと標準を上回っていたが,1歳の誕生日を迎えるころにはすでにⅡ度

図5-1　ツック・バハドゥール君

(中等度)の栄養失調と診断された。その間,寄生虫症(回虫),赤痢など,次々に感染症に罹った。もちろん,病気のたびに病院に来ているかどうかはわからないので,これはツック君の病歴の一部に過ぎないかもしれない。彼の体重は,1歳9カ月のときに9.5キログラムだったが,17カ月後の現在でも9.8キログラムしかなく,ほぼ横這いの状態である。医師は「このお母さんちょっと歳をとっているわね」と言って,ラマ・クマリさんに年齢を聞いた。村の多くの女性がそうであるように,彼女は自分の歳を知らないらしく困惑した表情になった。そこで「他に何人子どもがいるの?」と質問を変えるとツック君のうえに15歳,12歳,6歳の兄弟がいると返事が返ってきた。

困窮した経済状況で,十分な食料がないということに加え,子沢山ゆえに母親は十分な期間(子どもが2歳になるまで)母乳を与えたり,生後6カ月以降は母乳以外の補助食(いわゆる離乳食)を与えるという必要なケアが十分にできず,子どもの発育が阻害される可能性が大きい。

栄養状態の悪い子どもは,免疫力が低いために感染症に罹りやすく,そうなると下痢などの症状のために体重が減ってしまう。そして,減った体重が元に戻らないうちにまた感染症に罹るというサイクルを繰り返し栄養失調にたどりつく。ツック君はその悪循環の典型的な例だ。しかし,子どもへのケア,感染症対策・

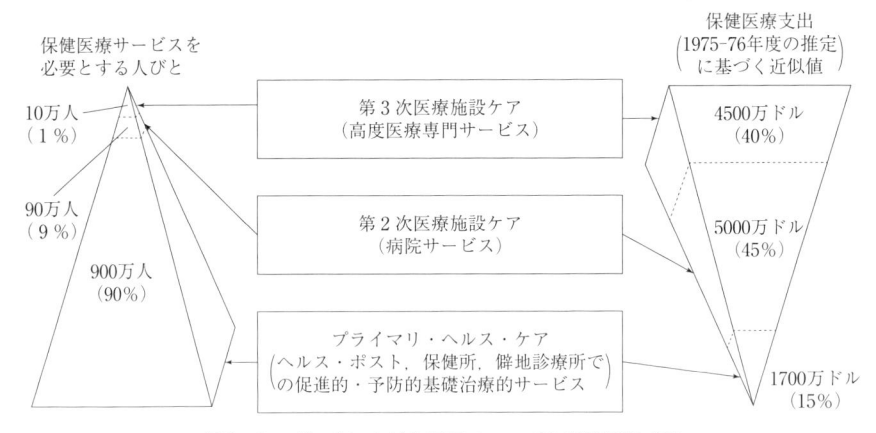

図 5-2　ガーナにおける国民のニーズと保健医療支出
出典：Merson, Black and Mills, eds. (2006), p.3.

治療などだけでは栄養失調の本質を見そこなう可能性がある。ツック君とラマ・クマリさん親子は「カミ（ヒンドゥーの職業カーストで鍛冶屋を生職とする）」というネパールでは下層カーストに属している。田畑も少し耕しているというが，水牛やヤギなどの家畜は飼っておらず，貧困が栄養失調の根底の原因であることは明らかである（松山章子「ネパール王国オカルドゥンガ保健事業活動速報」『CCWA ニュースレター』1999 年 7 月）。

(2) 子どもの生存革命の成功と停滞

1978 年，アルマ・アタ（当時はカザフ・ソビエト社会主義共和国の首都，現在はカザフスタンの都市アルマトイ）で開催された PHC に関する国際会議では「2000 年までにすべての人に健康を（health for all by the year 2000）」という目標が謳われた。ここで採択された『アルマ・アタ宣言』では，PHC を，①健康教育，②食料の十分な供給と適切な栄養の推進，③安全な水と基礎衛生，④妊産婦と子どものケア，⑤主要な小児期疾病の予防接種，⑥一般的な疾病やけがに対する適切な治療，⑦風土病の予防と対策，⑧必須医薬品の供給，を含む活動と定義した（日本国際保健医療学会編，2005）。その後，HIV ／エイズ，リプロダクティブ・ヘルス，メンタルヘルス，障害者の健康などが重点活動項目として追加された。

それでは，『アルマ・アタ宣言』以前の保健医療システムはどういうものであり，

PHC の理念はどこが革新的であったのだろうか。図 5 - 2 は，ガーナ（1978年）を事例に，「保健医療のジレンマ」を示している。国の保健医療資源が保健医療サービスを必要する人たちのニーズとは逆転した形で配分されている。保健医療セクターの総歳出（医療施設，医師・看護師・保健ワーカーなどの保健医療スタッフ，資機材，活動費など）の40％は，首都アクラにある教育病院などの第 3 次医療施設へ投入され，国民の90％近くが必要とするヘルス・ポスト，保健所，僻地診療所での PHC の施設，人的資源，活動費は全体のわずか15％があてられているに過ぎない。このように需要と供給が対応せずに，逆転現象が起きているのが当時の途上国の典型的な保健医療事情であった。アルマ・アタにおいて謳われた「世界のすべての人びとが健康を享受する」ことは，病気や死亡で健康を損なっている人びとが集中している途上国の貧困層，とくに女性と子どもの健康上のニーズに対応できるように，この逆転したピラミッドの関係を正常な状態に変えていくことを目指す。そのための戦略としての PHC は，単に上記で挙げた 8 つの活動項目の実施ではなく，公正，地域住民の参画，セクター横断的な協力，適正技術の使用，低価な価格，ヘルス・プロモーションの原理などを包含する，それまでの治療偏重の保健医療から，より人びとに近いコミュニティのレベルでの保健活動への発想の転換，新たな哲学の提起という画期的な意味を持っていたのである。

　1980年代に入ると，PHC のこのような理念に沿って，国連児童基金（UNICEF）が中心となり「子どもの生存革命（child survival revolution）」が始まった。

　子どもの主要な死亡原因である疾病対策として，低価でかつコミュニティのレベルで実施できる活動の頭文字をとって GOBI と呼ばれるプログラムが推進された。栄養不良の子どもを早期発見し栄養指導を行うための定期的な体重測定による成長観察（growth monitoring），子どもの下痢性疾患によって起こる脱水症状を予防，治療する経口補水療法（oral rehydration therapy），母乳哺育の推進（breast-feeding），ジフテリア，新生児破傷風，百日咳，ポリオ，麻疹，結核の 6 つの感染症から子どもを守るための予防接種（immunization）を指す。これに加えて，子どもの生存にとって長期的で根源的な影響を与える 3 つの F で始まる対策，つまり，①乳児への適切な時期の補助食開始などを含む食糧補助（food supplementation），②出産間隔の延長（family planning），③女子教育（female education）を総称して GOBI-FFF と呼んだ。GOBI-FFF の推進は，途上国における子どもの生存革命で着実な成果を収め，1980年代に出生1000対115だった 5 歳未満児死

亡率（世界平均）は，90年には93にまで減少した。

　GOBI-FFF に代表されるような主な子どもの死因となる特定の疾病や症状に対して対策を実施する「選択的 PHC」は，一般の人たちもわかりやすく啓発・広報活動の観点からも効果があった。また，実施上も予防接種率や経口補水塩（oral rehydration salt: ORS）普及率など，成果が測定しやすく達成率を目に見える形で提示できるという利点があった。

　一方，このアプローチの持つ弊害も明らかになった。たとえば，『アルマ・アタ宣言』以前からにすでに実施されていた拡大予防接種プログラム（expanded program on immunization: EPI）は，天然痘根絶キャンペーンの成功に代表される特定の疾病に焦点を当てた介入対策の実施，いわゆる「垂直型」アプローチに属する。この垂直型アプローチは，EPI のように予防接種で死亡を防ぐことができる子どもの感染症に対して，他の PHC 諸活動とは切り離された独自のマネージメント形態を有する。独自の資金源による予算配分のもと，予防接種員をリクルートして訓練を行い，予防接種活動を実施する。そのため，予防接種員は通常，他の母子保健，マラリア，下痢症疾患，急性呼吸器感染症対策活動に関しては訓練を受けないし，活動も行わない。このような状況では，ドナーが外部から資金を提供している期間は成果を上げることができても，ドナーが撤退してしまった後は接種率が低下したり，現場にいる予防接種員は予防接種以外の他の PHC 活動に関しては知識も技術もないため，活動が停滞するということがしばしば起きた。1980年代を通じて，PHC の推進は子どもの生存の確率を高めることに貢献してきたが，途上国の保健システムは，人口増加，債務危機，旧ソ連や東欧諸国の政治・経済システムの移行，HIV の蔓延という世界的動向のなかで逼迫され続けた。

　1990年代に入ると効率性が高く公平性を重視する方策として，保健システム内での個別プログラムの統合の志向が高まった。この好例が「小児期疾病統合管理（integrated management for childhood illnesses: IMCI）」である。IMCI の最大の特徴は，子どもの病気を引き起こす原因が通常単一ではなく複数が絡み合って存在していることを再認識し，疾病の症例に広範囲かつ横断的に対応するアプローチをとる点にある。

　IMCI を構成する要素は主に 3 つある。1 つ目は，保健スタッフのパフォーマンスの向上に対しては，子どもの病気（おもに急性呼吸器感染症，下痢性疾患，麻疹，

マラリア，栄養不良が中心）の症状を正しく把握，評価できるようにガイドラインを提供し，現地の状況にあったトレーニングを行うことである。2つ目は，子どもの疾病の効果的管理のための保健システムの強化であり，医薬品の入手の支援，監督の増強，紹介・搬送体制の強化，保健情報システムの整備などが含まれる。3つ目は，家庭とコミュニティにおける実践の向上であり，これは「コミュニティ小児期疾病統合管理（community-IMCI: C-IMCI）」とも呼ばれる。出生後6カ月までの完全母乳哺育，出生後6カ月からの補助食，ビタミンAなどの微量栄養素の補給，手洗いやトイレの利用などの衛生習慣，予防接種，マラリア予防（殺虫剤で加工した蚊帳の利用），心理社会的ケアの発達，病気の子どもの食べ物と水分（母乳を含む）の継続的摂取，家庭での適切な治療，専門家によるケアの要請，紹介・搬送，フォローアップなどの適切な対応，出産前ケアなどが含まれる。IMCI は現在，新生児，乳児，5歳未満児の健康という継続ケアとしての枠組みのなかでとらえ直されている。

　世界全体の平均寿命は，2000年までに，1950年代初頭の47歳から約65歳へと改善をみた。子どもの死亡率も，1990年から2008年にかけて4分の1以上低下した。しかし，2000年を過ぎてもアルマ・アタで宣言された「世界のすべての人びとに健康を」という目標からはいまだ遠く，さらに HIV／エイズや，マラリアや結核などの再興感染症の脅威などにより，とくにサハラ以南アフリカ諸国を中心に1980年代から90年代にかけて達成された成果も後退した地域もあった。サハラ以南アフリカ地域に生まれてくる子どもの数は世界の子どもの22％に過ぎないのに，世界の5歳未満児の死亡総数の49％がこの地域で発生している。2000年，ニューヨークで開かれた国際会議において採択された MDGs では，「2015年までに5歳未満児の死亡率を1990年の水準の3分の1へと引き下げる」（目標4）としている。

　5歳未満児死亡率は，途上国平均では1990年の100（出生1000対）から2008年の72と全体で28％低下し，死亡数は1990年の1250万人から2008年の880万人へと減少した。しかし地域格差が大きく，MDGs に照らし合わせると，とくにサハラ以南アフリカや南アジア，オセアニア諸国においては，進展が滞っていることが分かる。

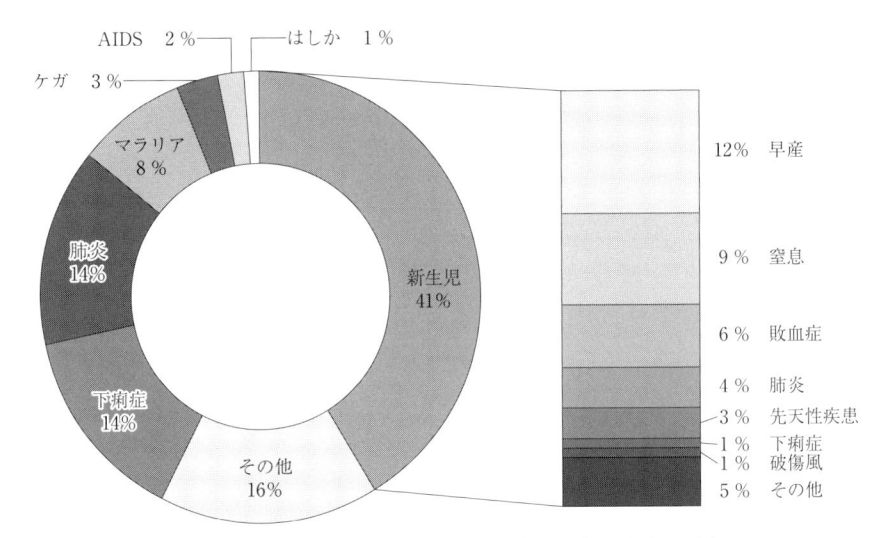

図5-3　新生児を含む5歳未満の子どもの死亡原因（2008年）
出典：国連（2010）『国連ミレニアム開発目標報告2010』国連広報センター，27頁。

2　5歳未満児の健康

（1）子どもの死亡の主な原因

　図5-3は，世界の5歳未満児の死因を示している。留意すべきことは，この統計は直接的死亡原因で区別されているが，子どもの側からすると，複数の病気を併発している場合も多く，相互作用を起こして重症化し，死に至ることが多いのが現状である。また，個別の直接的死因の背景には栄養不良が関係しており，5歳未満児死亡全体の3分の1以上に栄養不良が基礎的原因として存在すると推定されている。5歳未満児の死亡の41％は，多様な合併症がもとで出生後1カ月以内（新生児期）に発生している。次に多いのが，下痢症疾患と肺炎でそれぞれ14％，マラリア8％，傷害3％，エイズ2％，麻疹1％と続く。

　PHCの理念のもと，子どもの生存革命を中心にプログラム戦略に関してはすでに概観したが，ここでは5歳未満児一般の健康改善対策に焦点を当て，『世界子供白書』（2008年および2009年）を参考にしながら介入活動の内容を検討する。

（2）下痢性疾患

　下痢性疾患は，長年にわたり子どもの死亡の主要な原因である。非衛生的な生活状況，適切な衛生施設（トイレ）を使用せず排泄物を安全ではない状態で廃棄すること，栄養不良な状態での感染症への罹患などで，子どもは下痢性疾患にかかり脱水状況に陥ると短期間で死に至る。世界で下痢性疾患が主な原因で死亡する5歳未満児は推定年間200万人存在するといわれている（詳細は，第8章を参照）。

　予防のための対策は多岐に渡るが，ほとんどの対策が貧しい人びとでも手に届く価格でかつコミュニティですぐに実施ができるものが中心である。安全な飲み水の確保，トイレの設置と使用，手洗い（とくにトイレの後，調理前，食事前など）の習慣，経口補水塩（ORS: 市販のパック，塩，砂糖，水あるいは穀物ベースの自家製ORS，亜鉛の補給）で脱水を防ぐ，下痢の間も（生後6カ月未満であれば）母乳を与え続け，生後6カ月以上であれば母乳や水，消化の良い補助食を与え続けることなどが大切である。

（3）呼吸器感染症（肺炎）

　肺炎は，途上国における子どもの主要な死因の1つである。肺炎に罹った子どもは，速い呼吸，呼吸困難，咳，熱，悪寒，頭痛，食欲不振，喘鳴などの症状を呈する。幼い子どもが重篤な肺炎を患った場合は，痙攣，体温低下，倦怠感，摂食困難なども起こる。健康な子どもたちは，元々生まれながらに肺炎を引き起こす病原体から肺を守る防御機能を持っている。栄養不良，とくに完全母乳（生後6カ月間，母乳のみ）で育てられていない，亜鉛の摂取量が不足している，といった免疫システムが弱っている子どもは，肺炎に罹る危険性が高い。麻疹やHIVに感染している子どももまた肺炎に罹りやすい。また，狭い家に多くの人が住んでいたり，親が吸うタバコの煙や室内の汚れた空気（狭く換気の悪い屋内での調理も含む）という環境的要素も子どもを肺炎に罹りやすくし，症状を悪化させる。

　肺炎による子どもの死を減らすには，治療と同じぐらい予防が重要である。子どもを対象とした主要な予防手段は，適切な栄養を与える（完全母乳育児，ビタミンAの投与，亜鉛摂取など），室内の空気の汚染を減らす，肺炎を直接的に引き起こす感染症（たとえばヘモフィルス・インフルエンザb型菌＝Hib）に対するワクチン接種をおこなう，合併症として肺炎を引き起こす可能性がある感染症（百日咳や麻疹）を防ぐ予防接種率を高めることなどである。治療としては，途上国の子ども

の重篤な肺炎のかなりの部分は細菌（主に肺炎連鎖球菌やHib）が原因であるため，低価な抗生剤を使って家庭で効果的に治療することも可能である。その際，養育者は，訓練を受けた保健医療スタッフのアドバイスにしたがって正確に投薬し，必要があれば適切なタイミングで医療機関に紹介し搬送することが求められる。

（4）予防接種で防げる子どもの感染症

EPIが始まった当初は，6つの主要な子どもの疾病（第1節（2）参照）に対して予防接種が行われていた。現在ではこれらに加えてB型肝炎，肺炎や髄膜炎の主な原因となるHibに対してもワクチン接種が行われている。また多くの国でEPIプラスとして予防接種の機会にビタミンAカプセルを投与するなど，従来のいわゆる垂直型アプローチから水平型アプローチに移行する工夫がなされている（垂直型アプローチとは，EPIのように子どもへの予防接種という単一のプログラムの実施をする場合で，保健ワーカーの訓練，健康教育など関連する活動はEPIに焦点を当てて行われ，予算も独自につけられる。これに対して，水平型アプローチは，子どもの健康促進のために，たとえばEPIだけではなく，肺炎，下痢症，栄養など諸対策活動を包括的にとらえて実施するやり方を指す）。EPIには大別すると，保健医療機関をベースとした施設での実施とコミュニティへの巡回によるアウトリーチ活動などの日常的な予防接種活動と，予防接種の日を設定し国や地域を挙げて取り組むキャンペーンがあり，通常多くの国で双方の組み合わせによって，予防接種率向上の努力が行われている。通常の予防接種活動は，ワクチンの安定供給や養育者がどのタイプの予防接種をどの時期に何回行うかを理解し予防接種に来る時間を確保するなど，供給と需要双方への働きかけが必要となる。そのために，ワクチンを一定温度に保持するためのコールド・チェーン（cold chain）の整備，健康教育活動，モニタリングや記録，予防接種を受けない人のフォローアップなど地道な活動が重要である。

（5）マラリア

毎年マラリアで100万人以上の命が失われており，その80％が5歳未満児である。妊産婦と胎児はとくにマラリアの被害を受けやすく，新生児の低体重，貧血，乳児死亡の主要な原因となっている。サハラ以南アフリカだけで毎日2000人以上の5歳未満児がマラリアで死亡している。生き延びてもその後も発熱を不定期に

繰り返したり貧血になったりして，精神的，身体的発達が阻害されることもある。

　対策としては殺虫剤で加工した蚊帳のなかで寝ること，感染の明らかな徴候がみられる妊産婦や子どもに抗マラリア剤を投与することなどが挙げられる。国際的な支援の増加により殺虫剤加工を施した蚊帳の配布は大きな進展をみせている。しかし配布された蚊帳が漁師によって網の代わりに使われたり，市場に売られて換金されたりという例に事欠かない。また，たとえ使われていても古くて穴があいていたり，1人用の蚊帳に母親と子どもが数人一緒に寝たりと，必ずしも正しい使用方法をされているとは限らない。既存の抗マラリア薬に対する耐性を持った原虫が増えてきていることも問題となっている。複数の治療薬に耐性を持ってしまったマラリアに対する安全で，即効性のある治療法であり，同時に再発予防にも役立つ治療法として，アルテミシニンを中心にした混合治療法（Artemisinin-based combination therapy: ACT）が注目されている（詳しくは，第7章を参照）。

（6）エイズ

　世界全体ではHIVとともに生きる子ども（15歳未満）は230万人おり，2006年に新たにHIVに感染した子どもは53万人にのぼった。そのほとんどは母子感染である。妊産婦がHIVに感染すると，何の対策もとらなければ35％の確率で，妊娠中，出産時または授乳中に子どもがHIVに感染する可能性がある。HIVに感染している乳児の半数は2歳になる前に死亡する。また18歳未満の子どものうち，1500万人以上がエイズあるいはそれに関連した要因で親の一方あるいは両方を亡くしている。このようないわゆる「エイズ遺児」たちは，年老いた祖父母，親戚のもとで養育されることが多いが，壮年層の働き手を失って経済的に困窮している家庭がほとんどである。

　抗レトロウィルス薬による治療は母子感染の危険を大きく減少させることができ，またエイズ蔓延地域においては，子どもの死亡率の増加を抑えることができる。しかし，このような抗レトロウィルス薬による薬物治療の効果や，薬の価格も比較的安く抑えられるようになってきた傾向にもかかわらず，低所得，中所得諸国においてHIV陽性の妊婦のうち生まれてくる子どもにHIVを感染させないためのサービスを受けている女性は，2005年でわずか11％，2006年でも推定20％にとどまるとされる（詳しくは，第7章を参照）。

(7) 栄養不良

子どもの死亡の直接的な原因には，栄養不良という基礎的な要因が絡んでいることが多い。栄養不良の根本的な問題は，貧困による絶対的な栄養摂取不足や地域，家庭内での不公正な食料（栄養）配分など，経済的，社会文化的諸要因が関係しており複雑な問題である。MDGs の目標1の「極度の貧困と飢餓の根絶」の指標の1つとして，5歳未満児の低体重が含まれることからも，栄養は単に保健医療問題ではなく，貧困問題として認識されていることがわかる。一方で，子どもの栄養問題は，大別すると，低体重に代表される栄養摂取総体量と，微量栄養素欠乏の2つが重要であり，前者だけでは全体像がみえないことも指摘されなければならない。

低体重の子どもを早期に発見し，栄養不良に陥ることを防ぐ対策としては，既述した growth monitoring が長年実施されてきた。また，出生時の低体重の問題も大きく，多くの場合は母親の栄養状態の悪さが影響している。そのため，母親の妊娠中の栄養状態の改善（鉄剤，葉酸などの供与，適切な栄養指導）も必要である。加えて，ビタミン A 不足により免疫力が弱くなっている場合は子どもが様々な感染症にかかりやすいこともあり，妊婦と子どもに対してビタミン A カプセルの投与は多くの国で実施されている。子どもは，出生直後から生後6カ月間は母乳だけで育てることが最高の栄養源であり，免疫システムも強化する。生後6カ月を過ぎると母乳に加えて適切な補助食を適宜与えることが子どもの成長に欠かせない。ヨード欠乏症対策としては，ヨード添加塩の利用を推進している。また，このような個々の栄養問題への取組みを長期的に支えるために，寄生虫対策，トイレの使用などによる衛生環境の改善，安全な飲み水の確保などの環境的整備も重要である。

3　もっとも危険な誕生からの1カ月

(1) なぜ新生児期に注目するのか

図5-3ですでにみたように，子どもの死亡の40％は新生児期（生後4週間）に起きる。推定では，世界で毎年400万人の子どもが出生後4週間以内に死亡しており，これは1日当たり1万人の新生児死亡に相当する。その99％が低所得，中所得諸国での死亡である。また，新生児死亡のうち4分の3（300万件）は誕生後

1週間以内（早期新生児期）に起き，さらにそのうち100万件は，誕生後24時間以内の死亡であるといわれている。

子どもの死因の内訳をみると早産12％（新生児死亡全体のなかでは28％），敗血症・肺炎10％（同じく26％），仮死（窒息）9％（同じく23％），新生児破傷風1％（同じく7％），先天性疾患3％（同じく7％），下痢性疾患1％（同じく3％）となっている。

近年，子どもの健康のなかでもとくに新生児期に大きな注目が集まるのには，お互いに関連しあう2つの要因が関与している。1つは，1980年代から推進されてきた「子どもの生存革命」により5歳未満の死亡が全体的に低下した結果，子どもの死亡に占める新生児死亡の割合が相対的に増加しているという事実である。このため，MDGsの達成には，子どもの死亡のなかでも低下が停滞しているその新生児期の死亡をどこまで減らせるかが鍵となっている。

2つ目には，新生児期のなかでも誕生後24時間以内の死亡が全体の4分の1であることと同時に，世界の年間400万件の死産と50万件の妊産婦死亡のほとんどもこの出産（誕生）直後に起きている点が注目される。途上国の出産の約半数は熟練出産介助者の手助けなしで自宅でおこなわれるといわれているが，出産前後の自宅における伝統的ケア，習慣に関しては保健医療関係者には知られていないことが多い。図5-3の新生児の死因の多くが，コミュニティ・レベルでの介入が可能であると考えられているが，出産や子どものケアの実態は十分に理解されていない。そのため，住民に受け入れられる形でどのように保健医療介入を効果的に実施していくかが問題となっている。

（2）新生児の生存のための継続ケア

学術雑誌 *Lancet* に載った新生児生存シリーズ（2005年）の論文によると，専門家は400万件の新生児死亡のうち300万件を防ぐことができるとしている。そのためには，密接な関係にある母親と子どもの健康問題を包括的にとらえ，従来別々に実施されがちであった妊産婦ケアと子どものケアを，母子のライフサイクルのなかで統合してとらえ直すことが重要である。これは，人の一生のそれぞれの時期にどのようなケアが必要かというニーズの把握と，家庭やコミュニティにおける予防ケアから医療施設での治療ケアまでの供給側の整備と統合して，包括的かつ継続的ケアのアプローチへシフトすることを意味している。

今までみてきたように，子どもの健康を改善するアプローチは，GOBI-FFFやICMIまたはC-IMCIなどのように，母親の健康問題への対策とは独立した形で実施されてきた。この状況は，母親の健康改善を目標とした妊産婦死亡率（Maternal Mortality Ratio: MMR）の低減のために，1980年代の終わりごろから途上国で推進されてきた安全な母性（safe motherhood）プログラムが産科救急ケースへの対応を中核とした病院の整備を焦点としたことで，コミュニティを中心に展開する子ども対策活動とのギャップがさらに広がった。開発援助の動向に大きな影響を与える主要国際機関，たとえば国連人口基金（UNFPA）やUNICEFがそれぞれの使命として母親，子どもという特定のターゲット・グループをもち，いわゆる縦割り的プログラムを実施していることも関連しているであろう。MDGsにおいても，母親（妊産婦）の健康問題と子どもの健康問題は別個の目標として掲げられている。しかし，近年，新生児の健康がクローズアップされるなかで，子どもの健康は母親の健康や栄養問題，出産前，出産時，出産後のケアと切り離して考えることはできないことが再認識され，継続ケアへの流れができた。

　継続的な妊産婦・新生児ケアを支えるために必要なサービスには，栄養改善，安全な飲料水，衛生習慣と衛生施設（トイレ）の整備，質の高いリプロダクティブ・ヘルス（性と生殖に関する健康）ケア，妊婦健診，熟練介助者による出産介助，基礎的かつ包括的な緊急産科・新生児ケア，出産後健診，新生児ケア，新生児期・小児期疾病統合管理などが含まれる（詳しくは，第6章を参照）。

4　ミレニアム開発目標と子どもの健康

　子どもの健康はMDGsの目標4「乳幼児死亡の削減」で取り上げられている。しかし，今までにみてきたように，子どもの健康の問題は，「極度の貧困と飢餓の根絶」（目標1）のなかで扱われている栄養問題，「妊産婦の健康の改善」（目標5），「HIV／エイズ，マラリア，その他の疾病との闘い」（目標6）と密接な関係がある。また，教育を受けた母親と子どもの健康改善との関連は実践の場でしばしば指摘されるだけではなく，その正の相関関係を学術的な根拠に基づいて示している研究結果も多い。さらには，女性が教育を受け，早婚を回避し，経済力を身につけ，家庭やコミュニティの意思決定プロセスに参画することなどが，女性自身がリプロダクティブ・ヘルスの権利を行使し，女性自身や子どもの健康を守

ることとつながっている。その意味では,「初等教育の完全普及の達成」(目標2),「ジェンダー平等推進と女性のエンパワーメント」(目標3)ともおおいに関係している。

　バングラデシュ農村向上委員会(BRAC)では,1980年代から貧困層の女の子を主な対象とした初等教育プログラムを実施してきた。PTA を通して保護者との話し合いを重ね,貧しい家庭で母親の家事や田畑の仕事の手伝いなどができるように1日2時間半位の授業とした。その代わりに公立学校で実施する長期休暇を撤廃し,年間授業実施日を増やして教育内容の質の確保に努めている。また事前調査で,家に電気がないために宿題ができずについていけずドロップアウトしてしまう子どもがいることもわかったので,基本的には宿題は出さずに,授業を参加型にして学力をあげる工夫もおこなっている。今では,BRAC の小学校方式を政府の学校が取り入れるほどの成果を生んだ。BRAC 小学校を出た女の子たちのなかには奨学金をもらって中学へ進む場合もある。上の学校に行かない女の子たちに対しては,週1回の「思春期の女の子のためのピア・グループ」を組織し,グループの会合で本を読んだり,友達と話をしたり,レクリエーションをしたりできる機会を提供している。これは,小学校で身につけた読み書きの能力を維持することや,伝統的な村の暮らしのなかでは行動範囲が規制され孤立しがちな思春期の少女たちが,同年代の友達とネットワークを持つことに役立っている。さらに,BRAC は色々な企業活動を実施して積極的に BRAC 小学校卒業生を含む貧困層の女性たちを雇用している。少女たちに働く場を提供し,それにより早婚の風潮がいまだ残る農村部で結婚の年齢をできるだけ遅らせようという意図もある。

　このように,初等教育を受け,読み書きの知識を身につけること自体が,保健の情報へのアクセスが改善されるという短期的なメリットがあるだけではなく,早婚を防ぎ,若年妊娠という母親と子ども双方の健康を害する状況を回避できる。また,教育を受ける機会が提供する他の重要な利点,たとえばピア・グループとの情報交換や相互支援による女性のエンパワーメント,雇用機会の拡充による経済力の確保,女性の社会的地位が改善されることで,女性が自分自身の健康を考え,健康を守るためにより良い選択をおこなう力をつけることと環境を得ることが,究極的には生まれてくる子どもの健康の改善にもつながる(BRAC については,第2章と第11章にも記述がある)。

今後の学習のための参考文献

(1)初級

国連児童基金（2008）『世界子供白書2008——子どもの生存』日本ユニセフ協会。

＊1990年に NY で行われた「子どものための世界サミット」以来，子どもの生存に向けた取組みによって，乳幼児死亡率も改善されてきたが，5歳未満児死亡率を2015年までに1990年の3分の2減少するためにはいまだ多くの課題がある。子どもの健康の改善をさらに推し進めるうえで現状分析と今後の展望を概観している。

http://www.unicef.or.jp/library/library_wdb08.html#pdf

国連児童基金（2009）『世界子供白書2009要旨——妊産婦と新生児の保健』日本ユニセフ協会。

＊5歳未満児の死亡のうち40％が誕生後28日，つまり新生児期に起きている。子どもの生存戦略が推進され5歳未満児死亡率は順調に低下しているなか，近年の焦点は新生児死亡である。新生児死亡低減のために必要な妊娠，出産，産褥期という時期を通じて，また家庭，地域社会，アウトリーチ活動，保健医療施設という場所の連携という両面における継続的ケアの必要性に関して述べられている。

http://www.unicef.or.jp/library/library_wdb09.html

勝間靖（2005）「子どもの生活と開発——生存と発達のプロセスにおいて」佐藤寛・青山温子編『生活と開発（シリーズ国際開発第3巻）』日本評論社，第4章。

＊アフリカのマラリアのケースなどを用いて，子どもの健康を守るために，国際的保健政策から子どもを取り巻く生活環境，とくに教育と健康の問題に渡るまで広い視野から鳥瞰しつつ，具体的でわかりやすく解説している。

松山章子（2007）「健康への働きかけ——母と子の健康」佐藤寛・アジア経済研究所開発スクール編『テキスト社会開発——貧困削減への新たな道筋』日本評論社，第2章。

＊健康問題を「社会開発」という文脈のなかでとらえ直し，PHC という概念のなかで推進されてきた子どもと母親の健康の現状と対策問題を述べている。

(2)中級

日本国際保健医療学会編（2013）『国際保健医療学（第三版）』杏林書院。

＊国際保健に関わる領域の概説と諸課題が学べる。「小児の感染症」の章では，急性呼吸器感染症，下痢症などを中心に現状と対策がまとめられている。

(3)上級

Michael H. Merson, Robert E. Black and Anne J. Mills, eds. (2006), *International Public Health : Diseases, Programs, Systems, and Policies* (2n edition), Sudbury: Jones and Bartlett Publishers.

＊欧米の公衆衛生大学院で学ぶ大学院生向けに書かれた国際公衆衛生学のテキスト。グローバル・ヘルスに関わる諸課題（リプロダクティブ・ヘルス，感染症，栄養，

非感染症,障害・暴力,環境保健など)の現状分析と対策活動,ヘルスシステムの諸問題,マネージメントと政策立案まで幅広く網羅している。

The Partnership for Maternal, Newborn & Child Health (2006), "Opportunities for Africa's Newborns: Executive Summary", Geneva: WHO.
　＊地球上で最も新生児が多く死亡するサハラ以南アフリカ諸国において,低価格かつ適正技術によりその死亡の3分の2は防ぐことができるといわれている。アフリカの現状に焦点を当て,妊娠,出産,出産後を通じた継続的ケアや保健医療サービスの提供に関して,具体的事例を交えて説明する。

J. E. Lawn, S. Cousens and J. Zupan (2000), "$ million neonatal deaths: When?, Where?, Why?", *Lancet,* March 5-11 ; 365 (9462), pp. 891-900.
　＊新生児の死亡がいつ,どこで,どういう理由で起きているのかを論じている。

▰ *Column 5* ▰

幼い子どもの命を救う「ワクチン債」

「『貧しい子どもたちのための投資』と用途がはっきりしていることが気に入りました」。世界中の子どもたちの命を救う債券の意義が,個人投資家の心をつかんだ。

ワクチンが届かないという理由で,毎年200～300万人もの尊い幼い命が失われている。MDGs を達成するためにも,資金を今すぐにでも調達し,ワクチンを少しでも早く届ける必要がある。

東京で開催された「ワクチン債」セミナー
（筆者撮影）

莫大な資金調達を可能にしたのが,「予防接種のための国際金融ファシリティ (IFFIm)」である。IFFIm とは,資金提供(ドナー)国による将来の ODA を担保に,国際金融市場において債券(ワクチン債)を発行し,前倒しで資金を調達する仕組みである。

ワクチン債により調達された資金は,GAVI アライアンス(ワクチンと予防接種のための世界同盟)の活動支援に使われる。GAVI アライアンスは,2000年に設立され,事務局をジュネーブに置く国際機関だが,70カ国以上の貧困国において予防接種の普及に取り組んでいる(第7章参照)。5価ワクチンなど新技術を導入したワクチンを含め,これまでに約540万人もの命を救ってきた。

2010年末までに IFFIm が発行したワクチン債により27億米ドルの資金が調達されたが,そのうち約半分は日本の金融市場から調達された。日本では大きな関心を集め,

過去6回の起債は毎回即完売。ワクチン債は大きな成功を収め続けている。こうして，GAVIアライアンスを通じておこなわれる命を救うワクチン接種への支援を，IFFImにより倍増することが可能となったのである。

　知名度の低い発行体，初の日本市場での販売，初の個人投資家向け債券，など当初ハードルは高かった。それを支えたのが，20を超える証券会社，世界銀行などの開発パートナー機関のほか，メディア各社など多くの関係者たちのワクチン債に対する熱い想いだった。

　近年，国際協力は革新的資金調達メカニズムや民間連携（第16章参照）など従来の枠を超えた試行に取り組んでいる。新たな課題に挑戦し続けていく今後が楽しみである。

（清水栄一）

第6章 女性の健康
――「性と生殖に関する健康と権利」を中心として――

兵藤智佳

この章で学ぶこと

　本章では，女性の健康をめぐる現状を解説したうえで，1990年代からの国連の採択文書を中心に「女性の健康」の重要性がどのような歴史的な流れのなかで位置づけられ，実践的な対策が行われてきたかについての理解を深める。そこで，まず，はじめに，1994年のカイロ国際人口開発会議において，それまで地球規模の「人口抑制政策の対象」であった女性が「性や生殖に関する健康を守る権利を有する存在」として認識されたことの国際政治的な意義について解説する。次に，カイロ会議や北京女性会議以降，性や生殖に関する健康は人権，すなわちリプロダクティブヘルス・ライツとして各国の国内政策に影響を与えていることについて NGO をはじめとした具体的な実践事例を取り上げながら考察をおこなう。

　さらに，2000年以降はミレニアム開発目標（MDGs）5として「妊産婦の健康の改善」が入ったことにより，とくに，妊娠と出産に関する女性の健康を向上するための様々な試みがなされてきたことに注目する。とくに，そのなかでも家族計画の推進，妊産婦検診の実施，緊急産科医療へのアクセスの向上などがグローバルな普遍性を有する対策として各地で実施されてきたことやその背景について述べる。そして，同時にそれらの対策を実施していくうえでの社会的，文化的困難さについて解説を加えたい。

　キーワード　性と生殖に関する健康と権利，妊産婦死亡率，避妊・家族計画，バックラッシュ

1　女性の健康をめぐる現状

　なぜ，人間の健康ではなく，「女性の健康」なのだろうか。健康問題は，地球上のすべての人が抱える課題であり，開発にとって重要な分野である。しかし，開発を考えるうえで，あえて「女性の健康」として女性が特別な対象として見なされるのには理由がある。まず，第1に，女性が妊娠や出産の機能を持つという意味で，男性とは異なる健康問題やそのための保健サービスのニーズがあること。そして，第2に，生物学的な違いだけでなく，社会・文化的な意味において，女性が困難な立場におかれている現状である。世界の多くの地域では，女性が経済的に男性に依存せざるをえず，家族のなかでの発言力が低いといったように，女性が社会的に力を持てない状況が存在している。そして，それらの状況は開発における女性の健康問題を優先順位の低いものとし，女性が性や妊娠に関わる保健サービスを受けることを困難にしている。

　たとえば，MDGsでもある女性の健康をめぐる指標として，現在，1年間で死亡する妊産婦の数は世界で約53万人と推測されており，それはほぼ1分間に1人の妊産婦が亡くなっているという計算になる。また，女性にとって望まない妊娠をしないことは健康を守るうえで非常に重要であり，そのためには有効な避妊具を手にする必要がある。しかし，現在，避妊を望みながらもそうした家族計画の需要が満たされていないカップルは1億以上と見積もられており，安全でない人工妊娠中絶の数は年間2000万件とも言われる。その他，性感染症であるHIVについても現在，4000万人の感染者が報告されており，それらに占める女性の割合は年々上昇しつつある。こうした感染の広がりの要因としては，性産業に従事する女性の感染リスクの高さや，男性に対して感染予防の行動を要求できない女性の交渉力の弱さなどが指摘されてきた。

　一方で，こうした女性の性や生殖に関する健康問題は，人間の性という非常にデリケートな問題と密接に関わっているためにその対策には難しさを伴ってきた。それぞれの社会や文化における性のタブーは世界中のいたるところで存在し，女性が性や生殖に関する保健サービスを受ける障害となっている。性に関する科学的な知識が十分でないこと，性に関する保健サービスが整っていないこと，危険な性行為の認識が低いことなどは，各々の社会の性に対するタブーによる影響が

強い。とくに，世界では未婚者の性経験は宗教で厳しく禁じられる地域も多く，そうした地域では避妊具提供を含む保健サービスの提供そのものが難しい。

このように女性の健康，とくに性や生殖に関する健康問題は，開発として単に医療サービスの不備の問題ではなく，性をめぐる社会や文化の規範やジェンダーの不平等といった社会のありかたと深く関連することがその特徴である。だからこそ，その対策には，グローバルな国際政治のレベルから家族などミクロの権力関係を含めた重層的な政治力学，そして，女性のエンパワーメントという視点が重要となる。

2　「人口抑制政策」から「性と生殖に関する健康と権利」へ

(1) 人口抑制政策と家族計画の歴史

まず初めに，開発における女性の健康をめぐる歴史的な様相をひもとくと，1960年代，国連や発展途上国が主導的に国家人口抑制政策を実施したことに遡る。性や生殖に関する健康問題が国際政治の問題として議論されはじめるのは，世界の人口抑制のために女性が避妊を強制されたことが発端である。この時代，国際政治の場で「経済開発にとって人口抑制は必要である」という社会的な言説が力を持ち始めるようになった。それらの言説は，「人口が増え過ぎることは貧困をもたらす」というマルサス主義をはじめとした経済学の理論など様々な形でつくりだされ，国連人口会議など国連会議によってもその正当性が盛んに主張されていたのである。こうした動きの背景には，東西冷戦後に米国が「途上国の人口増加が安全保障上の危機である」という認識を持っていたことも影響を与えている。

米国は，1960年代，政府に先立ち，ロックフェラーなどの財団がまず途上国への家族計画への支援を始める。その時期，米国は政府開発援助としてもケネディ政権時代にすでに「開発援助としての産児制限への支援」を打ち出していた。また，当時は世界的に環境破壊への意識が高まっていたことが「人口が増えると環境が破壊される」という理論に説得力を与えていた。とくに，アジア・ラテンアメリカの国々が積極的に人口抑制政策による開発を目指すことへの追い風ともなったのである。

しかし，こうした国による人口抑制政策は，国家権力が強制的に女性に避妊具の使用をさせたという側面があり，それは個人の人権や女性の健康を侵害するも

のという反対の声も上がるようになっていった。その1つが,当時,米国を中心に盛り上がりを見せていた女性解放運動であった。この運動は,女性が自分の生殖をコントロールすることは,女性が社会的に自立して人生の選択をする力をつけるために重要であるという信念のもと,個人の生殖の権利獲得を目的としていた。だからこそ,避妊サービスを受けるか受けないかの選択は,女性自身がおこなうべきであるという考え方であり,政府がその国家権力を行使することで避妊を強制する動きに対して反対の立場をとっていたのである。

そして,国家主導にせよ,個人の選択にせよ,生殖のコントロールや人口政策そのものに対して非常に強い反対をしてきたのが宗教の権力である。とくに,バチカンをはじめとするカトリックやイスラム教の勢力は,国連会議をはじめ国際政治の場でも人口政策や家族計画の推進に対して異議を唱えてきた。宗教の教義として人工的な避妊具を用いて生殖をコントロールすることは禁じられており,すべての性行為は生殖を目的とするという主張であった。

(2) カイロ国際人口開発会議の成果

その後,人口政策をめぐっては,1970～80年代と人口抑制政策によって経済開発を促進するという勢力,個人の生殖への権利を尊重するという女性運動,そして,生殖のコントロールを認めない宗教の権力というような複雑な利害と政治が対立するなかで,各国の政府や開発援助のなかでその政策が進められてきた。そうしたなかで,1994年にエジプトのカイロで実施された「カイロ国際人口開発会議(以下,カイロ会議)」は,人権という視点から人口政策の理念と女性の健康に関する国家の役割を明示したものとして画期的なものであった。この会議で注目されたのが「リプロダクティブヘルス・ライツ(reproductive health rights)」の概念である。

リプロダクティブヘルスとは,日本語では「性や生殖に関する健康と権利」と訳されている。その定義とは,「人間の生殖システムおよびその機能と活動過程のすべての側面において,単に疾病,障害がないというばかりでなく,身体的,精神的,社会的に完全に良好な状態であること」とされている。また,リプロダクティブヘルス・ライツとは,すべてのカップルや個人が子どもの数を決める権利,そのための情報や手段を得る権利,また,最高水準の健康を享受する権利などを含むものとして理解されてきた。そして,カイロ会議で採択された行動計画

において，各国の目指す人口政策はこのリプロダクティブヘルス・ライツを実現するものでなければならないことが明記されたのである。それは，国連会議の場において179カ国の代表によって性や生殖に関する健康を享受することが人権であるという合意をしたという意味で，その後の世界の人口政策にとって大きな影響を与えることになった。

1990年代にこうしたラディカルな変化が起きた背景については様々な要因が指摘されているが，その1つが，女性の健康への権利を獲得するという理念に賛同する各国NGOの国際的なネットワークによる政治的なロビー活動である。ロビー活動とは，実際に政治的な合意をつくっていく人や，組織に直接的に提案したり，文書を提出することで，その決定に影響を及ぼすような行動を示すものである。とくに，欧米を主とした援助国のNGOとアジアやラテンアメリカを中心とする南のNGOが連携し，「人権を基盤としたアプローチ」に関する国連の合意文書作成プロセスに大きな影響を及ぼした。これは，1990年代，インターネットなど情報のグローバル化のもたらしたNGOネットワークによる活動成果として特筆しておきたい。

（3）政治的なバックラッシュ

その後，カイロ会議を受けて，1990年代後半に向け，各国は女性の健康，とくに性や生殖に関する健康を守るための政策を様々な形でおこなうことになる。しかし，2001年に米国でブッシュ政権が誕生した時期から，国際政治の場では性や生殖に関する健康問題については，「バックラッシュ（backlash）」と言われる「揺り戻し」現象が起きてくる。ブッシュ政権は，キリスト教原理主義的な勢力の支持によって誕生した政権でもあり，人工妊娠中絶への反対を含め，女性の性や生殖に関する健康についても非常に保守的な立場を明確にした。たとえば，具体的には米国政府の支援するエイズ対策に関しては，禁欲教育を推進するものだけに資金援助をおこなう。または，人工妊娠中絶の実施を理由にリプロダクティブヘルスを推進する国連機関である国連人口基金（UNFPA）への拠出金を凍結するなどがあった。さらには，国連会議の場でカイロ会議での合意事項についても変更を迫るなどの行動をとった。

こうした米国政府の強権的なあり方は，これまで途上国において資金援助を受けながら家族計画や性感染症予防を実施してきた国のプログラムが保健サービス

の提供をやめざるをえないなどの影響をもたらした。これについては開発援助をめぐる国際世論としても非常に激しい批判を同時に受けることになる。一方で，こうした米国の行動に対する反発として，ヨーロッパ諸国や日本のこの分野に対する援助の拠出金が増えるなどの動きもあった。

以上のように，女性の性と生殖に関する健康をめぐる問題は，これまで医学や医療サービスの問題だけではない歴史や政治の影響を色濃く反映してきた。そして，国際社会では現在，「健康を守ることがすべての人間の普遍的な人権であり，国家はサービスを提供する義務がある」としての合意を得つつある。

3 「性と生殖に関する健康と権利」の実現に向けて

（1）国際社会のコミットメント

1994年のカイロ会議が，女性の健康をめぐる1つの分岐点となっていることはすでに述べたが，その後も国連レベルでは，1999年にニューヨークでおこなわれた「国連特別総会」においてリプロダクティブヘルス・ライツの重要性が確認されている。そして，2000年に採択されたMDGsでは，「妊産婦の健康の改善」が目標に掲げられるという形で女性の健康に対する国際社会のコミットメントが再認識されてきた。女性の健康が開発における優先事項であることはすでにグローバルな共通理解である。現在，人が健康であることは，開発の手段ではなくそれ自体が開発の目標とされているのである。

さて，リプロダクティブヘルスは，非常に多岐に渡る分野を包括する健康概念であるが，各国が目指す優先順位としての具体的な対策としては，これまで大きく妊産婦の健康改善，望まない妊娠の低減，性感染症であるHIV／エイズ対策がある。開発の分野では，これまで，避妊具を提供することによる家族計画の推進がその中心として位置づけられてきた。しかし，人権を基盤とする保健サービスの重要性が謳われるようになってからは，家族計画は子どもの健康を含む母子保健と統合された形で推進されている。

具体的な活動としては，たとえば，政策における国際的なガイドラインを提出し，各国の拠出金を運用するという意味で中心となってきた国際機関は，世界保健機関（WHO），UNFPA，国連児童基金（UNICEF），国連合同エイズ計画（UNAIDS）である。また，活動資金という側面では，民間財団の存在が大きく，代

表的なものとして1970年代から人口政策援助に関わってきたロックフェラー財団をはじめ，1990年代および2000年以降，フォード財団，ビル＆メリンダ・ゲイツ財団，クリントン財団などの米国の財団が大きな役割を果たしてきた。その他，NGO もこの分野では重要な役割を果たしており，国際 NGO としては，ロンドンの国際家族計画連盟（International Planned Parenthood Federation: IPPF）やニューヨークにある International Women's Health Coalition などが，政策提言という形で各国政府や途上国のローカル NGO に対する支援を実施している。

（2）国連機関の実践

　国連機関としてのリプロダクティブヘルス分野での貢献としてまずは，WHO が各国へ向けての政策提言をおこなっている。WHO は，世界の医療や保健政策全般について広く事業を展開しているが，組織として「リプロダクティブヘルス・サービスへのアクセスをプライマリ・ヘルス・ケア（PHC）のシステムと通じて可能にすること」をその目標の1つとして明文化している。

　次に UNFPA であるが，この組織は，1960年代に人口政策を策定し，実施する国際機関として発足したが，その後，カイロ会議を経て，「リプロダクティブヘルスを向上させること」を組織の使命としてその位置づけを転換してきた。現在はリプロダクティブヘルスと家族計画サービスへのアクセス，人口統計，アドボカシーなどがその事業の柱である。とくに，これまで思春期の若者やセックスワーカーなど，社会的に周辺に置かれる女性へのサービス提供は優先順位の高い分野であるとして，NGO と連携しながら世界各地でサービスを提供してきた。2000年以降は，MDGs の採択を受けて，その実現に向けて「妊産婦の死亡率を下げるための活動」が事業の優先課題となっている。

　また，HIV／エイズを専門とする UNAIDS も国連機関としてエイズ予防と陽性者支援の分野で重要な役割を果たしている。この組織は，異なる国連機関が別々に取り組んでいたエイズの問題を1つの組織で特化して扱うことを目的として設立されており，その活動は様々な組織との連携を主としてきた。そのなかで2010年には，「ジェンダーの平等とエイズに関する行動計画」を発表するなど，積極的に女性の HIV 感染の予防と陽性者支援に力を注いできた（HIV／エイズについては，第7章を参照）。

（3）NGOによる取組み

　この分野におけるNGOの活動としては，大きく3つの役割がある。1つ目が，クリニックなどを運営することによって実際に保健サービスを対象者に提供するという役割である。国家の保健サービスのシステムが脆弱だったり，性や生殖に関して保守的な地域において，NGOが運営するクリニックは，女性が実際にサービス提供を受けられる唯一の場となることも多い。

　2つ目としては，直接的な保健サービスではなく，市民を対象としたリプロダクティブヘルス・ライツに関する教育や啓発活動を実施するという役割がある。それは，地域や学校へ出向く活動のみならず，冊子，映像，インターネットなどメディアを通じたものなど，人びとにその重要性を広く伝えるという活動である。

　そして，3つ目としては，政治的なアドボカシー活動がある。このアドボカシー活動に関しては，国内で自国の国家政策に影響を及ぼすという方法と，グローバルなレベルで国連文書などの規範に働きかけるものがある。実際には，こうした3つの役割は1つの組織のなかに存在することも多い。また，異なった役割を持つNGOが同盟としてネットワークを築いたり，ニューヨークなどに本部を置く国際NGOが途上国に現地事務所を構えるというケースも多数存在している。そうした場合，現地での保健サービス提供事業の経験を国際的な政策提言の場に生かすなど，現場と政策提言とが有機的に繋がるシステムをもつこともある。

4　妊産婦の健康の向上を目指して

（1）ミレニアム開発目標（MDGs）として

　カイロ会議以降の動きとしては，2000年にMDGsが採択されたことが注目できる。この目標のなかで女性の健康に関連した目標としては，目標6のエイズなどの疾病との闘いと，目標5の妊産婦の健康の改善があげられる。このうち，妊産婦の健康に関しては，それまで国際的な開発の目標として明確化されたことのないターゲットであり，具体的な対策の対象として成文化されたことは大きな変化をもたらした。

　妊産婦死亡については，たとえば，サハラ以南アフリカでは，16件の妊娠のうち1人の妊産婦が死亡し，先進国である米国では4万8000件の妊娠で1人の死亡であると推測されている。開発の課題としてこうした格差がこれまで世界的に注

目され，取り上げられなかった背景には，妊産婦の死亡を減少させることが乳幼児の死亡率を下げることに比較して医学的に非常に困難であるという理由がある。それらの困難さがありつつも MDGs として妊産婦の健康が明記された要因は，1990年代の国際政治の流れのなかで，女性の健康が開発問題であるという強い政治的な認識があったことが大きい。つまり，これまで性や生殖に関する健康が人権として国連で承認を得ていることによって，女性の健康を守ることがグローバルな開発の共通目標として掲げられる基礎が築かれていたのである。

一方で，それに関連して，これまで性や生殖に関する健康に関する活動を実施してきた組織のなかには，妊産婦死亡だけではなくそれ以前の「望まない妊娠を予防すること」が健康を守るために重要であり，そのための努力こそが必要であるという立場もある。とくに，長年にわたって女性の健康の向上に取り組んできた団体にとって，未婚女性の健康問題が MDGs で優先事項として注目されなかったことはアドボカシーの後退という見方も存在する。

（2）妊産婦の健康の現状

ここで，現在の妊産婦の健康をめぐる現状を数字で示してみると，まず，世界では毎年約30万人が妊娠や出産に関連して死亡していると推計されている。そして，その死亡の99％がいわゆる途上国で起きている。その他の疾病や疾患や子どもの健康に比較して，妊産婦の死亡に関する先進国と途上国の格差はあまりに大きいと言わざるをえない。さらには，こうした妊娠や出産に関わる死亡の75％が緊急産科医療によって技術のある医療従事者がいれば助かっていた命であると推測されている。

こうした現状のなかで，現在実施されている具体的な対策に関しては，1990年にコロンビア大学のメイン博士を中心に提唱された「3つの遅れ理論」が妊産婦死亡予防を目指す政策の基礎となっている。その理論とは，世界的に妊産婦が死亡する原因として3つの遅れがあげられるというものである。

1つ目は，「ケアを受けようとする決断の遅れ」である。2つ目に「適切な医療機関へたどり着く遅れ」があり，3つ目として「質の高いケアや保健サービスを受けることへの遅れ」がある。この理論では，妊産婦が妊娠や出産に関連して死亡するのはこれらの遅れがどこかのプロセスで発生するときであるとされている。しかし，実際の政策における意思決定レベルでは，この理論とその対応によ

って妊産婦死亡率を下げる効果について科学的な根拠を認めつつも，緊急産科医療はその充実に費用がかかることがネックとされてきた。

（3）コロンビア大学による実践の事例

これまで妊産婦死亡率を下げるために，多様な人や組織がグローバルなレベルで多くの努力を積み重ね，多数のプロジェクトが実施されてきた。そのなかでも規模が大きく，世界的な政策に影響を及ぼしてきたものとしてコロンビア大学の公衆衛生学科が中心になった「妊産婦の死亡と障害の防止（averting maternal death and disability: AMDD）プログラム」を事例として取り上げたい。

AMDDは，1999年からコロンビア大学とUNFPA, UNICEF, WHOが連携し，アフリカを中心とする世界50カ国以上で妊産婦と新生児の死亡率減少を目指してきたプログラムである。その政策は，妊産婦の人権を基盤としたものであり，科学的な視点から妊産婦死亡を減らすためのアプローチを試みてきた。活動の柱は，緊急産科医療システムの構築であり，自宅から医療施設までの間で起きる緊急事態による死亡をいかにして防ぐかというものである。もちろん基礎的な保健システムの強化は，妊産婦のためだけのものではないが，プログラムではそのシステムをより効果的なものにすることで妊産婦と新生児の生命が守られることを強調してきた。とくに緊急産科医療システムの強化が妊産婦死亡を下げることはすでにプログラムの基礎データとしても実証されている。

こうした背景もあり2006年から，AMDDは各国において自宅から緊急医療までのアクセスを保障するシステムの構築をその活動として焦点化している。そして，これらの緊急産科医療は，政府や国連組織，そして，地域のNGOとの連携を通じて構築されていくものであり，その多くがすでに各国政府レベルへの取組みとなっている。そうした意味でAMDDは単にシステムを提供するだけではなく，具体的な各国のヘルス政策への影響を及ぼすものでもあった。また，このプログラムを運営する資金については，国連やデンマーク政府などもドナーとなったが，最も多額の資金援助をおこなったのが米国のビル＆メリンダ・ゲイツ財団である。

5 「女性の健康」をめぐる日本での取組み

(1) 日本政府による政治的なコミットメント

以上がグローバルな取組みであるが，それでは日本ではどのようなことがおこなわれてきたのだろうか。世界の女性の健康を向上するために，日本政府は，すでに1960年代より国際協力機構（JICA）を通じた技術協力をしてきた。当時の技術協力の内容に関しては，家族計画の普及に関するものであり，途上国の専門家へのセミナーの実施などが中心であった。

その後，政府としてこの分野への強いコミットメントを公式に表明するのは1990年代に入ってからである。この時期は国連会議など国際政治の場で女性の健康が議論され始めた頃でもあり，たとえば，日本政府は1994年に「人口・エイズに関する地球規模問題イニシアティブ」を発表した。このイニシアティブは，1994年から2000年までに総額30億ドルを目途に「人口／家族計画・エイズ」の分野で途上国への支援を進めるものである。この支援については，直接的な医療サービスの提供のみならず，初等教育の充実や識字教育など包括的な方法であることが特徴であった。

その後，2000年の九州・沖縄サミットで日本政府は「感染症対策イニシアティブ」を打ち出す。これは，感染症対策，水供給など公衆衛生分野へ向けた30億ドルの拠出であり，日本政府による支援の存在感を強調するものであった。MDGsにおける保健分野目標の採択もあり，日本政府にとって「保健医療分野」は世界にリーダーシップを示したい分野となってきた。

こうした日本政府による支援については資金面だけでなく，保健医療支援が「人間の安全保障」に通じるものであるという考え方を世界に発信してきた。このことは，日本による独自の貢献として評価できる。それは，国際政治の場で人びとの健康を守ることは国家の安全保障であり，グローバルな安全保障であるという共通認識をつくるのに寄与するものであった。

そうした流れのなかで，近年の最も新しい動きとしては，2010年にカナダのムスコカで実施されたG8サミットにおいて菅直人首相（当時）が新たに母子保健に焦点を当て，5億ドルを拠出したうえで日本政府が世界の女性や子どもの健康を向上するための対策に取り組むことを表明したことは特筆できる。

図 6-1 洞爺湖サミット市民フォーラム
出典：筆者撮影。

（2）日本の市民社会による政府へのアドボカシー

MDGs の達成に向けては，日本政府のみならず日本の NGO もまた大きな役割を果たしてきた。現在，女性の健康やリプロダクティブヘルスの分野に取り組む日本の多くの NGO にとっては，途上国の現場でプロジェクトを行うことが重要な活動の柱である。一方で，1990年代以降は政府の政策や行動に影響を与えるアドボカシー活動が活発となっており，実際に日本政府の政策や行動にインパクトを与えてきた。とくに，この分野の NGO は1つの団体や組織としてではなく，NGO の連合体を組織することで定期的に外務省との対話を重ね，提言活動などを実施していることが注目される。

具体的な成果として，1990年以降の国連会議の場では，政府代表団に NGO の代表が加わり，日本政府としての発信に関して NGO の経験と知見が反映されてきた。

その後の活動としては，2010年のムスコカサミットに向けて財団法人家族計画国際協力財団が中心となり，15団体の賛同を得て，当時の鳩山総理大臣に要望書（図 6-2 参照）を手渡すという行動がある。その結果として総理大臣が「要望については決意を持って実行します」というコメントを公式に述べている。

（3）日本の保健分野 NGO による実践

以上が政策提言という意味での活動であるが，MDGs が採択されて以来，日本では提言活動だけでなく啓発やキャンペーンという方法でも，世界の妊産婦の健康を守るための取組みが数多くおこなわれてきた。それらの活動は民間団体や大学，企業など多岐に渡るが，ここでは女性の健康や妊産婦に特化した事例として「Mode for Charity」の活動を紹介したい。

Mode for Charity は，フレンドリーインターナショナルというアートやデザインといった強みをもつ NGO が，アフリカの現地で妊産婦の健康問題に取り組む日本の NGO である家族計画国際協力財団と協力して実施してきた事業である。

> 2010年4月1日，日本の保健医療問題に取り組むNGO連合は，「主要国首脳会議（G8）ムスコカサミットにおける日本政府のコミットメントに対する要望書」を提出し，以下の項目を具体的な要望として内閣総理大臣に提出した。
>
> 1．「世界のいのちを守る」ため，日本政府はG8ムスコカサミットにおいて，世界の人権課題である妊産婦・乳幼児死亡（とくに周産期死亡）の削減のためのビジョンを示し，ミレニアム開発目標をレビューする国連総会への強いメッセージを世界に向けて発信する。
> 2．妊産婦・乳幼児死亡削減のための対策・取組みとして，日本の経験を踏まえ，包括的なリプロダクティブヘルス・サービス（家族計画を含む）普及の重要性を強調する。
> 3．妊産婦・乳幼児死亡を減らすために，十全な資金的コミットメントを，国際機関や民間団体（NGOなど）への拠出を含め，母子保健・リプロダクティブヘルス分野に振り向ける。

図6-2　日本のNGOによる政府要望書

アフリカのザンビアのコッパーベルト州マサイティ郡の妊婦が安全に出産できるように寄付を集めるという企画である。基本的には妊産婦の死亡を減らすための活動を支える資金集めが目的であり，事業の内容としては，ファッションショー，チャリティーオークション，パーティーの開催などが中心となっている（図6-3参照）。この活動はいわゆる慈善事業という枠組みではなく，洗練されたファッションや楽しいイベントのなかで多くの市民に問題を知ってもらう啓発という意味をもつ企画である。2010年には25日間のキャンペーンを開催し300万円を集めることを目標とした。活動では親善大使としてモデルや著名人がメッセージを送るなどの行動をとった。

また，企画では妊産婦の健康のシンボルとしてホワイトリボンが使われた。このホワイトリボン運動は，世界143カ国からNGOや国際機関が参加しており，途上国の妊産婦の命と健康を守るネットワークとして活動を展開している。白いリボンには，妊娠や出産が原因でなくなった女性たちへの哀悼の意が込められており，悲しみを乗り越えて多くの命を救う未来への希望を表すと言われている。

6　保健医療サービスを受ける権利

これまで「女性と健康」というテーマで，世界の開発における動きを概観してきた。その歴史は，かつて人口政策の対象として位置づけられていた世界の女性が，みずから健康を守る権利を獲得しようとしてきた道のりである。それは国連

図6-3 アフリカの母子
写真提供：財団法人家族計画国際協力財団。

会議採択文書などの規範を書き換えるというレベルから実際にサービスを享受するという現実社会での具体的な行動でもある。もちろん，健康を享受する権利は性別を問うものではなく，すべての人に保障されなくてはいけない権利である。しかし，現実の社会で女性が健康を守ることは男性以上に難しい。それは社会や文化によるジェンダーの制約を受けるためだ。だからこそ，開発における女性の健康を向上させるためには健康サービスだけでない教育や就労といった「女性の地位の向上」への取組みといった側面が非常に重要となる。世界の女性の健康を守るためには，女性に医療サービスを提供すればよいということではない。それは，おのおのの社会において男性と女性の格差をどう解消し，どう新しい関係性をつくりあげていくのか，そして，それぞれの権利をどう保障していくのかという挑戦でもある。

　また，女性の健康，とくにリプロダクティブヘルスが1960年代より国際政治のテーマになってきたことも重要な点である。援助方法や援助資金は途上国の政治だけでなく米国を中心とした援助国の政権の影響を激しく受けてきた。それは女性の健康問題が人間の性と深く関わり，それによって宗教など価値観が対立することが避けられないからである。そうした政治的な複雑性を理解しつつも，健康がすべての人の権利であることは，すでに国際的な合意事項である。今，求められているのはそうした価値観，倫理観，道徳観の対立ではなく，人権としての健康をどうすべての人に保障するかという具体的な行動である。そして，そのためにどう各地で健康サービスを提供するかである。MDGsの達成にむけて，再度，人権としての健康の享受という理解を確認しておきたい。

今後の学習のための参考文献

(1)初級
　国連人口基金（2004）『世界人口白書2004年——カイロ合意の10年：人口・リプロダクテ

ィブヘルス』家族計画国際協力財団.
  ＊UNFPAが毎年発行する白書のなかでも「リプロダクティブヘルス」に焦点化した特集. 入門者が包括的に世界の概観を知るのに適した読み物となっている.
有森裕子・国連人口基金東京事務所（2004）『有森裕子と読む――人口問題ガイドブック：知っておきたい世界のこと，からだのこと』国際開発ジャーナル社.
  ＊オリンピックマラソンランナーでありながら世界の女性の健康問題に取り組んできた有森氏の現場レポート. 専門家ではない立場からの解説が読みやすい.
芦野由利子・北村邦夫編著（2010）『新版 IPPFセクシュアル／リプロダクティブ・ヘルス用語集』家族計画国際協力財団.
青山温子・喜多悦子・原ひろ子（2010）『開発と健康――ジェンダーの視点から』有斐閣.

(2)中級
我妻堯（2002）『リプロダクティブヘルス――グローバルな視点から性の健康をみつめる』南江堂.
  ＊医師という立場から，医療の専門家としてリプロダクティブヘルスという考え方を解説した専門書. 基礎的な医学情報が分かりやすく説明されており，医学知識がなくても十分に読める内容となっている.
家族計画国際協力財団（2004）『世界のリプロダクティブヘルスをめざす道のり』家族計画国際協力財団.
Paul Hunt and Bueno de Mezquita Judith（2010）, *Reducing Maternal Mortality : The Contribution of the Right to the Highest Attainable Standard of Health*, New York: UNFPA.

(3)上級
日本国際保健医療学会編（2013）『国際保健医療学（第三版）』杏林書院.
  ＊研究者がそれぞれの分野における知見をまとめた専門書. 実際の場を意識した構成となっており，すでに現場での実践経験がある人にとって有益な情報が得られる.
WHO（2006）, *Sexual and Reproductive Health : Laying the Foundation for a More Just World through Research and Action*, Geneva: WHO.
WHO（2007）, *Gender and Rights in Reproductive and Maternal Health : Manual for a Learning Workshop*, Manila: WHO Regional Office for the Western Pacific.

(4)ウェブサイト
家族計画国際協力財団
  http://www.joicfp.or.jp/jp/
国連人口基金（UNFPA）
  http://www.unfpa.org/public/
ビル＆メリンダ・ゲイツ財団

http://www.gatesfoundation.org/Pages/home.aspx

▪▫ *Column 6* ▪▫

ザンビアでの妊産婦の健康の改善

巡回移動健診に参加している母子
（筆者撮影）

　2008年に世界中で妊娠・出産が原因で命を落とした女性は35万8000人（国連の推計値）。そのうちの99％が途上国の女性である。女性たちが安心して出産できる環境の整備が何よりも急務であるが、多くの途上国、とくにアフリカでは緊急産科ケアができる医療施設が圧倒的に少ない。こうしたなか、財団法人ジョイセフはMDGsの目標5「妊産婦の健康の改善」を目指して活動をおこなっている。

　たとえば、ジョイセフがプロジェクトを実施しているザンビア国コッパーベルト州マサイティ郡では、東京都23区の面積の11倍の広さに約12万人の住民が暮らしている。そこには、医師1人、助産師12人、看護師18人がいるだけである。そしてマサイティ郡に緊急産科ケアができる病院はない。郡の中心に近いフィワレ地区にある農村保健センターから車で45分走ってンドラ市まで行くと、そこに緊急産科ケアができる唯一の病院がある。

　このような状況で、ジョイセフが妊産婦の死亡を削減するために現在進めているのが、出産待機ハウスの建設である。出産前の余裕があるうちに農村保健センターの敷地内に建てられる出産待機ハウスに来てもらい、出産までの時を過ごす。そこで、出産は助産師の立ち会いのもとでおこない、緊急時には配備されている救急車でンドラ市の病院に搬送する。初めから病院へ行けばよいという考えもあるが、あまりに遠すぎるし、病院の収容能力の問題もある。農村保健センターに来るのですら2〜3時間歩くのはあたりまえという状況である。

　自宅での伝統的な産婆（traditional birth attendant: TBA）によるお産から、農村保健センターでの助産師の立ち会いによるお産に移行し、緊急産科ケアのネットワークを確立するだけでも課題は多い。ジョイセフは現地のパートナーNGOとともに、保健ボランティアの養成と確保、定期的に村を巡回して妊産婦や乳幼児の健診をおこなう移動クリニックの運営、望まない妊娠を防ぐための家族計画サービス、助産師の再教育、出産待機ハウスの建設など、多岐にわたる活動をおこなっている。

（石井澄江）

第7章　HIV／エイズ，結核とマラリア
――世界3大感染症との闘いを中心として――

大谷順子

この章で学ぶこと

　本章では，世界3大感染症について，疾病そのものについての基礎的知識の確認はもとより，開発の視点から理解を深めていく。世界3大感染症とは，エイズ，結核，マラリアであり，ミレニアム開発目標（MDGs）の6のターゲットに含まれる。エイズは，アフリカやタイ，あるいは，先進国の特定の人口集団だけの問題ではない状況である。結核は治療法が確立されているにもかかわらず，いまだに途上国では死を意味しており，貧困との関係が深い。

　一方で，耐性菌の拡大，先進国における貧困層での拡大などの新たな問題にも注目が必要である。マラリアは，暖かい国で主に広がっているが，様々に世界的イニシアティブが取られていてもなかなか撲滅することができず，また，地球温暖化の影響で新たな流行地が拡大している。予防が可能な病気によって人びとの命が奪われてはいけない。

　こうした疾病の流行について，人間開発，人間の安全保障（感染症という恐怖からの自由）の観点から論じ，また互いに影響する様々な重要な視点，たとえば，ジェンダー，環境，貧困と関係づけながら解説する。

　また，そのような世界の状況に対して，国際社会の動向を見る。世界保健機関（WHO）の取組み，そして国連合同エイズ計画（UNAIDS）の設立，世界エイズ・結核・マラリア対策基金（GFATM）の設立という国際組織の動き，また，国際NGOやその他のイニシアティブの動き，さらには，MDGs，マクロ経済と健康に関する諮問委員会（CMH），人間の安全保障などを掲げた開発政策や外交政策についても考察する。

　キーワード　HIV／エイズ，結核，マラリア，マクロ経済と健康に関する諮問委員会（CMH），人間の安全保障，グローバル・ヘルス

1　世界的目標としての感染症対策

ミレニアム開発目標（MDGs）のターゲット 6 は，「HIV／エイズ，マラリア，その他の疾病との闘い」であり，その内容は以下のとおりである。

・ターゲット 6A：HIV／エイズの蔓延を2015年までに阻止し，その後に縮小させる。
・ターゲット 6B：2010年までに HIV／エイズの治療への普遍的アクセスを実現する。
・ターゲット 6C：マラリアおよびその他の主要な疾病の発生を2015年までに阻止し，その後に縮小させる。

その他の主要な疾病に結核（Tuberculosis: TB）が入っており，各国の MDGs レポートにも，報告されている。本章では，世界の優先事項となっている HIV／エイズ，結核，マラリアの世界 3 大感染症を取り上げる。

これらの世界 3 大感染症による経済的負担も議論されている。平均的な結核患者は年収の約 3 割を医療費にあてなければならないと推定されている。マラリアによってアフリカの経済成長が1.3％減速しているとも推定され，また，エイズによるアフリカの経済成長率は 2 ～ 4 ％減速していることが報告されている（WHO, 2004, *World Health Report 2004*, WHO）。結核は，MDGs のなかで「その他」の主要な疾病となっているものの，結核が MDGs 達成のために鍵となっていることも指摘されている。

WHO のブルントラント事務局長（1998～2003年）は，コフィ・アナン国連事務総長の顧問でもあったジェフリー・サックス教授を，「マクロ経済と健康に関する諮問委員会（Commission on Macroeconomics and Health: CMH）」の委員長に任命し，その報告書が発表された。人びとの健康がそれ自体，重要な優先事項であるだけでなく，経済開発の課題として，貧困削減を達成するために優先事項であるとしている。この CMH は公衆衛生と保健開発の専門家たちから見れば，とくに新しいことが論じられていたわけではなかったが，世界トップクラスの著名な経済学者が人びとの健康への投資がいかに重要であるかを開発経済という視点か

ら述べたことに意義があった。ブルットランド事務局長は，このように，保健を開発のアジェンダにおける優先事項に挙げることに成功したと評価されている。このCMHでとくに経済に影響を及ぼす保健の課題として取り上げられているのは，エイズ・結核・マラリアのほか，タバコ喫煙の問題もある。

　人間の安全保障は，環境破壊，人権侵害，難民，貧困，感染症，災害などの人間の生存，生活，尊厳を脅かすあらゆる種類の脅威を包括的にとらえ，これらに対する取組みを強化しようとする，従来とは異なる安全保障の概念である。この感染症については，新型インフルエンザなどの新興感染症だけでなく，エイズも大きな課題となっている。日本は，1998年に独自に提唱し2000年に立ち上げた5億円規模の国連「人間の安全保障基金」を創設した。また，国連機関を通して，各国のエイズ対策や様々なプロジェクトを支援している。

　国連開発計画（UNDP）が毎年発表する人間開発報告書をみても，人間開発をモニタリングするために用いられている指標として，これらの感染症に関するものが入っている。つまり，HIV感染率（15～49歳の割合），最近の性行為でのコンドームの使用（15～24歳の割合），1歳児完全予防接種率（結核），結核患者の感染率（10万人当たり），結核患者の直接監視下短期化学療法（directly observed treatment short course: DOTS）による診断の割合，結核患者のDOTSで完治の割合，5歳未満児の殺虫剤加工した蚊帳つきベッドで就寝の割合，5歳未満児の熱が出た際の抗マラリア剤の治療を受けた割合などである。

2　世界3大感染症の概要

（1）エイズとは

　エイズ（acquired immune deficiency syndrome: AIDS）とは，後天性免疫不全症候群といい，人免疫不全ウイルス（human immunodeficiency virus: HIV）の感染によるウイルス感染症で，免疫不全を起こし，日和見感染（からだの抵抗力が落ちて普段は害のないような弱い細菌やウイルスなどによって感染）や悪性腫瘍などを発症してくる症候群を指す。医学的問題にとどまらず多方面にわたる社会的問題を投げかけている。HIVというレトロウイルスによって感染することが分かっており，医学の進歩もめざましい。しかしながら，HIVは変異が激しいため，免疫学的にも困難が大きく決定的な治療方法がなかなか開発されないなど，医学的にも難

しい側面をもっている。

　一方，エイズを引き起こすものが HIV であることが分かっており，感染経路もはっきりしているので予防が可能である。それでもなお，感染が広がり続けるのはなぜか。それを探ることは，あらゆる社会的問題を浮かび上がらせる切り口となる。

　エイズには，本来の医学，疫学，統計学を主とする伝統的公衆衛生手法のみならず，医療人類学，ジェンダー，経済学，社会学，心理学，行動学，人権，法律学，社会政策，政治，メディア，教育，福祉などあらゆる分野から取り組まなければならない。

　HIV 感染からエイズ発病まで平均10年といわれており，感染に気づかないまま何年も経つこともある。感染経路は，性感染，血液感染（汚染された血液および血液製剤の注射，注射針の共用），母子感染である。

（2）結核とは

　結核とは，マイコバクテリウム属の細菌，主に結核菌により引き起こされる感染症である。結核菌は1882年に細菌学者コッホによって発見された。

　空気感染が多く，肺などの呼吸器官においての発症が目立つが，中枢神経（髄膜炎），リンパ組織，血流（粟粒結核），泌尿生殖器，骨，関節などにも感染し，発症する器官も全身に及ぶ。感染者の大部分は症状が出ることは少なく，無症候性，潜伏感染が一般的である。潜伏感染の約10分の1において最終的に症状が発生し，治療をおこなわない場合，感染者の半分が死亡する。標準的な治療を完了することによってほとんどの患者は治癒できる一方で，患者管理が不徹底であれば多剤耐性が増加する危険がある。耐性率はいわば，その国や地域の結核対策の効果を評価する指標ともなる。

　世界保健機関（WHO）は2010年3月，従来の薬による治療がきわめて困難な「超多剤耐性」結核（XDR-TB）の感染が2010年3月時点で，世界58カ国で確認されたと発表した。XDR 結核の感染者は推定で，年間2万5000人に上るとした。また，XDR を含めた，薬による治療が難しい「多剤耐性」結核（MDR-TB）の感染者は2008年で年間44万人，死者は15万人に上ったと推計を発表されるなど，問題は拡大を示している。

　WHO において，1993年に「世界結核緊急事態」宣言をし，効果的結核対策の

枠組みを勧奨した。結核対策であるStopTBプログラムは、拡大予防接種プログラム（EPI）と並ぶ、WHOの看板の柱をなすものである。結核患者を発見し治すために世界中で使われている、プライマリ・ヘルス・ケア（PHC）の包括的戦略に含まれる直接監視下短期化学療法（DOTS）では、一環として、ヘルスワーカーが助言し、薬の強力な組み合わせであるそれぞれの用量を患者が飲み込むのを直接確認し、そして患者が治癒するまで保健サービスが経過をモニターする。

また、そのEPIには、乳幼児期の結核性髄膜炎や粟粒性結核など重症の結核発病を予防するためのBCGも含まれる。しかし、BCGによって感染源となる成人の肺結核病発病を予防する効果には限界がある。このEPIは、WHOと国連児童基金（UNICEF）、ワクチンと予防接種のための世界同盟（Global Alliance for Vaccines and Immunisation: GAVI）および国際ロータリークラブがパートナーとなって、世界的に推進されている。

かつて日本では結核は国民病・亡国病とまで言われるほど猛威をふるった。第2次世界大戦後、結核予防法（昭和26年3月31日法律第96号）が制定され、抗生物質を用いた化学療法の普及などによって激減した。そうしたなか、結核の危険性に対する日本国民の関心の低下が指摘されている。しかし、他の先進国に比べて感染率と死亡率は依然高い状態である。2001年5月に20名の集団感染が大学で発生するなど、結核は過去の病気ではない。

（3）マラリアとは
マラリアは、亜熱帯・熱帯地域の住民のあいだで疾病率および死亡率が高い疾患である。また、旅行者の疾患としても重要性が高まっているが、この場合には流行地住民のマラリアとは異なる視点での対応も必要である。マラリアのなかでも熱帯熱マラリアは迅速かつ適切な対処をしないと、短期間で重症化あるいは死亡に至る危険性がある。

マラリア（「悪い空気」という意味の古いイタリア語：mal aria）は、熱帯から亜熱帯に広く分布する原虫感染症である。高熱や頭痛、吐き気などの症状を呈する。悪性の場合は脳マラリアによる意識障害や腎不全などを起こし死亡する。日本でいう瘧（おこり）とは、大抵このマラリアを指していた。病原体は単細胞生物であるマラリア原虫であり、ハマダラカによって媒介される。

マラリアは世界で100カ国以上にみられ、WHOの推計によると、年間3〜5

億人の罹患者と150〜270万人の死亡者があるとされる。この大部分はサハラ以南アフリカにおける5歳未満の小児である。サハラ以南アフリカ以外にもアジア，とくに東南アジアや南アジア，パプアニューギニアやソロモンなどの南太平洋諸島，中南米などにおいても多くの発生がみられる。全世界で，旅行者が帰国してから発症する例も年間3万人程度あるとされる。

　予防の3原則は，蚊による刺咬を避けること，予防内服（予防的に抗マラリア薬を服用すること），スタンバイ治療（マラリアが疑われるときに，自らの判断で抗マラリア薬を服用すること）である。

3　開発課題としてのエイズ

（1）エイズ・パンデミックの近年の傾向

　2008年の推計によると3340万人（3110万人から3580万人の推定幅）がHIVとともに生きていると推定される（表7-1および7-2）。2008年には世界で200万人（170万人から300万人）のエイズによる死者を出した。HIV感染者数は世界の全地域で増加し続けており，流行地も拡大し，近年，とくに東アジア，東欧，中央アジアでも急増している。

　東アジアのHIV感染者数は2002年から2004年にかけて50％増加した。おもに中国での拡大により，アジアではインドと並んで，問題が深刻化している。アジアではこれまでHIV流行は注射薬物使用者（injecting drug use: IDU），セックスワーカー，その客，男性同性愛者といった特定のハイリスクとされる人口集団に集中していた。しかし，アジアの多くの地域では，これらのハイリスク人口集団からリスクの低い一般の人口集団への性行為による感染が徐々に広がっている。東ヨーロッパと中央アジアは，HIV感染率が明らかに上昇し続けている唯一の地域である。推定でも11万人の人びとが2008年にHIVに新たに感染し，東ヨーロッパおよび中央アジアのHIV感染者数は，2001年の90万人から66％の増加を示し，150万人に達した。ウクライナやロシアでの増加はとくに著しい。

　サハラ以南アフリカは，2008年もHIVの影響を最も受けている地域である。世界のHIV感染者の67％，大人の新規感染者数の68％，子どもの新規感染者数の91％が同地域で報告されている。また，2008年のエイズ関連の死亡者数の72％もサハラ以南アフリカの人びとである。依然としてエイズ蔓延は拡大していると

表7-1　世界のHIV／エイズ流行状況（2008年12月現在）

2008年のHIV感染者数	
合計	3,340万人
成人	3,130万人
女性	1,570万人
子ども（15歳未満）	210万人
2008年における新規HIV感染者数	
合計	270万人
成人	230万人
子ども（15歳未満）	43万人
2008年におけるエイズによる死亡者数	
合計	200万人
成人	170万人
子ども（15歳未満）	28万人

出典：UNAIDS & WHO（2009），*2009 AIDS Epidemic Update*.

表7-2　地域別HIV感染者（成人・子ども）推計総数（2008年現在）

北アメリカ	140万人
カリブ海沿岸	24万人
ラテンアメリカ	200万人
西・中央ヨーロッパ	85万人
東欧・中央アジア	150万人
東アジア	85万人
南・東南アジア	380万人
オセアニア	5.9万人
北アフリカ・中東	31万人
サハラ以南アフリカ	2,240万人
合計	3,340万人

出典：UNAIDS & WHO（2009），*2009 AIDS Epidemic Update*.

いえる。また，以下に述べるとおり，女性の犠牲者の増加が近年の特徴である。どの国や地域でも言えることだが，感染予防の機会はたくさんあるはずである。感染者や患者，その家族やコミュニティのケアがさらに必要である。

（2）エイズとジェンダー

　エイズはもともと男性の同性愛者の病気として注目を浴びた。また，感染のリスクのある行動を取るのは男性に多いであろうという通念から，男性の感染者の方が多いと見られてきた。しかし，女性感染者は急速に拡大しており，アフリカ

では，新しい感染者数は男性より女性が上回る報告の国が大半となってきた（表7-1）。とくに，成人感染者の半数が女性であり，感染者の3分の2を占めるサハラ以南アフリカでは15歳から24歳の感染者の約75％が女子であるなど，女性感染者の世界的な増加はより深刻になっている。

女性は身体的にも，社会的にもHIV感染リスクが男性より高い。生物学的に，身体の構造上の違いによって女性の方が男性よりもHIVに感染しやすい。ほかに性病の潰瘍疾患部がない場合でも，同じHIVへの暴露で女性が感染する確率は男性の2倍である。まして，まだ身体発育の幼い少女の場合，感染の確率はさらに高くなる。社会的に弱い立場に置かれた女性の方が，HIV感染のリスクが大きくなる。

社会的理由には，ほとんどの国で女児の就学率は男児より低く，教育を受けていないためにHIV／エイズについて正しい知識や情報を入手する機会が乏しいことがある。また，それゆえ，希望しない性交渉や結婚を拒否する力，コンドームの使用などHIV感染予防のための交渉力も乏しい。

女性が自分の結婚の決定権をもたず，ずっと年上の男性と結婚させられることもあれば，一夫多妻制のなかで複数の妻のうちの1人となることもある。また，夫がエイズなどで死亡した場合，その兄弟と結婚しなければいけない文化圏もある。さらに，夫婦間でのレイプも問題で，女性が性に関する決定権を持たない文化もある。妻が夫の所有物とみられる文化では，夫の許可なしに治療も受けられず，治療費を払うための現金を持つことすら自由でない場合もある。コミュニティからの偏見や孤立を恐れて治療やカウンセリングを受けられないことも少なくない。また，収入を得るために性的労働に従事させられることや性的暴力を受けやすいことなどがある。

女性本人たちがHIVに感染しなくとも，家族にHIV感染者，エイズ患者が出た場合，そのケアを行うのは女性であり，もともと社会経済的に貧困にありがちな女性のその負担もさらに大きくなる。

このようなエイズ犠牲者の女性化がすすむ状況下で，焦点を絞った問題の取組みを効率よくおこなうため，2004年の世界エイズデーのテーマは女性となった。2004年，国連合同エイズ計画（UNAIDS）は，市民社会・NGOなど多くのパートナーと組んで，「女性とエイズに関する世界連合」を設立し，取組みを強化した。

UNAIDSの共同スポンサー機関ではない国連婦人開発基金（UNIFEM）とも政

策文書を発表し，国際家族計画連盟（IPPF）などの国際 NGO とも政策文書を発表している。また，コンドーム普及のなかなかすすまない文化圏で，完全でなくとも HIV 感染予防薬として脚光を浴びている女性が使用するマイクロビサイズ薬という殺ウイルス剤の国際同盟とも共同研究を進めている。

（3）エイズ遺児

　エイズ遺児とは両親のどちらかがエイズで亡くなって残された子どものことをいう。エイズの感染経路の性質上，片親がエイズでなくなれば，もう一方の親も感染している確率は高く，結果的に両親がともに亡くなることが多い。

　UNICEF がまとめた世界の孤児に関する報告によると，現在1500万人ほどのエイズ遺児がおり，2010年までには5000万人になると推測されている。またアフリカ中央部の5カ国では，エイズが親の死因の5割を占めている。今やアフリカでのエイズ遺児問題は，HIV 感染の影響が，まず家族に，そして地域に，やがては国全体へと広がっている。

　エイズはアフリカの問題，よってエイズ遺児もアフリカの問題と見られてきた時期もあるが，アジアのエイズ流行によりエイズ遺児の問題はアジアでも直視せざるをえない時代に入っている。

　アフリカでは全児童数の12%が孤児であり，アジアでもすでに6.5%が孤児である。この報告には，さらに，エイズ遺児の増大による社会的インパクトを分析し，遺児たちを支援する戦略，すなわち，遺児を保護し，ケアする拡大家族の機能の強化と支援，コミュニティによる対応の動機づけと強化，子どもたちと若い世代のニーズを満たす能力の強化，もっとも弱い層の子どもたちを保護するための政府の政策・法的・プログラム的な枠組みの強化，HIV／エイズの影響を受けている子どもたちに対するサポートを可能にする環境を作るための社会啓発などが示されている。

　母親が HIV に感染している場合，普通に出産すると新生児が HIV に感染する確率は3分の1であるが，前もって母親が HIV 感染者であるとわかっている場合，出産中と出産の前後に一定の投薬をすれば，その感染率はかなり低く抑えることができる。しかし，貧困層にある HIV 陽性の妊婦がこの予防治療を受けられる状況にないことも多く，生まれたのちエイズ遺児となった子ども自身が HIV 陽性であることもある。そして，エイズで親を失ったことによる貧困，差

別，偏見などの日常の困難に直面する。

　UNICEFによると，2000年には，230万人の子どもが，エイズを原因として親を失っている。エイズ遺児は，貧困のなかでも最低の貧困層に陥る。学校にも通えなくなり，教育を受ける機会を奪われる。また，人身売買の対象になりやすく，路上で生活をするストリートチルドレンになる率も高くなる。多くのエイズ遺児は最低貧困層のなかでの生活を強いられ，HIV／エイズに関する知識に乏しいだけでなく，感染する危険度の高い環境に置かれてしまう。

　また，様々な迷信がエイズの社会問題を引き起こす。エイズ患者を出した家は，呪われた家として，生き残った高齢者や遺児を魔女狩りのいけにえとするような風習のある土地もある。南アフリカでは，処女と性交をおこなえばエイズが治るという迷信が広まってしまったために，1歳にも満たない乳児が誘拐され，レイプされ，それによって瀕死の重症か死亡する事件が多発し，社会問題となった。

（4）社会開発とエイズ

　HIV感染は，国家の経済発展を支える生産年齢人口である若年・壮年層に拡大しやすく，感染拡大による健康な労働力の供給の減少がおこり，経済開発に打撃を与える。また国家と家計の両方で貧困を加速する要因となっていることが指摘されている。HIV／エイズは今やその95％が途上国で発生しているとされるが，その感染拡大の背景には，貧困や文化慣習が要因となっている。HIV／エイズは，性行為や売春また麻薬取引といった非合法な社会的行為と関連することもあり，多くの国で，政府はそれらが国に拡がっている問題であるという事実を認めることが困難である。それゆえ，対策が遅れ，問題が放置されたことにより，状況の深刻化が進んだという側面がある。むしろ，NGOのほうが具体的な取組みや意識において先行してきたという国の例も多い。

　HIV／エイズは社会開発の課題であり，貧困問題と深く繋がっている。HIV／エイズの拡大により，国家の社会経済を支える労働者人口が影響を受け，労働力の低下や死亡による喪失となる。労働生産年齢人口の減少，医療費・社会保障の負担増，貧困の増大は，社会的資源の喪失につながる。HIV／エイズの予防や対策に限られた開発資源が流れることにより他の開発の遅延にもつながり，それも貧困の加速要因となる。さらに，個人や世帯でみると，世帯収入の減少，それに伴う子どもの健康および教育水準の低下がもたらされ，貧困層の人びとにより深

刻な影響を与え，一方で，貧困がHIV／エイズの問題を加速させる。貧困は，女子だけでなく男子も含め性産業への従事，性暴力，雇用の機会を求めての人口移動や人身売買にもつながる。さらには，社会開発の側面として，エイズ予防情報や保健医療サービスへのアクセスがないこと，女性の社会的立場が弱いこと，基礎教育レベルが低いことも，HIV感染リスクを高める。また，難民などがおかれる環境でもリスクが高まる様々な要因が指摘されている。

4 開発課題としての結核

（1）流行の近年の傾向

治療法が確立された現代でも，結核を過去の病気とすることができておらず，今でも世界で，毎年約800万人が新たに感染し，200万人が亡くなっている。推定新規結核感染者数を色分けした地図を図7-1にあげる。

2004年には，慢性活動性の患者が1460万人，890万人の患者が発症し，160万人が死亡した。その大部分は途上国であるが，先進国においても，免疫抑制剤を使用している患者やエイズの患者，薬物乱用などにより増大傾向にある。結核患者の分布は一定ではなく，多くのアジアやアフリカの国では約80％の人が結核の検査で陽性を示すが，一方，米国では5～10％が陽性であるのみである。米国で毎年2万5000人が新たに発生し，その40％が結核の流行地域からの移民であると推定されている。

（2）エイズの1症状としての結核の増加

2008年，940万人が結核に感染・発症しており，このうち140万人がHIVとの重複感染である。このうち80％がサハラ以南アフリカの人びとで，さらにこの50％は南部アフリカ9カ国となっている。この140万人のTB/HIV重複感染のうち，52万人が結核治療中に死亡している。このようなTB/HIV重複感染の蔓延に対して，対策や調整が遅れてきた理由としては，1つに，この両者のプログラムの思想の違いがある。HIV／エイズ対策プログラムが，人権に軸足をおき，HIV感染予防やHIV検査に重点をおく一方で，結核対策プログラムは，公衆衛生に軸足をおき，発見・治療に重点をおいている。TBおよびHIVは違う価値観の下，実施されてきた。2004年より，この2つのプログラムの連携が求められている。

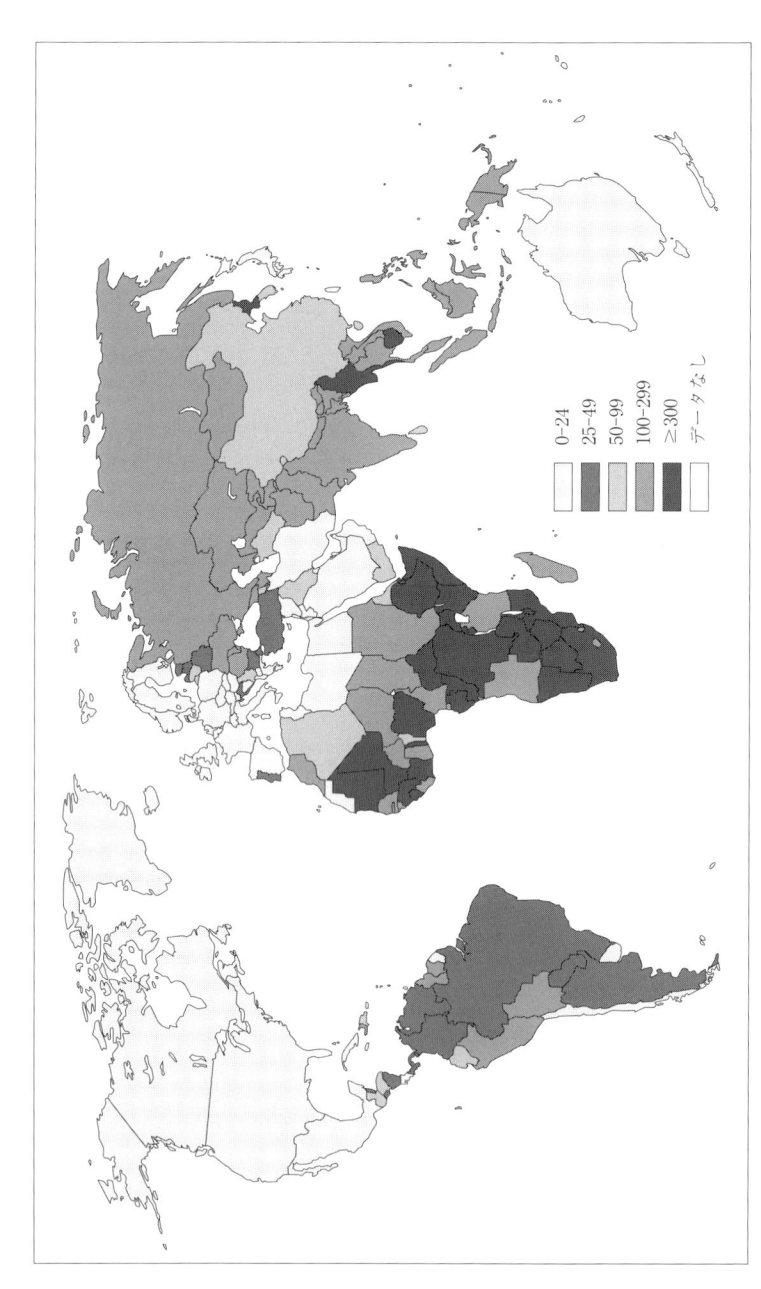

図7−1 推定新規結核感染者数（2008年）

凡例（100,000人当たり）:
- 0–24
- 25–49
- 50–99
- 100–299
- ≥300
- データなし

注：100,000人当たり。
出典：WHO (2009), *Global Tuberculosis Control, A Short Update to the 2009 Report*, p. 6.

(3) 結核から見える社会問題

結核は貧困病として認識することができ，先進国の都市貧困層や若者間での拡大にも注意を払う必要がある。先進国にとっても結核は過去の問題ではない。

また，飛行機旅行と結核，子どもと結核，ジェンダーと結核，囚人と結核，難民と結核，タバコと結核などの視点からも，結核の問題をみることが重要である。肺の健康ということからも，結核対策とタバコ対策も関連した取組みが試みられている。

5 開発課題としてのマラリア

(1) 近年の傾向，発生地域

流行地域分布地図を図7-2にあげる。以前のマラリアは暖かい地域に限ったものではなかったが，現代のマラリアは主に熱帯および亜熱帯地域に発生している。しかし，多くのマラリア患者が公的医療機関に報告されないままのことも少なくなく，正確な推定は難しい。WHOによれば，毎年3～5億人の人びとがマラリアに感染し，毎年100万人以上が死亡しているとされている。その感染の9割はサハラ以南アフリカにおいて発生していると考えられる。アフリカの子どもの死亡原因の約4分の1はマラリアによると推定されている。

(2) 健康教育，蚊帳の普及のためのパートナーシップ

蚊帳の使用普及のための無料または安価な配布，そのための啓発や物流体制の整備もおこなわれている。蚊帳も，何度か洗うと効力がなくなる塗布タイプのものだけでなく，日本の企業が，縫込み式で洗っても薬の効力がなくならない蚊帳を開発し，現地生産するなど，企業の社会的責任（corporate social responsibility: CSR）として対策に取り組む事例もある（コラム7および16を参照）。

6 感染症対策のための国際的な取組み

(1) 国連を中心とした感染症対策の枠組み

①国連合同エイズ計画（UNAIDS）の設立と経緯

1981年に初めてエイズ患者が発見されて以来，WHOが中心となってエイズ対

図7-2 マラリア地図

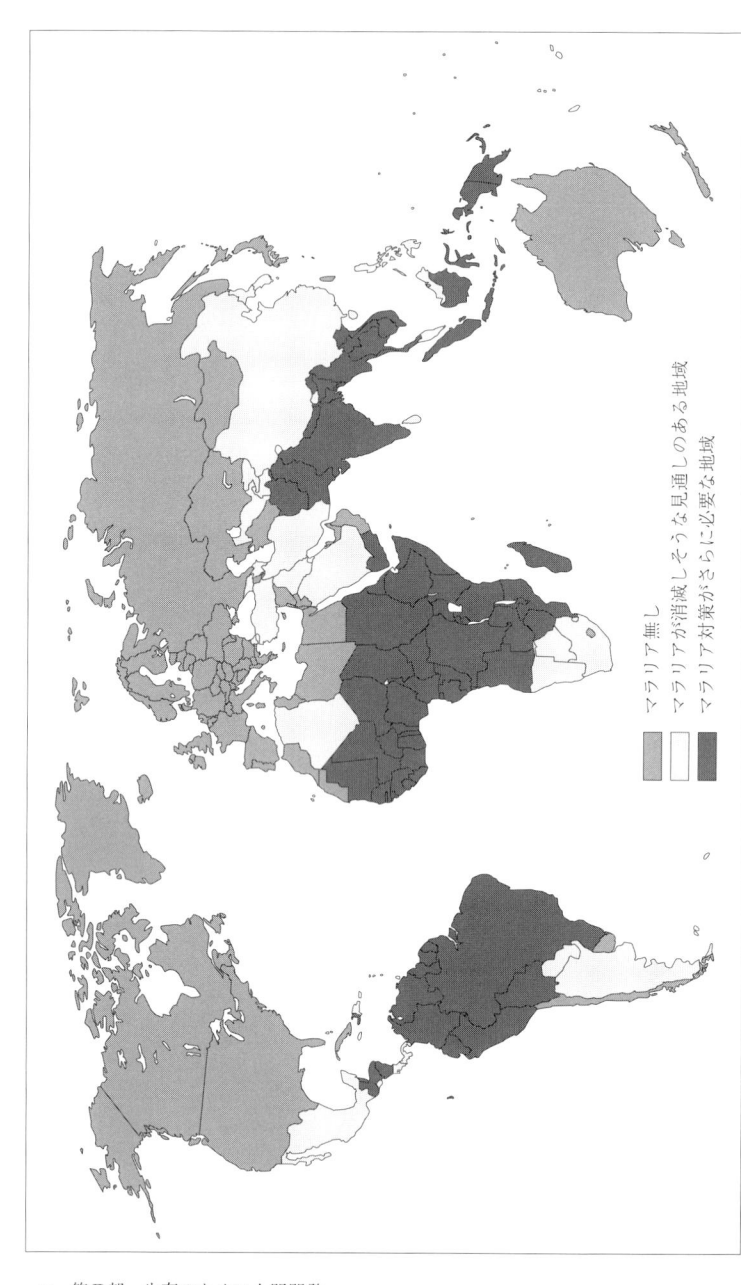

マラリア無し
マラリアが消滅しそうな見通しのある地域
マラリア対策がさらに必要な地域

出典：Richard GA Feachem, Allison A Phillips et al. (2010). "Malaria elimination 1: Shrinking the malaria map: progress and prospects". *Lancet*, Vol. 376, November 6, p. 1569.

策の国際協力を進めてきた。1990年代半ばに至って、HIV／エイズの世界的な拡がりと感染が及ぼす社会・経済的影響の大きさから、国連システム全体の取組みの一層の強化が求められることとなった。また、WHOと並んで、UNICEF、UNDP、国連教育科学文化機関（UNESCO）、国連人口基金（UNFPA）、世界銀行などの国連機関も従来からエイズ対策を推進しており、それらの活動の重複、非効率化を避けるため、何らかの調整の必要性が認識されるようになった。

このような背景から、1994年7月の国連経済社会理事会において、5つの国連機関および世界銀行が共同スポンサーとして参画するUNAIDSの設置が承認され、1996年1月1日、正式に発足した。

現在の共同スポンサー機関は、UNHCR（国連難民高等弁務官事務所）、UNICEF、世界食糧計画（WFP）、UNDP、UNFPA、国連薬物犯罪事務所（UNODC）、ILO（国際労働機関）、UNESCO、WHO、世界銀行の10機関に増えた。

UNAIDSの事業の目的は、途上国のエイズ対策強化支援、エイズ対策への政府の取組み強化支援、国連のエイズ対策の強化と調整などにあり、エイズ対策の政策立案やガイドライン作成、調査研究、モニタリング・評価、人材養成を中心とした技術支援、総合的・多角的なエイズ対策の啓発などを中心に活動をおこなっている。UNAIDSは共同スポンサーの各機関の有する資金、専門性、ネットワークの調整、強化を主目的としており、途上国におけるエイズ対策のための技術支援や政策助言などをおこなうが、直接的にプロジェクトを実施する機関ではない。

②世界エイズ・結核・マラリア対策基金（GFATM）

UNAIDSの一部ではないが、同じくジュネーブに設立され、この分野の問題に取り組んでいる機関に、世界エイズ・結核・マラリア対策基金（GFATM）がある。

GFATMは、人間の生存と安全を脅かす3大感染症の危機と闘うため、世界各国の協力のもとに途上国の感染症対策を支える資金を提供する基金である。その仕組みから国連の一機関と誤解を受けることもあるようだが、スイスの法律に基づく民間財団として2002年1月に設立された組織である。

各国の政府拠出をはじめ民間財団や個人からの寄付など、官民が共同で拠出し、政府、国連機関、NGO、学界、企業、宗教組織、および感染症に苦しむ人びととの協力のもとに、途上国におけるこれら感染症の予防、治療、感染者支援のため

の資金を提供している。

設立当初からWHOのシステムを借りており，職員の公募もWHOの公募サイトに掲載されたりするが，人事はまったく別におこなわれている。資金源もほかの国連機関と性質を異にし，民間セクターからの献金が大きな比率を占める。国連システムから独立しているが，国際機関の職員としての優遇処置を守りたいなど現実的な問題が残されている部分もある。

③なぜUNAIDS, WHO, GFATMの3つの機関が存在するか？

なぜ，UNAIDS, WHO, GFATMが別々の組織なのか，それぞれの役割は何か，機関の間の政治的，資金的取引なども議論されてきた。UNAIDSはコーディネーション，WHOはテクニカルな部分，GFATMは資金調達と正当化できることとなっているが，現実には様々な問題も抱えている。

本部はジュネーブにあるが，それぞれの国レベルとは，国別調整機関（country coordinating mechanism: CCM）を通して運営される。CCMとは，国によって異なるが，政府，国連などの多国間援助機関，二国間援助機関，エイズ犠牲者団体その他のコミュニティ，市民社会，私企業などからなる。そして，政府だけでなくCCMがGFATMに対して資金のプロポーザルを提出する。

④ロール・バック・マラリア（RBM）

1998年，WHOが中心となり，2010年までにマラリア罹患率および死亡を半減することが目標として打ち出された。ブルットランド女史が事務局長として当選するためのアフリカ票を集めた選挙公約でもあった。ロール・バック・マラリア（roll back malaria: RBM）の主な戦略は，早期診断と早期治療，殺虫剤を浸潤させた蚊帳や殺虫剤の普及によるマラリア媒介蚊との接触予防，マラリアの流行予想と拡大防止，治療薬・殺虫薬・予防接種の開発，既存の保健医療サービスの強化である。

⑤熱帯病研究研修特別計画

熱帯病研究研修特別計画（special programme for research and training in tropical diseases: TDR）は，UNDP，世界銀行，およびWHOによる共同スポンサーで，科学的な協同のために独立した世界プログラムである。途上国に蔓延するマラリ

アやその他の疾患に焦点を合わせ，研究開発や教育訓練をおこなう事業として1975年に設立された。

（2）NGO による感染症対策のための動き

様々な国際 NGO や各国の NGO が，これらの感染症のために活動している。とくに HIV／エイズ分野では，数え切れないほどの NGO が存在する。NGO といっても，資金は公的なところからきているものがほとんどであることも少なくない。HIV／エイズは，政府が公的に認めることが難しい課題を要因としてもっていることからも，政府では対応が進まないようなことを，NGO にしてもらうという側面も見られる。HIV／エイズ対策の NGO は，はじめから HIV 感染者らへの支援から始まったものもあるし，Family Health International（FHI）という国際 NGO のように，人口・家族計画・リプロダクティブヘルスの分野から介入したものもある。FHI の場合も，NGO であるが，資金の多くは米国国際開発庁（United States Agency for International Development: USAID）から来ていたりする。ワシントン DC 周辺に本部をおく NGO やコンサルタント会社も多い。また，アフリカなどで農業支援や貧困対策をおこなっていた NGO は，本来，保健関連分野ではないにもかかわらず，HIV／エイズなしには語れない現地の状況から，HIV／エイズ対策のコンポーネントを加えるものもある。また，World Vision などのように，たとえば，キリスト教精神に基づいて開発援助，緊急人道支援，アドボカシー活動（市民社会や政府への働きかけ）をおこなう国際 NGO が，その一環として，また開発援助の優先課題として，エイズやマラリアなどの対策に取り組むことも多い。GFATM など，世界的にこれら疾病対策の資金が申請可能になると，資金調達のために，手を拡げるという場合もあるといえる。

（3）感染症対策のための資金調達

MDGs によりグローバル・ヘルスの優先事項が高く設定されて以降，様々な分野からグローバル・ヘルスへの資金の流入が起こっている。各国の政府開発援助に占めるグローバル・ヘルス関連の支出も増加しているほか，民間財団による出資も活発化している。グローバル・ヘルスを中心に資金を拠出している財団としては，マイクロソフト元会長ビル・ゲイツによる世界最大の慈善基金団体ビル＆メリンダ・ゲイツ財団や，元米国大統領ビル・クリントンによるクリントン財

団などがある。こうした民間による新たな資金調達方法の出現は，これまでのODAを中心とした枠組みから大きなパラダイムシフトを起こしている。たとえば，民間財団や政府，企業，個人が出資するGFATMや，GAVIなど，新たな資金創出メカニズムをもつ基金も生まれており，民間，NGO，国際機関，政府の援助機関らが共同でパートナーシップを形成するケースも増えてきている。

このように，グローバル・ヘルスには，巨額の資金が集まり，MDGsの達成に向けて努力されているが，一方で，MDGsによって特定の取組みを対象に巨額の資金が流れることによる弊害も指摘されるようになった。特定の疾患対策に多額の資金が投入されることにより人材の移動が起こり，基礎的な公衆衛生を担う優秀な人材が欠乏する状況を招いている問題が指摘されるようになった。1978年のWHOとUNICEFが主催した国際会議における「すべての人びとに健康を」という『アルマ・アタ宣言』から30年，再びプライマリ・ヘルス・ケア（PHC）のあり方について議論が活発化しているのである。

本章では，世界3大感染症という具体的な疾病に絞って紹介し，論じたが，これらの問題に取り組むためには，資金投入，また予防や治療方法の確立などだけでなく，とくに途上国における保健医療システムの改善強化と整備が必要である。治療法が確立されても，それを有効的に実施するシステムがなければ，世界の人びとが，その発見や知の恩恵にあずかることはできない。本文で紹介したCMHにおいても，3大感染症やタバコなどの具体的な問題のほかに，保健医療サービスの規模拡大が必要であると訴えている。一部のいわゆる特権階級といえる人びとにだけ届くものではなく，世界中の誰もが恩恵にあずかることを実感できるようになるために，保健医療サービスの規模拡大は難題が多く（途上国に限らず，米国の政治的問題の例もある），簡単に解決できるものではないが，より多くの貧困にある人びとに保健医療へのアクセスを可能とするための改革や，斬新なシステムの構築が試行錯誤されている。

今後の学習のための参考文献

(1)初級
ブルース・ゴードン著，平野裕二訳（2008）『子どもと健康の世界地図——劣悪な環境におかれた子どもたち』丸善。
　　＊健康的な環境に対する子どもの権利が世界的にいかに脅かされているか，概観することができる。

国連児童基金（2008）『世界子供白書2008——子どもの生存』日本ユニセフ協会。
　　http://www.unicef.or.jp/library/library_wdb.html
　　＊ユニセフが毎年刊行する報告書である。毎年，テーマが変わるが，ユニセフがミッションとして感染症対策に取り組んでいるので，他の年も参考にされたい。
エイズ予防財団（2008）『世界のエイズの流行に関する報告』。
　　http://api-net.jfap.or.jp/siryou/worldnow/2008/2008_aids_epidemic.pdf
　　＊UNAIDS/WHO レポートの邦訳版。各国別データも掲載し，現状を詳しく分析した報告書である。
勝間靖（2010）「アフリカにおける保健・環境衛生論——マラリアとの闘いを中心として」舩田クラーセンさやか編『アフリカ学入門——ポップカルチャーから政治経済まで』明石書店。
　　＊マラリアがとくに問題となっているアフリカにおける闘いについて詳しく紹介されている。

(2)中級

飯島渉（2005）『マラリアと帝国——植民地医学と東アジアの広域秩序』東京大学出版会。
　　＊現在の日本にマラリアは対岸の火事と感じられるかもしれないが，かつて問題であったことを歴史的にみる。
エイズ予防財団（2008）『UNAIDS 用語のガイドライン（対訳）』。
　　http://api-net.jfap.or.jp/siryou/worldnow/2008/2009_unaids_tg.pdf
　　＊エイズに関する用語の説明というだけでなく，エイズに対する様々な対策も理解できる。
エイズ予防財団（2009）『エイズ対策の展望/09——世界エイズデー報告書』。
　　http://api-net.jfap.or.jp/siryou/worldnow/2008/2009_aids_outlook.pdf
　　＊世界エイズデー（12月1日）に刊行される UNAIDS/WHO の報告書。世界エイズデーは毎年テーマがある。他の年も参考にされたい。
UNAIDS（2009），*AIDS Epidemic Update*
　　http://www.unaids.org/en/KnowledgeCentre/HIVData/EpiUpdate/EpiUpdArchive/2009/default.asp
UNICEF, Roll Back Malaria Partnership, Global Fund（2009），*Malaria & Children : Progress in Intervention Coverage,* UNICEF.
　　http://www.unicef.org/media/files/WMD_optimized_reprint.pdf
ジェフリー・サックス著，遠藤昌一・森亨訳（2007）『マクロ経済と健康——経済開発のための保健に対する投資』日本公衆衛生協会。
　　＊前国連事務総長コフィー・アナン氏の顧問を務めたコロンビア大学のジェフリー・サックス氏を委員長とするマクロ経済と健康に関する諮問委員会の報告書の邦訳版である。著名な経済学者が保健問題を論ずることで，保健を開発のトップアジェンダに押し上げることに貢献した。3大感染症の他に，環境やタバコの問題も取り上

げている。

(3)上級

WHO (2008), *World Malaria Report 2008*, Geneva: WHO.
　　http://www.who.int/malaria/wmr2008/malaria2008.pdf
WHO (2009), *WHO Report on Global Tuberculosis (TB) Control*, Geneva: WHO.
　　http://whqlibdoc.who.int/publications/2009/9789241598866_eng.pdf
Lincoln Chen, Jennifer Leaning and Vasant Narasimhan, eds. (2003), *Global Health Challenges for Human Security,* Boston: Harvard University Press.
　　＊「人間の安全保障」という概念から，感染症を含めたグローバル・ヘルスにおける挑戦について，さまざまな専門家が論議している。
Lancet and London International Development Centre Commission (2010), "The Millennium Development Goals: A cross-sectoral analysis and principles for goal setting after 2015", *Lancet*, Vol. 376, September 18, pp. 991-1023.
　　＊2015年以降における保健MDGsについて論じる。

(4)ウェブサイト

国連合同エイズ計画（UNAIDS）
　　http://unaids.org
ロール・バック・マラリア（RBM）
　　http://www.rollbackmalaria.org/
世界保健機関（WHO）
　　http://www.who.int/en/
世界エイズ・結核・マラリア対策基金（GFATM）
　　http://www.theglobalfund.org/en/

Column 7

蚊帳が欲しい

　「蚊帳が欲しい」。村の代表がそう言った。
　私は，反射的に「これは物をあげるためのプロジェクトではない」と答えた。
　ニジェール国におけるJICAマラリア対策支援プロジェクトにおいて，「村保健委員会による村人のための蚊帳調達」の仕組みづくりを，私は担当していた。
　西アフリカの人びとは，マラリア原虫を体内にもっていて，体力が弱ったときマラリアを発症する。すでに原虫を持っている親など大人を刺した蚊（ハマダラカ）は，まだ免疫がない幼児を次に刺し，体内にマラリア原虫を入れることが多い。そうして，幼児はマラリアを発症することになる（第7章参照）。
　村の代表はあきらめなかった。「私たちが知りたいのは，蚊帳をどこで，どうやっ

て買うのか，ということだ」。

　蚊帳は補助金による割引価格で1張600フラン（約1ドル強）する。補助なしなら4000フランはする。

　村保健委員会が提出した「割引価格での蚊帳購入の希望者リスト」を見て，蚊帳を欲しがっている人びとの顔が初めて見えてきた。70歳に近いと思われる村長と村長の妻の名前，老親のために蚊帳を買いたい40代の男性の名前，「無料配布」の対象にならない10歳前後の子どもの母親の名前もあった。

蚊帳を手にして喜ぶ子どもたち
（筆者撮影）

　プロジェクトにおいて安価で配布する「長期薬効型の蚊帳」は，屋内に吊しておくだけでも効果がある。蚊帳の中で寝れば，自分だけでなく家族みんなの健康を守ることができる。村の住民たちは，蚊帳を使うことが家族の健康に大切なこと，また治療よりも予防の方が経済的であることをよく知っていたのだ。

　MDGsのうち目標4～6の達成のために，ニジェール国でのプロジェクトは，蚊帳を5歳未満の子どもや妊産婦に無料配布するという直接的なアプローチではなく，村の住民を組織化して予防手段へのアクセスを促進するという間接的なアプローチをとった。コミュニティ全体（祖父母，叔父叔母，父母，子ども）でマラリア対策をすることによって，子どもをマラリア感染の悪循環から守ることができるうえ，モデル化により他地域で応用ができると考えたからだ。

（國枝美佳）

第8章 水と衛生
―― 人びとの命と生活を衞るために ――

杉田映理

この章で学ぶこと

ミレニアム開発目標（MDGs）のなかで「2015年までに，安全な飲料水および基礎的な衛生設備を継続的に利用できない人びとの割合を半減する」ことが掲げられている。国連ミレニアム・サミットが開催された2000年の時点で，安全な飲料水へのアクセスがない人口は11億人，基礎的な衛生設備（端的にいえばトイレ）へのアクセスのない人口は26億人いた。安心して飲める水や誰もが毎日使うトイレ――日本に住む私たちにとっては当たり前のこうしたものがないことで，開発途上国の多くの人は日々の生活，そして命を脅かされているのである。

本章では，まず安全な水と衛生がいかに重要かをしっかり学びたい。また，同じ国のなかでも都市部と村落部で抱える問題が違うことをみる。

次に，国際社会がこの大きな課題に対して，どのように取り組んできたのかを概観する。これまで様々なステークホルダーが現場での支援を重ねる一方，国際会議などを通じて新たな政策やイニシアティブを打ち出してきた。その経緯を見ながら，MDGsにおける水・衛生分野の位置づけを理解したい。

今日でも，安全な水の確保という自明の目標を達成するためのハードルは高い。給水施設は建設が済めば「完了」ではなく，持続性を保つためには住民（利用者）が参加して維持管理をおこなう必要がある。その一方で，技術や資金を持つ民間業者の関与の是非が議論されている。また，気候変動などによる水をめぐる環境の変化という課題も出現している。このような課題にどう対応したらいいのか，読者のみなさんにもともに考えて頂きたい。

最後の節では，衛生改善のアプローチに焦点を当てる。トイレの設置や石鹸による手洗いを中心とする衛生改善は，人びとの日々の慣習と深く絡み合っているため，その普及は必ずしも容易ではない。国際機関やNGOでも試行錯誤を重ねているが，最近の潮流と成功事例をみることで，多面的に問題解決の糸口を検討したい。

キーワード　安全な水，基礎的な衛生設備，下痢症，石鹸による手洗い

1 なぜ水と衛生が重要か

（1）命への影響——水因性疾患

　皆さんは，開発途上国とよばれる国に行ったことがあるだろうか。とくに初めての旅の前には「生水は絶対に飲まないように」と散々注意されたのではないだろうか。旅先で自分の健康を守るために第一に気をつけるべきことである。この注意は水が媒介する病気の多さを示している。熱帯病といわれる疾患のうち，コレラ，赤痢，腸チフス，ギニア虫症など多くは汚染された水が原因で感染するため，水因性疾患と呼ばれる。毎日の生活に欠かせない水——その水が病原体を運んでくるのだから恐ろしい話である。

　世界の5歳未満の子どもの死亡要因は，出生前後の死亡を除くと第1位が急性呼吸器系疾患，そして第2位が下痢症となっている。この下痢症で年間76万人（2015年時点）ほどの幼い命が奪われているが，ほとんどは途上国の子どもたちである。下痢症は，上記のコレラや腸チフスの他，普通の下痢を含む。その下痢が止まらなかったり，繰り返したりして脱水症状を起こし，死に至る。筆者がアフリカに滞在していたときも，村の子どもたちはよく下痢症に罹っていた。下痢が止まらず小さな体がどんどん痩せ細っていき，次に筆者が訪れたときには小さな棺のなかの姿を見るというつらい経験もした。しかし，「生水は飲むな」という旅行者に対する注意が示すように，下痢症の多くは安全な飲み水と衛生的な環境が確保できれば予防が可能なのである。

　ここで，下痢症の感染経路を見てみよう。下痢症は，糞便中の病原微生物（細菌，ウィルス，原虫など）を直接的，間接的に飲み込むことで感染する。図8-1に示すように，①雨などに流された糞便で汚染された川や池の水（fluids），②野外排泄で汚染された原っぱや畑（fields），③糞便にたかったハエ（flies），④排便時などに便に触れた指（fingers）などを通じて，⑤便が食べ物（foods），そして口に知らぬ間に入ってくるのである。媒介するものの頭文字がFであるため，図8-1はF図（F-diagram）と呼ばれる。これらの感染経路を通じて糞便がヒトの口に入って感染する病気群を，水因性疾患のなかでも糞口感染症という。糞口感染症には，コレラ，赤痢，腸チフス，サルモネラ症などを含む下痢症のほか，A型肝炎やポリオ，回虫症などがある（Cairncross & Feachem, 1993）。

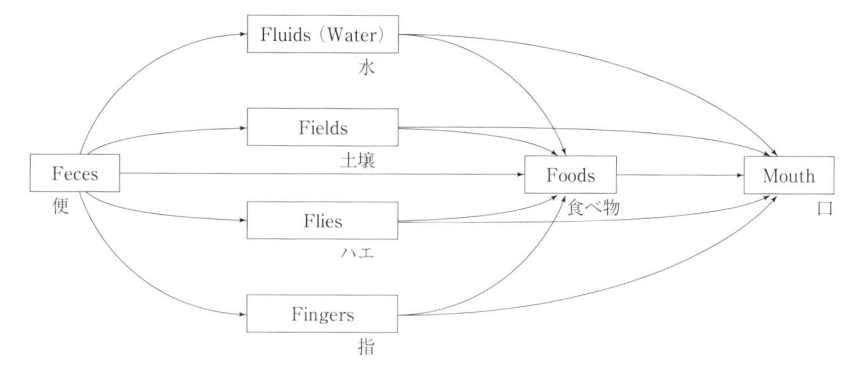

図8-1　糞口感染症の感染経路
出典：Cairncross & Feachem (1993) を参考に筆者作成。

　感染症を予防するには，感染経路を断つことが必要となる（なお，一部の疾病に関しては予防接種をおこなうという予防法もある）。図8-2に示されるように，安全な水の供給は感染経路の遮断方法として重要ではあるが，一手段にすぎない。まずは便が周辺の環境に広がらないようにすること，すなわち衛生的なトイレや下水施設（あわせて英語で sanitation）が感染経路の遮断に大きな役割を果たすのである。加えて，排便後や食事前の石鹸による手洗いなど，衛生行動（hygiene）の役割も大きい。
　糞口感染症以外にも，水・衛生が関連する病気は多い。ギニア虫症は，水中に棲むミジンコを宿主とするギニア虫の幼虫が，池の水を飲んだヒトの体内に入ることで感染する。ミジンコを飲み込まないように池の水を濾過するか，代替となる安全な飲料水を供給することで予防が可能となる。1986年には年間350万人の新規感染者がいたが，給水や衛生教育が効果を上げ，ギニア虫症は撲滅間近と言われている。
　また，トラコーマという失明にもつながる目の感染症（約180万人が失明）や，疥癬という皮膚病は，手や顔を十分洗うといった衛生行動，また洗浄に必要な十分な水量の確保で予防が可能である。
　一方，感染症（病原体が微生物で，ヒトからヒトへと感染する）以外にも，有害無機物質が水中に溶け込んで健康被害をもたらすことも多い。たとえば，工場排水の垂れ流しによる公害病がある。また，地殻に存在する自然由来のヒ素やフッ素

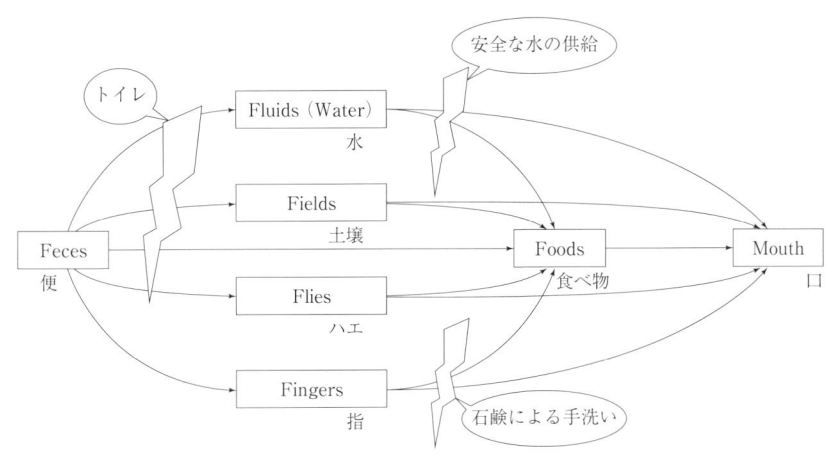

図 8-2　糞口感染症の予防法
出典：Cairncross & Feachem（1993）を参考に筆者作成．

が地下水に浸み出し，その地下水を飲用する住民に慢性中毒症状が発症している。南西アジアのヒ素汚染は被害人口が1億人とも言われており，本来，地下水は安全性が高いと考えられていただけに，安全な水の供給に対する新たなハードルとなっている。

(2) 生活への影響——ジェンダー，教育，尊厳，貧困

　安全な水と衛生設備がないことで蝕まれるのは，人びとの健康だけではない。水は毎日生きるうえで欠かせないものであり，水汲み労働やトイレがないことによる生活全般への影響は多大である。ここでは，4つの主要な側面を考えてみたい。

　1つ目はジェンダーの問題である。自宅に水道が引かれている，あるいは自宅の庭に井戸があるといった場合を除いて，水は汲んで自宅まで運ばなければならない。その水汲み労働は，途上国の約4分の3の世帯で女性と女児が主な担い手となっている（WHO & UNICEF, 2010）。もし最低限必要とされる1日1人当たり20リットルを，家族6人分運ぶとなると120リットルになる。実際に水を運んでみると分かるが，ゆらゆら揺れる液体の入った容器を手に持って（あるいは頭の上に乗せて）歩くのはかなり大変だ。しかも地域によっては，その往復の距離が何キロにも及ぶ。水運びが原因で妊婦が流産することもあるという。また，水汲

みが女の仕事とされる社会では，男性は水汲みをすることを恥とし，重労働である水汲み労働の役割分担がジェンダー間の不均衡な関係を再生産していると考えられる。

2つ目は教育との関連である。水汲み労働は，時間やエネルギーを消耗するとともに，教育を受ける機会を阻害することがある。水汲みは家事の中でも優先度が高く，子どもは学校よりもまずその手伝いをさせられることが多い。とくに女児は男児に比べて家庭の主な水汲みの担い手であることが2倍多く（WHO & UNICEF, 2010），教育の機会の阻害という面でもジェンダー間で差があることが想像できるだろう。一方，学校に適切なトイレがないために，思春期の女子生徒が学校に通わなくなることがあるという。学校にトイレができたために女子就学率が上がったとの報告は多い。

3つ目は，尊厳の問題である。学校にせよ自宅にせよ適切な便所がない場合，野外排泄をすることになり，そのときに性的な嫌がらせを受けることがあるという。近年，トイレが必要とされる理由として，人びとのプライバシーや尊厳，安全性が強調されるようになってきている。

4つ目は貧困との関わりである。水汲み労働は，他の生産的な仕事に費やせる時間を奪っている。水因性疾患に罹れば治療費がかかるだけでなく，病気の間は仕事や学校を休まなくてはならない。さらに，都市部の貧困層は，次項で説明するとおり水を高い料金で買わされている。水問題を特集した2006年の『人間開発報告書』にあるとおり「貧しい人びとは，ほかよりも給水量が少なく，より高い料金を払い，水不足にまつわる人間開発のコストの矢面にたっている（UNDP, 2006, p. 7）」のである。

（3）都市部の問題と村落部の問題

図8-3にみられるように，村落部は都市部に比べて安全な水，衛生設備へのアクセス率が低く，その改善が課題となっている。しかし，都市部に特徴的な問題もある。たとえば，貧困層の集まるスラム地域には一般的に公共水道がなく，水売り商人が運んでくる水や給水車の水を買わなければならない。その支払い額は，公共水道料金の5倍から10倍にもなるという。水道のある地域の住民に比べて，スラム地域の人びとは収入が低いにもかかわらず，支払う水料金が高いのは皮肉な話だ。現に，ラテンアメリカの一部の国では都市貧困層の家計における水

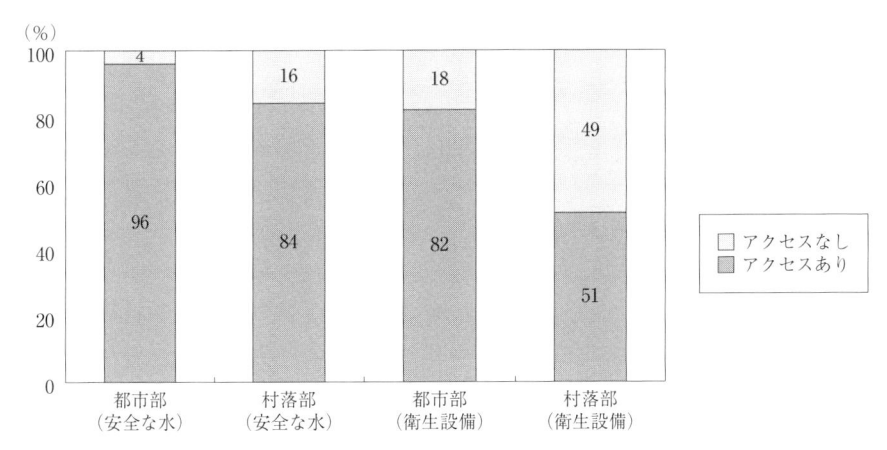

図 8-3 安全な水および基礎的な衛生設備へのアクセスのある人口の割合（都市部／村落部：2015年）
出典：WHO & UNICEF（2015）のデータをもとに筆者作成。

への支出は10％に及んでいるという。

また，衛生環境が著しく悪い途上国の都市は多い。都市部は人口密度が高く，トイレは何世帯かで共有される場合が多く，管理の問題が生じやすい。さらに，用地不足のため，ピット・ラトリン（いわゆるボットン式便所）がいっぱいになったら，そこは埋めて新たに穴を掘るというわけにはいかない。屎尿処理サービスが必要になるが，バキュームカーが不法投棄をおこなう例などもあり，下水道や腐敗槽が未整備な地域の健康リスクは高い。

下水道は非常にコストがかかるシステムであるため，大きな投資を必要とする。世界各地で都市化が急速に進み，都市人口が増加していることをふまえると，都市部における衛生改善は，対応を余儀なくされる重要な課題なのである。

2　水・衛生分野への国際社会の取組みとミレニアム開発目標

（1）国際社会の取組みの変遷

水と衛生が国際社会の重要な問題として議論された最初の大きな会議は，1977年，アルゼンチンのマル・デル・プラタで開催された「国連水会議」であった（表8-1参照）。この会議を受けて，1981年から1990年までが「国際飲料水供給と

衛生の10年」と定められた。最終年の1990年までに，安全な水供給，衛生設備とも100％の普及を図るというかなり意欲的な目標が立てられ，援助機関や政府は給水施設などを建設した。しかし人口増加や都市化，水汚染，水消費量の拡大などにより，水供給の普及率は44％から66％に，衛生設備の普及率は46％から56％に増加するにとどまった。ただし，この「10年」があったことで，国際社会において水と衛生の重要性に対する認識が高まるとともに，関係機関や専門家間の交流と議論が活発になったといわれている。

1992年にはリオ地球サミット（「環境と開発に関する国連会議」）が開催されるが，それに先立ち，アイルランドのダブリンにて水・衛生分野の準備会合（「水と環境に関する国際会議」／「ダブリン会議」）が開催された。ここで採択された『ダブリン宣言』では以下の4原則が示された。

① 淡水は有限な資源である。
② 水資源開発・管理はすべてのレベルの関係者の参加型アプローチに基づくべきである。
③ 女性は，水供給・管理・保全において中心的な役割を果たす。
④ 水は経済的な価値を有し，経済財として認識されるべきである。

この4原則は，リオ地球サミットで採択された行動計画「アジェンダ21」に反映され，その後の水・衛生分野の政策や議論のベースとなった。

リオ地球サミット開催後，国際的な水問題についてさらに取組みを進めるために，2つの組織が1996年に設立されている。1つは，フランスのマルセイユを本部とし，水政策に関する国際シンクタンクとして設置された「世界水会議（World Water Council: WWC）」であり，もう1つは，ストックホルムに事務局を置き，水資源管理の実施支援を目的に設置された「世界水パートナーシップ（Global Water Partnership: GWP）」である。

この前者，WWCが1997年以来，3年ごとに世界水フォーラムを開催している。第1回（1997年）はモロッコのマラケシュ，第2回（2000年）はオランダのハーグが会場となった。世界水フォーラムは国連ベースの会議ではないが，参加団体や参加人数が多く，世論形成の場であるとともに，新しいイニシアティブが発信される場になっている。たとえば第2回世界水フォーラムでは，水の現状と2025年

表8-1　水・衛生分野への国際社会の取組みの変遷

年	主なできごと
1977	国連水会議（マル・デル・プラタ）
1981～1990	「国際飲料水供給と衛生の10年」
1992	水と環境に関する国際会議（ダブリン）
	地球サミット（リオ・デジャネイロ）
1997	第1回世界水フォーラム（マラケシュ）
2000	第2回世界水フォーラム（ハーグ）
	国連ミレニアム・サミット
2002	持続可能な開発に関する世界首脳会議（ヨハネスブルグ）
2003	第3回世界水フォーラム（京都，滋賀，大阪）
2005～2015	「命のための水」国際行動の10年
2006	第4回世界水フォーラム（メキシコシティ）
2008	国際衛生年
2009	第5回世界水フォーラム（イスタンブール）

出典：筆者作成．

の予測状況を示した「世界水ビジョン」が策定され，水問題の深刻さを世に強く訴えることに寄与した。

そして第2回世界水フォーラムの半年後，2000年9月に採択された『国連ミレニアム宣言』において，安全な水へのアクセスがない人口比率を半減することが掲げられた。さらに2002年にヨハネスブルグで開催された「持続可能な開発に関する世界首脳会議（World Summit on Sustainable Development: WSSD）」において，安全な水に加えて基礎的な衛生設備を継続的に利用できない人びとの割合を半減することがMDGsに盛り込まれた。国際社会において広く，そして強いコミットメントを得たMDGsのなかに水と衛生に関する項目が明記されたことは，多数ある開発課題のなかでも安全な水の供給と衛生設備の普及が高いプライオリティーをもつことを示している。

2003年には，第3回世界水フォーラムが京都などで開催され，日本が世界の水問題に積極的に貢献していることを示す機会となった。2005年からは「『命のための水』国際行動の10年」が国連主導で始まったが，MDGs達成のために給水や衛生改善を推進することに加え，それ以外の水問題――たとえば統合水資源管理，水質保全，農業用水，水害などについても対策を講じることが提唱された。

その後，メキシコシティで開催された第4回世界水フォーラムでは，国連水と

衛生諮問委員会が「橋本行動計画」を発表し，その提案をうけて，2008年は国際衛生年とされた。国際衛生年は，MDGs 達成が危ぶまれる衛生分野の推進を図ることを目的としていた。国際衛生年の取組みについては，後節で詳述することとしよう。

（2）ミレニアム開発目標における水・衛生

「2015年までに，安全な飲料水および基礎的な衛生設備を継続的に利用できない人びとの割合を半減する」──本章で繰り返し述べているこの項目は，MDG 目標7「環境の持続可能性の確保」のターゲットのひとつである。第1節でみてきた水・衛生の影響を鑑みれば，このターゲットが MDGs の他の目標──目標4（乳幼児死亡の削減），目標5（妊産婦の健康の改善），目標3（ジェンダー平等推進と女性のエンパワーメント），目標2（初等教育の完全普及の達成），目標1（極度の貧困と飢餓の根絶）──にも深く関わっていることが明らかだろう。なお，2016年からの SDGs でも水と衛生に関する目標が含まれている。

ここで改めて「安全な飲料水および基礎的な衛生設備」とは具体的に何を指すのか理解しておこう。水と衛生に関する MDGs の達成度は，WHO と UNICEF が設置した合同モニタリング・プログラム（joint monitoring programme: JMP）がレポートしている。その JMP は，それぞれ次の指標をモニタリングで用いている。

- 飲料水について改良された水源（給水施設）を利用している人口の割合
- 改良された衛生設備を利用している人口の割合

すなわち，「安全な飲料水」とは「改良された水源から得られる水」であり，その「改良された水源」は表8-2のように規定されている。長期にわたって飲んでも健康に害を及ぼさない水の水質基準値は，『WHO 飲料水水質ガイドライン』に細かく示されているが，開発途上国の村落部のすべての井戸や湧水について，水質検査をして「安全かどうか」を確認することは実質不可能である。そこで，より安全な水（とくに糞便による汚染のない水）が得られる確率の高い「改良された水源」を飲料水として利用しているかどうかがモニタリングされる。

表 8-2 MDGs で規定される「改良された水源と衛生設備」

改良された水源	改良された衛生設備
・各戸給水 ・公共水栓 ・管井戸・機械掘削した井戸 ・保護された手掘りの井戸 ・保護湧水 ・雨水	・水洗式トイレもしくは注水式トイレで下水道，腐敗槽，ピット・ラトリンに接続しているもの ・VIP ラトリン（改良換気型ラトリン） ・スラブ付きピット・ラトリン ・コンポスト・トイレ

出典：UNICEF & WHO（2008）を参考に筆者作成。

「基礎的な衛生設備」についても，「改良された衛生設備」として表 8-2 のように基準に合致するタイプの設備が示されている。便による周辺の環境汚染防止と，トイレの使用者の清潔の両面が考慮に入れられている。たとえば，もっとも低コストなピット・ラトリンでは，屎尿を竪穴（ピット）にためて外部環境に広がらないようにすることに加え，スラブとよばれる主にコンクリート製の板敷があることが条件とされる。このスラブは掃除がしやすく強固で安全性が高い。使用者にとって清潔さを保ちやすい水洗式や注水式（手で水を流す）トイレでは，汚水が垂れ流しにならないように下水道や腐敗槽，あるいはピット・ラトリンに接続し，まわりの環境汚染にならないことが JMP での基準となっている。

なお，JMP では「改良されていない水源（給水設備）」と「改良されていない衛生設備」とみなされるものも明記している。前者は，①保護されていない湧水，②保護されていない手掘りの井戸，③小さなタンクをのせた荷車，④給水車，⑤表流水，そして⑥（ペット）ボトルの水が含まれる。つまり，水質の安全性さえ確保されれば良いわけではない。私たちが日本から旅行者として訪れ，短期滞在する場合は水質の保証されたペットボトルの水を飲めばよいだろう。しかし，日々そこで暮らす生活者にとっては，ペットボトルの水で飲料水を常に賄うことは現実的ではない。現に JMP の定義では，生活用水に安全な水を利用し，そのうえでペットボトルの水を飲んでいるのでない限り，飲料水をペットボトルで確保している状況は「安全な飲料水を継続的に利用できる」とはみなされないのである。

「改良されていない衛生設備」として挙げられているのは，①垂れ流しの注水式・水洗式トイレ，②スラブのないピット・ラトリン，③バケツトイレ，④ハンギング・ラトリン（川や湖などに排泄物が直接落ちるようになっているトイレ），⑤公

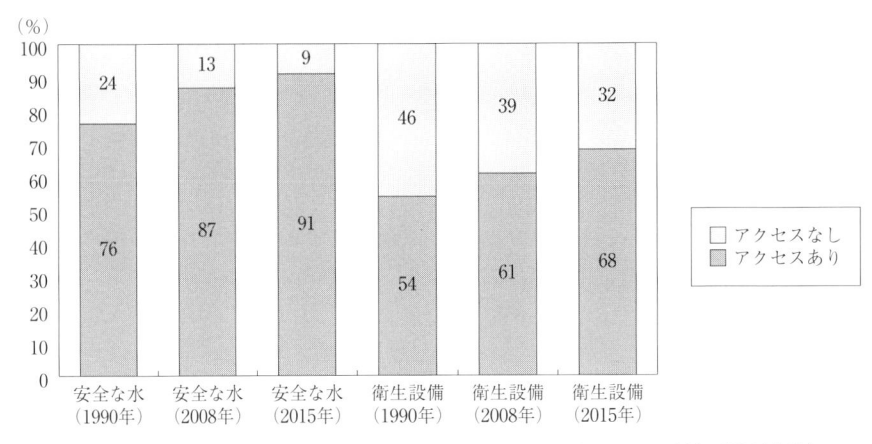

図8-4 安全な水および基礎的な衛生設備へのアクセスのある人口の割合（世界全体）
出典：WHO & UNICEF（2015）のデータをもとに筆者作成。

衆トイレや世帯間で共用されているトイレ，⑥野外排泄，となっている。

さらに詳しい定義を知りたい場合は，JMPのホームページもしくは2年ごとに（2012～15年は毎年）発行されるJMPの報告書を読むことをお勧めしたい（章末の参考文献参照）。なお，モニタリングの精緻化によって，2008年に定義が若干変更したことを付記しておきたい（たとえば，「保護された浅井戸」が「保護された手掘りの井戸」になったことなど）。

（3）衛生ターゲットの立遅れと国際衛生年

国際社会はMDGsの達成に向けて懸命に取り組んできた。その結果，図8-4のとおり安全な飲料水へのアクセスのない人口比率は1990年の23％が2008年時点で13％に削減されており，目標である「半減」は2015年までに達成できるとこの時点ですでに見込まれた。一方，基礎的な衛生設備へのアクセスがない人口比率は，1990年の46％が2008年時点で39％に削減されたにとどまり，目標とされる23％の達成が危ぶまれた。

この衛生分野の立遅れを懸念して，国際社会は2008年を「国際衛生年」と定めて推進事業を実施した。たとえば，衛生をテーマに各地域で閣僚級を招集した国際会議が実施された。「公衆衛生に関する東アジア閣僚会議」（East Asia Ministerial Conference on Sanitation and Hygiene: EASAN）は，日本の別府で2007年12月に開催された。また，2008年には多くの国が国家レベルで衛生改善に係るアクションプランを策定するとともに，援助機関と政府が一緒に啓発活動のイベントを実施した。たとえば，10月15日は「世界手洗いの日」と定められ，初年となった2008年には85カ国でイベントが行われて2億人の学童がこれに参加したという。ジュネーブに本部を置く水供給衛生協調会議（Water Supply and Sanitation Collaborative Council: WSSCC）が，途上国の衛生関連事業をサポートするために「グローバル・サニテーション・ファンド」という新しい資金調達メカニズムをつくったのも2008年である。

　一般に衛生分野は，縦割り行政のなかで水資源省，保健省，教育省，地方自治体などの複数の省庁にまたがっているため連携が難しい。また，経済成長に直接寄与しないと考えられ，成果も地味であるため，国家政策のなかでプライオリティーが低い。国際衛生年を通じて，一般住民のみならず政策決定者をも含めて，衛生の必要性について意識を高めることができたのは大きな成果といえるだろう。しかし，残念ながらMDGsの衛生目標は達成されず，今後も努力が必要だ。

3　安全な水へのアクセス向上にむけた課題

（1）水は商品か？——民営化の問題

　JMPの数値だけを見れば，安全な飲み水へのアクセスは順調に伸びており，問題は解決の方向に向かっているかに見える。しかし，今後も全世界で人口の増加，とくに都市人口の増加は進む。それに対応する給水量の増加や水道網の拡大が必要だ。また，都市の衛生状態を保つためには，下水処理も対応しなければならない。都市水道や下水道の事業では，初期のインフラ建設に相当の資金を要するが，加えて浄水場や下水処理場の運転・維持管理，漏水や水汚染の原因となる配水管劣化への対応，料金徴収システムの運営など，技術，運営・管理のノウハウも必要となる。

　そこで世界銀行などの国際金融機関は，1990年代以降「水の民営化」を促進してきた。競争を導入することで水事業の効率化を図り，水部門への投資を拡大する一方，政府の財政負担を軽減できるという論理だ。実際，途上国と先進国の両方において水道事業の民営化は急速に進んでいる。1990年には民間企業から給水

を受けていた人口は世界で5100万人だったのが，1999年には3.5億人，2009年には8億人に及んでいる。その約3分の1の人口は，ヨーロッパのグローバル企業5社によってカバーされており，とくに2大水企業（いずれもフランスの企業）であるヴェオリア（旧ヴィヴェンディ）とスエズは，それぞれ1社で1億人以上に対する給水を担っている。

　今や「水ビジネス」は成長の約束された産業とみなされている。ヨーロッパ系の企業に寡占されてきた業界に，近年，シンガポール，韓国，さらに現地の企業も参入・拡大。日本の企業も海外展開を狙っており，それを支援するために経済産業省が「水ビジネス国際展開研究会」を2009年に立ち上げた。

　その一方で，水の民営化には大きな異議も唱えられ，論議を生んでいる。それは実際に民営化が導入された地域で，水道料金の大幅値上げや水質の悪化など，人びとの生活に大きな弊害をもたらすケースがあったからだ。民営化に対して市民が抵抗した有名な例が，ボリビアのコチャバンバ市に見られる。1999年，世界銀行の指導に従い，水道事業の民営化がおこなわれたその直後，同市の水料金は大きく引き上げられた。これに反対した住民は抗議運動を開始し，政府はそれを武力で制圧しようとしてデモ隊と衝突。死者6名，子どもを含む負傷者を多数出し，多くの人が拘禁されることになった。反対運動はコチャバンバ市以外にも広がり，最終的に政府は民営化の契約を解消することになった。

　水事業の民営化を反対する人びとは，営利目的のグローバル企業が市場原理によって水を運用・商品化するべきではない，と主張する。水は公共財・国際共有財であり，水はすべての人びとに保障されるべき基本的人権である，との考えに立つ。水が基本的人権かどうかという点については，長く民営化推進派との間で攻防戦が続いていたが，2010年7月の国連総会で「安全で清潔な水と衛生設備は基本的人権である」との宣言が決議採択された。

　一方，産業界からは「水が基本的人権であるとしても，水事業への民間企業の参入が人権侵害にあたるのか」という疑問や，「食べ物と同じように水には経済的価値があり，低すぎる料金設定は水の浪費を生んで水不足を招きかねない」などの声が挙げられている。

　水と衛生が基本的人権であることを出発点にしても，貧困層を含むより多くの人が安全な水を得られるようにする模索は続く。民営化のあり方や政府の役割はどうあるべきなのか——この議論は継続しておこなう必要があるだろう。

（2）給水施設の維持管理

都市水道に限らず，村落部で主に利用される手動ポンプ式の井戸でも，施設の維持管理体制の構築は重要な課題である。給水施設は，建設すれば「完了」というわけにはいかず，適切な維持管理や修理がされなければ，やがて故障し，その地域の人びとは再び「安全な水へのアクセス」を失うのである。

給水施設が点在する村落部では，施設の維持管理を住民主体で実施することが，今では多くの国の水政策における方針となっている。では，コミュニティで共用する給水施設を住民で維持管理する場合，どのようにしたらいいか皆さんにも考えてみてほしい。まず，ヒト・モノ・カネ，すなわち故障した時に修理ができる人，修理するためのスペアパーツ（部品），スペアパーツを買うためのお金，が必要だということは予測がつくだろう。お金は水利用者から集めることになるが，どのようにお金を集め，そのお金はどう管理するのか。こうした詳細を決め，給水施設に関する責任をもつ住民の委員会もいる。

住民主体の維持管理体制が構築されるための要件を整理すると，以下が挙げられる。

① 給水施設の維持管理全般を統括する水管理委員会が，住民代表者を中心に組織され機能すること。
② 維持管理費用を賄うために，水の使用料を徴収するシステムが構築され，徴収された水料金が適切に管理されるること。
③ 日常的な保守整備や軽微な修理の技術を備えた地域の人材が育成されること。
④ 保守整備や修理のためのスペアパーツが入手できること。
⑤ 住民の手に負えない故障が生じた場合は，政府や民間業者による修理が実施されるような体制が構築されること。

なお，⑤について補足すると，かつては大きな故障が生じると，中央政府が行政サービスの一環として（実際に機能していたか否かは別にしても）責任を負っていた。それが「小さな政府」と地方分権化，それに加えて民間セクターの活用が世界的な潮流となるなかで，給水施設の大規模な修理は民間業者がおこない，地方自治体がモニタリングや監督をおこなう，という新しい方式へと移行している。

しかし，民間業者は利益が得られない限り参入はしない。地方分権化が急速にすすめられたアフリカなどでは，地方自治体は予算や人材が不十分であることが多い。コミュニティ（水管理委員会）と政府，そして民間業者の役割分担は，対象地域の現況を十分踏まえて検討する必要がある。

給水率向上に直結する給水施設の新規建設に比べ，①から⑤のようなソフト面への支援は地味な協力である。しかし，持続性を考えるとその重要性は非常に高く，援助機関もひきつづき協力していくべき分野である。

（3）気候変動にともなう水環境の変化

「気候変動に関する政府間パネル（Intergovernmental Panel on Climate Change: IPCC）」第4次報告書（2007）によれば，気候変動により，気温の上昇，異常気象の増加，降水量の変化，氷河の融解，海面上昇などの影響が出るとされている。これは，人間が必要とする淡水資源に，直接的・間接的に多大な負荷を与えることになる。

異常気象や降水特性の変化のため，干ばつの増加が予測されるが，これは表流水の減少，自然の保水能力および地下水位の低下を招く。まさに，水へのアクセスは悪化することになる。農業用水や工業用水のために，多くの地域で地下水はすでに過剰揚水されており，地下水位の低下は深刻化している。これに拍車がかかることになる。では，雨がたくさん降れば良いかというとそうでもなく，異常気象によるハリケーンや豪雨は，洪水などの水害をもたらすばかりか，水の表面流出の割合を増加させるという。すなわち，地下浸透の割合は低下するのである。

また，気温上昇による氷河の融解・縮小が観察されているが，氷河が縮小すると氷河を水源とする河川の流量は減り，これも水不足の原因となる。氷河の縮小や降水量減少に伴う流量減少は，水質悪化ももたらす。汚染された水によって水因性疾患が増加することも考えられる。さらに，海面上昇は，沿岸部地域の地下水の塩水化をひきおこし，河口付近の河川からの取水にも影響を及ぼす。

このように，気候変動は様々な形で「安全な水へのアクセス」を困難なものにする。では，どうすればよいのか。国際協力機構（2010）では，水利用に関する適応策として以下を提案している。

① 水資源マネジメントの強化：計画策定と能力強化，水配分制度整備，モニ

タリング，需要マネジメント，地下水資源マネジメント，水質汚濁対策，既存施設改善。
② 貯留の強化：地下水涵養，雨水貯留，ダム，貯水池の建設による貯留容量増加など。
③ 新技術の導入：海水の淡水化，下水の高度処理と再利用。
④ 産業構造の見直し：水ストレスの高い地域における灌漑農業の縮小など。

かなり広範で総合的な取組みを要することがわかるだろう。MDGs の給水ターゲットは達成したが，安心して利用できる水を確保する努力は，より一層強化しなければならないのである。

4　衛生改善への様々なアプローチ

　基礎的な衛生設備へのアクセスを向上させるには，直接的には各世帯のトイレの建設が必要になる。しかし各世帯のトイレを援助機関なり政府が建設することは現実的ではなく，また補助金を多く出すことも，かえって自主性を損ない，持続性を保てなかった過去の経験から，否定的にとらえられている。
　最近の潮流では，住民の意識変革と行動変容がカギを握ると考えられている。住民自らが衛生改善をおこなう必要性を感じ，トイレを建設し，トイレの清潔な利用や石鹸による手洗いといった衛生行動をとる。以下では，こうしたことに焦点を当てた衛生改善のアプローチで，有効性が認められているものをいくつか紹介したい。

（1）学校における衛生改善活動
　比較的古くからあるのが，学校における衛生改善の活動である。以前は school sanitation and hydiene education（SSHE：学校衛生と衛生教育）と呼ばれていたが，今は WASH in schools という呼称が一般的だ。WASH とは water, sanitation and hygiene の略で，水・衛生設備・衛生行動を意味する。
　WASH in schools には，3つのねらいがある。1つは，安全な水の給水施設と衛生的でプライバシーの保てるトイレを学校に建設することで，健全な学習環境を整えることだ。学校の水が汚くて水因性疾患などにかかれば欠席率は上がる

し，学校トイレの有無と女子就学率の関係は，第1節でみてきたとおりである。2つ目は，学校で衛生教育を実施し，その実践を可能にするトイレや手洗い施設のある環境で適切な衛生行動を身につけさせることだ。3つ目は，子どもたちが身につけた衛生に関する知識や態度を親やコミュニティの人びとへと伝達し，影響を与えることである。

　WASH in schools では，学校の給水・衛生設備の建設，教員の衛生教育の能力強化に加え，学校内に「衛生クラブ」を組織して学童によるトイレ掃除や啓発活動を実施するといった興味深いアプローチを UNICEF などが推進している。

(2) CLTS（コミュニティ主導トータル・サニテーション）

　次に紹介したい衛生改善のアプローチは，CLTS すなわち community-led total sanitation である。これは，コミュニティ全体として野外排泄が根絶されることを目指してコミュニティが主体的に活動するアプローチだ。社会開発・参加型開発の専門家カマル・カル（Kamal Kar）氏が発案したこのアプローチは，バングラデシュのプロジェクトでトイレ建設の資金的支援をせずとも，コミュニティ全体でトイレ建設が進み，野外排泄がなくなるという成功をもたらした。

　CLTS では人びとの意識や行動の変化に主眼を置く。NGO などの外部ファシリテーターが，住民自身による現況分析のきっかけをつくり（多くの場合，野外排泄をすることの羞恥心に訴えかける），住民はコミュニティ内の踏査や排泄場所のマッピングなど参加型手法を用いて，自分たちの置かれている衛生状態を把握する。そこから行動計画を立てるが，コミュニティという単位で結果を出すことが目標となるため，住民同士の助け合いや指導がおこなわれることになる。そのような協働は，「たとえ少人数であっても野外排泄をする人がいると，それがコミュニティ内の環境汚染を招き，自分たちにも健康被害が及ぶ」との認識に基づく。野外排泄を根絶したコミュニティに対して，プロジェクトで祝賀会を実施して要人を招いたり，コミュニティの入口に目標達成を示す看板を立てたりして，人びとの自尊心を高めてエンパワーする工夫がされている。その結果，他のコミュニティ開発事業の実施に発展する場合もあるという。CLTS の活用は，WSP, Plan International, WaterAid などの援助機関が支援するプロジェクトを中心に，世界各地で急速に広がっている。

（3）WASH キャンペーン

先述の WSSCC は，衛生に関与する組織のネットワーキングと知識の共有を支援する一方，アドボカシーやマスコミを巻き込んだ広報に力を入れている。たとえば衛生に関する意識の向上を目的とした Global WASH（water, sanitation and hygiene for all）Campaign では，図 8-5 のようなインパクトの強い広報を用いて啓発を図っている。ネットワーキングでは，WSSCC は各国内における「全国 WASH 連合（national WASH coalition）」の組織化と活動支援も実施した。

図 8-5　トイレが人間の尊厳に関わることを訴えた WSSCC のアドボカシー用の写真
出典：WSSCC（2010）.

エチオピアの全国 WASH 連合である「エチオピア WASH 運動」は国内での WASH キャンペーンを成功させた例として挙げられる。政府，NGO，宗教団体，メディア，民間団体，ドナー，国連組織，そして個人も含め70もの団体から成る連合を組織し，衛生改善のための政治的・社会的コミットメントと実現を求めている。

「エチオピア WASH 運動」では，その年に普及させるシンプルなスローガンを1つだけ選び，メンバーはそのねらいを共有する。連合が結成された最初の年度（2004～05年）は「あなたの健康はあなたの手の中にある（Your health is in your hands）」というスローガンで，石鹸による手洗いを推進した。「健康と尊厳のためにトイレを使おう（Use latrines for our health and dignity）」は2005年度のスローガンである。キャンペーンの一環として各地でイベントをおこなったり，ラジオ番組を放送したり，議論の場を設けたりした。評価モニタリングにも力を入れて毎年評価レポートを出し，ステークホルダー間でふり返りのためのミーティングを実施している。省庁間の連携も進み，保健省，水資源省，教育省の間で2006年に協調関係の推進を図る合意文書に署名がされた。

エチオピアでは，2003年に11.5％だったトイレ普及率が，2008年には54.0％に急上昇した。草の根レベルでいくつものプロジェクトが実施されたこともあるが，

「エチオピアWASH運動」が牽引役となって、広くステークホルダーが連携したこと、メッセージの普及にメディアを巻き込んだこと、そして、政策決定者による政治的コミットメントを得たことなどが成功に貢献したと考えられる。

日本は、水と衛生分野の政府開発援助において、経済協力開発機構（OECD）の開発援助委員会（Development Assistance Committee: DAC）メンバー国のなかでトップドナーである。2005年から2009年までの5年間の水・衛生分野の援助額を見ると、DAC諸国の38％を日本が占める。これは、水・衛生分野において、日本の役割も日本に対する期待も大きいことを示す。本章で見てきたように、安全な水と基礎的な衛生設備へのアクセス向上を支援することは、課題も多くチャレンジングな取組みである。しかし、水・衛生の重要性を認識すれば、まさしく人命と人びとの生活そのものに関わる尊いタスクと言えよう。

今後の学習のための参考文献

(1)初級

国際協力機構（2009）『現場に見る人間の安全保障――セネガル編』国際協力機構。（映像資料）
　　http://jica-net.jica.go.jp/dspace/handle/10410/656
国包章一著、真柄泰基監修、国際厚生事業団編（1999）『開発途上国の水道整備Q&A――水道分野の国際協力』国際協力出版会。
杉田映理（2007）「水問題への働きかけ――安全な水と衛生」佐藤寛・アジア経済研究所開発スクール編『テキスト社会開発――貧困削減への新たな道筋』日本評論社。
WSSCC (2010), Hurry Up! "Millions of women have to do with an audience".
　　http://www.wsscc.org/resources/resource-advocacy-materials/hurry#2

(2)中級

UNICEF (2009), *Soap, Toilets and Taps : A Foundation for Healthy Children――How UNICEF Supports Water, Sanitation and Hygiene*, New York: UNICEF.
　　http://www.unicef.org/wash/files/26351FINALLayoutEn1.pdf
WHO and UNICEF (2015), *Progress on Sanitation and Drinking-water : 2015 Update and MDG Assessment*, Geneva: World Health Organization.
　　http://unicef.org/publications/progress_on_sanitation_and_drinking_water_2015_update_.pdf
　　＊WHOとUNICEFから2年ごとに出版されている世界の水と衛生の現状についてのレポート。MDGsのターゲット達成状況について、図や写真を多用して分かりやすく示されている。

国際協力事業団国際協力総合研修所（2002）『水分野援助研究会——途上国の水問題への対応』国際協力事業団．
http://www.jica.go.jp/jica-ri/publication/archives/jica/field/2003_01.html

(3)上級

Sandy Cairncross and Richard Feachem (1993), *Environmental Health Engineering in the Tropics : An Introductory Text,* Chichester, UK: John Wiley & Sons.
 ＊水因性疾患を中心とする感染症の予防と対策，環境衛生の改善，さらに水・衛生プログラムについて解説されている古典的な教科書．
UNDP (2006), *Human Development Report 2006 : Beyond Scarcity——Power, Poverty and the Global Water Crisis,* New York: UNDP.
hdr.undp.org/en/media/HDR06-complete.pdf
World Water Assessment Programme (2009), *The United Nations World Water Development Report 3: Water in a Changing World,* Paris: UNESCO/London: Earthscan.
http://www.unesco.org/water/wwap/wwdr/wwdr3/tableofcontents.shtml

(4)ウェブサイト

IRC International Water and Sanitation Centre
http://www.irc.nl
 ＊途上国を中心とする水・衛生分野の取組みに関し，その最新情報や研究成果の共有化を目的としたサイト．ここからリンクして，各種レポートのダウンロードも可能．
WHO/UNICEF Joint Monitoring Programme (JMP) for Water Supply and Sanitation
http://www.wssinfo.org/en/welcome.html
 ＊水・衛生分野の MDGs のモニタリングを行っている JMP のホームページ．水・衛生ターゲットの詳細や各国のデータについての情報が入手できる．
Water and Sanitation Programme (WSP)
http://www.wsp.org/

Column 8

「安全な飲料水」のために

　コーズ・リレーティッド・マーケティング（cause-related marketing: CRM）．ご存知の方も多いと思うが，非常に簡単な言い方をすれば，商品やサービスの売り上げの一部を，慈善事業などに寄付するマーケティングの手法である．
　2007年夏，日本ユニセフ協会は，キリン MC ダノンウォーターズ株式会社とともに，ボルヴィックのミネラルウォーターを1リットル買えば，アフリカの村に安全な

ソーラーパワーを使った簡易水道設備
（Ⓒ日本ユニセフ協会）

飲料水が10リットル提供されるという「1ℓ for 10ℓ（ワンリッター・フォー・テンリッター）」プログラムをスタート。CRMという手法があまり知られていなかった当時，「ユニセフというブランドを企業の商業活動に使わせている」などといった誤解が生じるのではないかという懸念もあった。しかし，テレビCMが映し出したのは，商品よりも，このプログラムを通じて設置された深井戸から出てくる清潔で安全な水を飲む子どもたちの笑顔。朝から晩まで繰り返されるCMをご覧になった方々からは，「あのCMのように，自分の募金が世界中の子どもたちに笑顔を届けているかと思うとうれしくなった」など，例外なくポジティブなものばかりだった。

さらに，このキャンペーンがCRMであったことを強く認識させられたのは，次のような声だった。「ユニセフが水の支援をしているなんて知らなかった」「安全な水が飲めない子どもたちがこんなにいるなんて知りませんでした」。

「1ℓ for 10ℓ」は，私たちがもつリソースだけではこれまで届けきれていなかった非常に広範な「個人」に対して，ユニセフのメッセージを伝えてくれたという点で，募金にとどまらない大きな成果をもたらしてくれたキャンペーンだった。

国際機関や各国政府，NGO，途上国の人びと，企業……。MDGs達成への取組みに欠かせない関係者のなかで，恐らく最も大きな力を持ちながら，その力が十分に活用されていないのが，「個人」や「消費者」「市民」「募金者」と呼ばれるグループであろう。だとすれば，「1ℓ for 10ℓ」プログラムは，「個人」と「現場」をつなぐ1つの形を示してくれたのかも知れない。

（中井裕真）

第Ⅲ部

成長と発達のための人間開発

第9章　乳幼児のケアと教育
── 早期介入と子どもの発達 ──

浜野　隆

この章で学ぶこと

　本章では，乳幼児のケアと教育を取り上げる。まずはじめに，就学前の子どもへの注目がなぜ重要なのか，ミレニアム開発目標（MDGs）と関わらせながら説明する。具体的には，乳幼児のケアと教育が，子どもの健康や栄養の改善，貧困削減，初等教育の質的改善，就学の男女平等といったMDGsにどのように関係するのかを説明する。そのうえで，主に途上国を中心に世界の乳幼児の発達・発達環境，乳幼児のケア・教育の現状（就学前教育や3歳未満のプログラム）を概観する。

　次に，乳幼児のケアと教育をめぐるいくつかの概念について簡単に説明を加えたあと，この章では，乳幼児のケア・教育の重要性について，1つには「子どもの権利」の観点から，いまひとつは「乳幼児ケア・教育の効果」の観点から述べていくことにする。子どもの権利はむろん乳幼児にも適用されるものであり，「子どもにとっての最善の利益」という点で，適切な幼児ケアがすべての子どもに保障されることが重要である。また，近年の脳科学の知見から，幼児期が脳の発達という点で非常に重要な時期であることや，言語や認知発達においてきわめて重要な時期（臨界期・敏感期）が存在することなど，様々な実証研究から，幼児への介入が良好な効果を上げている。

　これらの点を踏まえたうえで，途上国における乳幼児のケアと教育の課題，援助機関の取組み，国際協力の課題をまとめている。そして，最新の研究結果を踏まえ，いかなる実践が効果を上げているのか，説明する。結びには，この分野における日本の協力可能性についても触れた。乳幼児期は人生の土台が形成されるきわめて重要な時期である。乳幼児への支援が途上国の子どもたちにとってどのような意味をもつのか，考えていこう。

キーワード　ECD, ECCE, ECCD, 保育，幼児教育，幼児期，臨界期，敏感期，子どもの権利，就学レディネス

1　世界の幼児と「乳幼児のケアと教育」

（1）「乳幼児のケアと教育」とミレニアム開発目標（MDGs）

　本章では，乳幼児のケアと教育を取り上げる。まずはじめに，乳幼児のケアと教育（early childhood care and education: ECCE）がなぜ重要なのか，MDGsとどのように関係しているのか見ておきたい。表9-1は，MDGsの目標1から4までについて，その指標のなかから乳幼児のケアと教育が関係するものについて地域別に最新の指標を見たものである。

　これを見ると，まず，乳幼児を直接対象とした指標としては「低体重の5歳未満児の割合」「5歳未満児の死亡率」「乳児死亡率」「はしかの予防接種を受けた1歳児の割合」があることがわかる。これらはまさに乳幼児自身に関する指標であり，その改善はMDGsの改善そのものを意味する。

　また，言うまでもなく，乳幼児はいつまでも乳幼児でいるわけではなく，いずれ学齢となり，青年・成人へと成長していく。これまで，数多くの研究において，乳幼児期のケアと教育が，子どものその後の就学や進学，学業達成や生活水準に深い関係があることを示してきた。表9-1のなかの目標2の指標である「初等教育における純就学率」や「第1学年に就学した生徒のうち初等教育の最終学年まで到達する生徒の割合」は幼児期後の学童期の問題であり，これらは「15〜24歳の男女の識字率」にも影響を及ぼす。就学や学業の継続は，幼児期におけるケアや教育によって形成される就学レディネス（就学準備状況）が深く関係すると言われており，乳幼児のケアと教育はこれらの指標と深く関係している。乳幼児のうちから健康や栄養，教育の改善がなされることによって，MDGsの目標1である「極度の貧困と飢餓の根絶」にも結びついていくことが期待される。

　乳幼児のケアや教育が女子・女性に及ぼす影響も大きい。乳幼児のケアや教育の体制が整うことによって，家庭内で学齢の女子が幼児（弟や妹）の世話から解放され，就学の可能性が高まるし，また，母親は就業しやすくなる。これは，目標3の指標である「初等・中等・高等教育における男子生徒に対する女子生徒の比率」や「非農業部門における女性賃金労働者の割合」の改善につながる。

　このように，乳幼児のケアと教育は，乳幼児自身の健康や栄養状態，発達を高めるだけでなく，それらの子どもたちのその後の学校生活や人生，周囲の女子や

表 9-1 幼児のケアと教育に関連する MDGs の指標

	開発途上地域	サハラ以南アフリカ	ラテンアメリカ・カリブ海地域	東アジア	南アジア	東南アジア	西アジア
目標 1							
1日1ドル未満で生活する人口の割合 (2005)	26.6	50.9	8.2	15.9	38.6	18.9	5.8
低体重の5歳未満児の割合 (2008)	26	27	6	7	46	25	14
目標 2							
初等教育における純就学率 (2008)	88.8	76.4	94.9	96.0	89.7	94.7	88.0
第1学年に就学した生徒のうち初等教育の最終学年まで到達する生徒の割合 (2008)	86.7	63.8	101.0	96.0	85.4	98.7	88.2
15〜24歳の男女の識字率 (2005-2008)	87.2	71.9	96.9	99.3	79.3	96.1	92.7
目標 3							
初等教育における男子生徒に対する女子生徒の比率（女／男）(2008)	0.96	0.91	0.97	1.04	0.96	0.97	0.92
中等教育における男子生徒に対する女子生徒の比率（女／男）(2008)	0.95	0.79	1.08	1.05	0.87	1.03	0.86
高等教育における男子生徒に対する女子生徒の比率（女／男）(2008)	0.97	0.67	1.25	1.00	0.76	1.07	0.92
非農業部門における女性賃金労働者の割合 (2008)	35.5	32.4	42.4	41.2	19.2	38.1	20.1
目標 4							
5歳未満児の死亡率 (2009)	66	129	23	19	69	36	31
乳児死亡率 (2008)	49	86	19	18	56	29	26
はしかの予防接種を受けた1歳児の割合 (2008)	81	72	93	94	75	88	83

出典：*The Millennium Development Goals Report 2010*および*The Millennium Development Goals Report Statistical Annex 2010*より筆者作成。

女性に対してもプラスのインパクトを与えることによって，MDGs の達成に大きく貢献する領域であると言えよう。

（2）乳幼児の現状

それでは次に，表9-1をもとに乳幼児に関連する指標の現状を見ておこう。まず，乳幼児自身を対象とした指標であるが，目標1の1つの指標である「低体重の5歳未満児の割合」については，開発途上国全体では26％である。地域別に見ると，南アジア，サハラ以南アフリカ，東南アジアで発生率が高いことがわかる。次に，目標4の「5歳未満児の死亡率」（出生児1000人当たりの値）であるが，これに関してはサハラ以南アフリカが129と圧倒的に高い。途上国全体の値が66であることから考えても，サハラ以南アフリカでは，5歳未満の子どもの死亡が非常に高い発生率で生じていることがわかる。サハラ以南アフリカに次いで高いのは南アジア（69）となっている。乳児死亡率に関しても地域別の傾向は5歳未満死亡率と同様で，サハラ以南アフリカが最も高く，次いで南アジアとなっている。はしかの予防接種を受けた1歳児の割合は，途上国全体では81％となっている。これに関しても地域間格差は大きく，最も高い予防接種率の東アジアが94％であるのに対して，最も低いサハラ以南アフリカでは72％にとどまる。

このように見てくると，サハラ以南アフリカと南アジアにおける乳幼児をめぐる状況がきわめて厳しいことがわかるが，これらの地域においては，最近10～20年くらいの間に大幅に状況が改善していることも確かである。たとえば，5歳未満児の死亡率でいえば，サハラ以南アフリカにおける1990年の値は，出生児1000人に対し184人であった。それが，2000年には166人となり，表9-1にもあるように2009年には129人にまで改善されているのである。南アジアに関しても同様である。南アジアにおける5歳未満児の死亡率は，出生児1000人に対し121人（1990年），97人（2000年），69人（2009年）と，着実にその改善が達成されてきているのである。これらは，子どもの権利や健康に関する国際的な取決めや目標設定，国際的な支援活動，各国政府や市民社会，地域による取組みなどの成果であると考えられる。MDGs の達成まではまだ道のりは遠いものの，これまでの達成は，国際機関・途上国政府・市民社会が力を合わせて取り組めば着実に成果があがることを示している。

(3) 就学前教育・保育プログラムの現状

前項で述べた乳幼児死亡率や予防接種などは，どちらかといえば，乳幼児に対する「ケア」の領域である。次に，幼児に対する「教育」の現状について見てみたい。教育に関するグローバルな目標設定は，むろん MDGs のなかでもなされているが，それと同時に「すべての人に教育を（education for all: EFA）」という国際目標にも位置づけられている。EFA のゴール1は，「最も恵まれない子どもたちにとくに配慮をおこなった総合的な乳幼児のケアおよび教育（ECCE）の拡大及び改善を図ること」である。ゴール1はしばしば就学前教育の拡充ととらえられているが，その本質は単なる幼稚園教育の普及にあるのではない。「最も恵まれない子どもたち」にとくに配慮したものであること，教育だけではなく，乳幼児のケアと教育の双方を含んだ総合的なアプローチであること，普及拡大だけでなく質的な改善にも目を向けていることが重要である。

しかしながら，乳幼児のケアと教育の分野は統計データを収集する体制が十分に整っているとは言えず，グローバルなレベルで集計が可能なデータはあまりない。そのため，「本当に最も恵まれない子どもたちに届いているのか」「総合的アプローチがとられているか」といった点に関しては断片的な情報しかなく，全体としてある程度のモニタリングが可能なのは就学前教育粗就学率など，限られたものとなる。

途上国の就学前教育就学者数は，1970年代の半ばには1370万人であったが，1990年には4800万人，2007年には1億550万人となっている。このように，過去およそ30年間に，就学前教育の在学者数は7倍以上に膨れあがっている。しかしながら，就学前教育の普及の地域間の格差は非常に大きい。2006年現在，中欧・東欧やラテンアメリカ・カリブ海地域では6割を超える就学率なのに対して，アラブ諸国やサハラ以南アフリカでは2割に達しない。むろん，初等・中等教育でも地域間格差は見られるが，これほど大きな差ではない。

ゴール1に関しては，『EFA グローバル・モニタリング・レポート2007年度版』において様々な側面から詳細な分析がなされている。幼い子どもたちの健康に関する指標や母親の出産・育児休暇制度，ケア・プログラム，設置者（公的セクターと民間セクター），男女間・都市農村間・階層間の格差，恵まれない子どもたち，保育者の養成，財政，ドナーの動向などについて現状分析がなされている（UNESCO, 2006）。総じて言えば，ECCE は緩やかな広がりを見せてはいるものの，

その進展は一様ではなく，国家間格差，国内格差も大きい。そのため，貧困層や恵まれない子どもたちなどに十分な「乳幼児のケアと教育」が届いていない場合も多い。

　幼稚園等での「就学前教育」は主として3歳以降に実施されているが，ここでは，3歳未満向けのプログラムの普及状況についてもふれておこう。3歳未満に関してはどちらかといえば教育よりもケアを目的としたものが多いが，教育や保健なども含め，総合的に実施されているものも存在する。

　UNESCO（2006）によれば，3歳未満に対するプログラムが存在する国は世界全体でおよそ半数（53％）であり，北米・西欧，中央アジアにおいては比較的その比率が高い。一方，アラブ諸国，中欧・東欧，サハラ以南アフリカでは3歳未満向けのプログラムは存在しない国の方が多く，これらの地域では，組織的なプログラムはまだ3歳未満に対しては普及していないのが現状である。

2　「乳幼児のケアと教育」への注目

（1）「ケアと教育」の統合概念

　前節では，「ケアと教育」を異なるものとして説明したが，近年は，ケアと教育という区別はせずに，それらを総合的にとらえる乳幼児の発達（early childhood development: ECD）という概念がよく使われるようになってきている。日本でも，「保護（ケア）」と「教育」の双方を含む言葉として「保育」という表現がよく使われる。幼稚園のような教育施設においても「教育」や「授業」という言葉はあまり使われずに「保育」という。

　ECDという概念は，従来からよく使われてきたECCE（early childhood care and education）という概念と対比すると，次のような特徴を持っている。第1に，ECDはいわゆる「幼児教育」ではないということである。幼児に対する教育を含む場合もあるが，ECDは，乳幼児期の子どもの情緒的・社会的発達，運動や感覚能力の発達，言語や知的能力の発達など，発達の諸相を総合的にとらえたものであり，それは「教育活動」のみならず，栄養や健康，子育て支援や住民参加など様々な領域に及ぶ。第2に，その結果，ECDの対象は子どもと幼児教育従事者だけでなく，保護者や地域住民，子どもに関わる行政官や地域住民など多様な関係者に及んでいくということである。当然のことながら，これら多くの関係

者が関わってくるため，ECD を進めていくには，これらの関係者の役割や利害などを調整する活動が非常に重要な役割を担うことになる。

国際機関や途上国政府によっても，使う言葉はまちまちである。現在，世界銀行や国連児童基金（UNICEF）では ECD という言葉がよく用いられているが，国連教育科学文化機関（UNESCO）では，ECCE のほうが一般的である。また，途上国政府でも，国によっては「乳幼児のケアと発達（early childhood care and development: ECCD）」という用語を用いているところもある。また，これらの言葉は，使う人によってそれに込められている意味が異なることもある。そのため，こういった言葉に関しては，その定義をあらかじめ関係者の間で共有しておくこと，具体的にそれが何を指すのかを明確にしておくことが重要である。

（2）「臨界期」と「敏感期」

乳幼児期がとりわけ重要な時期だとされるのは，人間の発達には「臨界期」（ある時期を逃したらその後に大変な影響を及ぼす，きわめて重要な時期）が存在するといわれているためである。人はある時期に適切な刺激やケアを受けなければ，その後の発達に重大な影響を及ぼす。場合によっては，その影響は生涯に及ぶこともありうる。たとえば，ほどよい光を生後の数週間で受けないと，視覚の発育が阻害されたり，話し言葉にまったく触れない子どもや，非常に質の悪いケアを受ける子ども（孤児の一部などのように）は，発育不良をおこしやすいとされている。これらの結果から，生後の数年間は長期にわたる重要な時期であり，3歳までに生涯の発達がおおむね決まってしまうともいわれる。しかし一方では，人の発達をもう少し柔軟にとらえ，乳幼児期にすべてが決まってしまうということはなく，乳幼児期は「敏感期」としてとらえるべきだとする議論もある。たとえば，第2言語は大人になってからでも習得は可能であるが，幼児に比べれば自然には学べず，また，大人は幼児ほど上手くならないのがその例である（UNESCO, 2006）。

乳幼児期を「臨界期」としてとらえるか「敏感期」としてみるかはともかくとして，発達の1つの局面として重要な時期であることは間違いなく，この時期に適切な栄養や刺激が与えられないことは，その後の発達に重大な影響を及ぼす可能性が高い。途上国ではとりわけ，乳幼児期に栄養や刺激などの面で適切なケアが与えられない場合もあり，それが子どもの発達に後々までも深刻な影響をもたらすことにつながっている。こうした点が「乳幼児のケアと教育」への注目を促

しているともいえよう。

（3）子どもの権利と「乳幼児のケアと教育」

　国際機関などによって途上国の乳幼児のケアと教育が注目されるのには，2つの背景がある。第1は，乳幼児のケアと教育は，それ自体が基本的な人権であるということ，そして第2は，乳幼児のケアと教育への投資が個人に対しても社会に対しても大きなプラス効果をもたらすことが明らかになってきたことである。ここではまず，前者の側面（基本的人権としての「乳幼児のケアと教育」）について述べ，次項で乳幼児のケアと教育の効果について述べることにする。

　1959年の国連総会での『子どもの権利宣言』にも代表されるように，これまで，子どもの権利を擁護しようとする国際社会の動きは様々な形でみられた。『子どもの権利宣言』は，子どもが生まれ持っている基本的な権利を支持している。それは，医療を受けること，住居，社会保障，教育，そして育児放棄や虐待，搾取などから子どもたちを守ることである。

　1989年，国連総会は，世界で最も広く批准されている人権条約，いわゆる『子どもの権利条約（児童の権利に関する条約）』を採択した。この条約は各国に拘束力のある文書として，国内の法や慣例に必ず反映させるというものであり，子どもの権利にとって新しい局面を開くものであった。『子どもの権利条約』においては，第3条で児童に関するすべての措置をとるにあたって「児童の最善の利益」を考慮するとしている。この条約でいう「児童」は，18歳未満のすべての者を含むので，乳幼児についてもむろん「最善の利益」が考慮されねばならない。

　乳幼児のケアと教育に関する内容では，第6条で「締約国は，すべての児童が生命に対する固有の権利を有することを認める」「締約国は，児童の生存及び発達を可能な最大限の範囲において確保する」とし，子どもたちの生命，生存，発達に関する権利を保障した。また，第24条では「締約国は，到達可能な最高水準の健康を享受すること並びに病気の治療及び健康の回復のための便宜を与えられることについての児童の権利を認める。締約国は，いかなる児童もこのような保健サービスを利用する権利が奪われないことを確保するために努力する」として，乳幼児死亡率の低下などに適切な措置をとることが規定された。さらに，第27条では，子どもの発達のための「相当な生活水準」についての児童の権利を保障している。

このように，子どもの権利条約においては，子どもの「最善利益」を基本原則とし，生命や生存，発達，健康の権利とそのための環境に関して，(乳幼児も含めた) 子どもたちの基本的な権利についてうたっている。『子どもの権利条約』は乳幼児に特化したものではないが，乳幼児に特化したものとしては，子どもの権利委員会による「一般的意見7号」(2005年) がある。そこでは，とくに乳幼児に当てはまる権利について詳細な項目が掲げられ，乳幼児の発達支援の重要性が強調された。

(4)「乳幼児のケアと教育」の効果

「乳幼児のケアと教育」は，それ自体が人権として重要であるだけでなく，その対象となった子どもや家族に対しても，また社会に対しても多くのプラス効果があるとされている。「乳幼児のケアと教育」は，子どもの身体的・知的・情緒的な発達を促進させ，初等中等教育における就学や学習成果の向上を促し，留年や中途退学を減少させる。その結果として，経済成長や貧困削減，基礎教育の普遍化という開発課題の達成において有効な手立てとなりうる。また，女子の就学を可能にし，女性の労働参加率を高めるなど，ジェンダーに関するインパクトも大きい。そして，それらの結果を総合すると，乳幼児期に対する投資は投資収益率が非常に高い，とされている。

3 「乳幼児のケアと教育」に関する国際協力

(1) プライオリティーの問題

前節でみたように，乳幼児のケアと教育には様々な面への効果が期待できるものの，実際のところ，途上国においては多くの問題に直面しているのも事実である。まず，乳幼児のケアと教育がそれを必要とする子どもたちに十分に行き渡っていないという量的な問題がある。近年，幼児教育を義務教育制度のなかに位置づけるなど，一部の途上国においては関心の高まりも見られるが，全体としては財源は不足しており，予算の手当は不十分である。幼児プログラムの普及に国内格差があり，居住地や家庭の経済水準，親の学歴などによってアクセス格差が存在する。また，質的にも，教員養成やカリキュラム開発，教材の整備などは低い優先順位しか与えられていないのが現状である。このように，まず，途上国の国

内で乳幼児のケアと教育の優先順位が低いという問題がある。

　では，援助機関はどうであろうか。「乳幼児のケアと教育」分野の国際協力は，その重要性がこれまで数多く指摘されながらも，援助資金の配分を見る限り，ドナーにとってはプライオリティーがさほど高いとは言えない。少なくとも教育援助に関しては，初等教育や中等教育，高等教育に比べれば，幼児教育のプロジェクトは案件数も金額も非常に少ないのが現状である。2国間援助では，幼児教育のプロジェクトはほとんど実施されていないし，2国間援助の枠組みで実施されるものも，そのほとんどは国際機関との連携事業として実施されてきた。

　どうして，「乳幼児のケアと教育」は，その重要性が指摘されながらもドナーのプライオリティーが低いのであろうか。それには様々な理由が考えられるが，次の6点にまとめることができよう。①途上国の国内でいまだ優先順位が高まっていない（途上国の国内でまだやる気が高まっていない領域に，ドナーとしては手を出しにくい）。②初等教育の普及が国内的にも国際的にも最優先されることが多い。③乳幼児のケアと教育のプロジェクトの経験が国際的にもまだ浅く，有効な支援手法が確立されていない。④途上国における乳幼児のケアと教育の実態に関する調査研究が少なく，実態が十分に把握されていない。⑤途上国における乳幼児のケアと教育の効果を実証した研究がまだ多くなく，大規模な財政支出を可能にするだけのハード・データに乏しい。また，仮にそのようなデータがあったとしても，政策担当者に広く知られていないため，乳幼児のケアと教育の優先順位が低いままである。⑥乳幼児のケアと教育は子ども観や保育観，子育て・育児といった，その国の文化を色濃く反映する領域であり（たとえば理数科教育のような文化的バイアスが少ないと考えられてきた領域に比べ），援助に当たって慎重にならざるを得ない，デリケートな領域である。

　さて，このような状況下にあって，比較的，「乳幼児のケアと教育」のプロジェクトを多く実施してきたのは，UNICEF，世界銀行，NGOなどである。UNECSOは，政策分析や教育計画策定などの政策支援活動を中心に行ってきているが，途上国の現場でのプロジェクトについては，主としてUNICEF，世界銀行，NGOが実施してきたといえる。UNICEFは，子どもの人権の観点から「統合的ECD」「子どもの生存と成長」「基礎教育」などを重視し，乳幼児のケアと教育の実態調査（複数指標クラスター調査，multiple indicator cluster survey: MICS），乳幼児の学習と発達の基準作り（early learning and development standards: ELDS）

などをおこなってきた。また，世界銀行は，ECDの貧困削減への効果に注目し，ECDへの支援を増額してきた。そのなかには，ECDを主な対象として実施する（freestanding型）支援と，ECDをより大きなプログラム（たとえば社会的保護や基礎教育）の一部として実施する（component型）支援の2つの形態が含まれる。NGOの活動は様々であるが，各地域の実情に合わせ，途上国の現地リソースを生かした幼児支援を展開している団体が多い。

　国際援助機関・団体によってプロジェクトの内容として主に実施されてきたのは，教員訓練，教材開発，啓蒙活動，施設建設，キャパシティ・ビルディング，モニタリング・評価などである。また，「乳幼児のケアと教育」に関するプロジェクトは，それが単独で実施されるというよりは，より大きなプログラム（たとえば基礎教育や保健医療，母子保健，栄養改善，社会的保護など）の一部としておこなわれることも多い。よって，必然的に，教育以外のセクターや，教育セクター内でも他のサブセクターとの連携が重要になってくる。

（2）「乳幼児のケアと教育」の国際協力における課題

　「乳幼児のケアと教育」分野の国際協力における課題は以下の4点にまとめられる。

　第1に，「乳幼児のケアと教育」の量的拡大と質的改善，格差是正である。途上国における幼児教育は，量的にも質的にも拡充の余地が大きく，また，都市部に偏りがちな幼児施設をいかに農村部や貧困地域に広げていくかが第1の課題としてあげられよう。

　第2に，「乳幼児のケアと教育」に関連するプロジェクトは単に教育セクターのみの問題ではなく，マルチセクター（複数の行政部門にまたがること）の性格を有する。すなわち，教育のみならず，保健医療，栄養，家族，人口，ジェンダー，村落開発など，様々なセクターと密接に絡んでいる。そのため，関連する省庁やステークホルダーが非常に多く，調整に困難が伴う。たとえば，セネガルでは，幼児教育に関わる省庁として教育省と子どもセンター庁があり，その間の調整が困難であると報告されている。また，国によっては，幼児教育・保育は政治的な利害が絡む分野でもある。

　ただ，複数のセクターが絡む領域であるということは，必ずしもマイナスの側面ばかりではない。見方によっては，多様な専門性が反映され，プロジェクトの

波及効果が大きくなったり，複数の部局が予算獲得を目指すため結果として多くの予算獲得につながる可能性もある。いずれにせよ，国際協力プロジェクトにおいては，これらの問題をいかに扱うか，いかにプラスの側面を引き出せるかが重要な課題となってこよう。

第3に，適切なターゲッティングの確保である。乳幼児のケアと教育は，その支援対象を間違えば，社会的不平等をさらに拡大させてしまいかねない。重要なのは，「不利な状況にある子どもたちへの教育の保障」である。「乳幼児のケアと教育」は，支援対象によっては富裕層をさらに太らせる結果になりかねない。しかし，不利な子どもたちに対しては貧困対策として非常に有効な投資であるという研究結果も多い。そのため，適切な対象設定がなされれば，それは単に教育改善だけではなく，貧困や健康など，波及効果も大きくなることが期待できる。幼児教育・保育の重要性が行政機関や関係者に十分に理解されていない場合は，行政官に対する啓蒙的なワークショップ・研修なども有効であろう。

第4は，持続性をどう確保するか，という問題である。国際協力のプロジェクトは，それがプロジェクトである以上，一定期間経過後には終了する。ドナーの資金や支援がある期間だけは盛り上がりを見せても，それがなくなった後は次第に消滅していくものも多い。プロジェクトによって始められた試みや取組みをいかに途上国側が持続，発展させていけるかどうかが鍵である。それは，単に組織的な継続性のみならず，財政的な持続性も含む。持続性確保のためには，まずはプロジェクトの設計段階で持続性に関する見通しを立てておくこと，地域住民・大衆組織の参加を促すこと，プロジェクトの効果を地域住民が十分に感じられるようにすること，などが重要な課題となろう。

（3）効果を上げている実践

「乳幼児のケアと教育」に関する国際協力の課題は，一般論としては前項の通りであるが，次に必要なのは，実践的な教訓を引き出すことである。我々が国際協力の現場で向き合うのは常に具体的な状況である。一般的な乳幼児を相手にするわけではなく，A国のB県C村における特定の状況に置かれた乳幼児，あるいは，それに関係している人びとを対象とするのである。具体的な状況を目にしたとき，「幼児教育は子どもの学力を上げる」とか「親への教育が重要だ」などといった一般論はあまり役に立たない。具体的にどのような状況で，何が，誰に

対して，どのような条件の下で有効なのかをエビデンス（evidence）をもとに議論する必要がある。

ヤング（Young, 1996）は，「乳幼児のケアと教育」プロジェクトの実践活動を，次の6つに分類している。①親に対する教育（educating parents），②保育者の訓練（training caregivers），③子どもへのサービス提供（delivering services to children），④子ども発達の包括的な支援（early child development），⑤公教育制度への就学前児童の包摂（reforming formal education systems to include preschoolers），⑥マスメディアを利用しての教育活動（educating through the mass media）。このように，モデルとしては多様な形態があり，様々な試みがなされてきてはいるものの，その効果の検証はいまだ十分になされているとはいえない。

もとより，プログラムが効果を上げたかどうかを判断するのは容易ではない。厳密に言えば，プロジェクトの前後で子どもに何らかの変化があったからといって，それがプログラムの結果であるとはいえない。なぜなら，プログラムがなくてもその子には同様の変化が起こったかもしれないからである。プログラムの効果を特定するには，対照群をおいた実験的方法をおこなう必要があるが，そのような評価研究は意外に少ない。エングル（Engle）らは，1990年以降に発展途上国で実施された，①無作為対照実験もしくは対応対照群実験による，②介入時の年齢が6歳未満の児童を対象とし，③有効性もしくはプログラムに関する評価を含み，④児童の発達に関する評価を含み，⑤恵まれない児童を対象としているプログラムを検証対象とした研究をレビューしている。その結果，20の研究がこれらの基準を満たしており，基準を満たしていたプログラムは，①施設を拠点とする乳幼児学習プログラム（8件），②保護者を対象とする育児・母子プログラム（6件），③保健・栄養介入を含む包括的プログラム（6件），の3種類に分類された。

この分類にしたがって，プログラムの効果分析をしたものを検討した結果，次のような傾向があることが分かってきたという。

①施設ベースのプログラムは，8件すべての研究で，児童の認知能力の発達への実質的な効果が認められた。ギニア，カーボベルテ，バングラデシュ，ミャンマー，ネパール，ベトナム，コロンビアで幼稚園が設置され，アルゼンチンでは幼稚園が拡張された。社会性，自信，大人との会話意欲，やる気などの非認知能力の向上は，大半のプログラムで報告されている。長期追跡研究（ネパール，アルゼンチン，ミャンマーおよびコロンビア）では，小学校に入学する児童数，就学開

始年齢，就学継続率ならびに学力の向上がみられた。

②育児・母子プログラムについては，家庭訪問を実施した4件の育児プログラムを含む検討対象のすべての育児プログラムが，児童の発達へのプラスの効果を確認している。ジャマイカでは，児童および保護者が家庭訪問プログラムに積極的に参加した場合に保護者の育児習慣が改善することが確認されたが，保護者を対象とする事業が情報交換に限られていた場合，そうした効果は認められなかった。ボリビアでは，保健，衛生，栄養ならびに発育に関する情報および技術の構築，先住民族の女性を対象とする識字教育および家庭訪問を実施したプログラムに参加した保護者の子どもの成績が，その他の条件が等しい非参加者の子どもの成績を上回っていた。トルコ，バングラデシュでは，母親によるグループセッションが行われた。母親に子どもとの遊び方を学ばせたトルコのプログラムでは，児童の発達に対する短期的な効果と長期的な効果がどちらも確認された。バングラデシュでは，情報交換を目的とするグループセッション後に，児童の発達や育児に関する母親の知識の向上が確認されたが，おそらく技術的な実践指導がおこなわれなかったために，児童の発達への効果はみられなかった。

③包括的プログラムについては，6件の乳幼児発育プログラムのうち5件で，プログラムによる効果が確認された。最近のプログラムでは，地域に密着した既存のシステムにプログラムを統合させたり，より効果的に家族を取り込んだりする傾向が見られる。しかし，ウガンダでの結果に示されているように，児童への直接的なサービス提供をおこなわない，介入の程度が低いプログラムによる児童の発達への効果は，限られてしまう傾向にある。

④プログラムの効果は，たとえば単に保護者に情報を提供するよりは，児童に直接サービスを提供した方が高くなる。また，効果的な育児手法を実演したり，そうした手法を習得できる機会を設けたり，保護者を交えて育児を実践したりする取組みも，プログラムの効果を高める。

⑤介入プログラムは，富裕層の児童よりむしろ発育不全の子どもを含む「恵まれない児童」に多くの利益をもたらすことができる。

⑥低年齢の児童（2～3歳）への効果は，参加期間に関係なく，年長児（5～6歳）に対する効果を上回る傾向があるが，参加期間が長ければ長いほど，一貫して大きな効果が得られるようになる。たとえば，4年間介入を受けたコロンビアの恵まれない未就学児のテスト得点は，中産階級の児童のテスト得点とほぼ同じ

だったのに対し，より短い期間にわたって介入を受けた児童の検査指数は，その数値を下回っていた。

⑦ギニア，カーボベルテおよびバングラデシュの調査では，幼稚園の質を表す複数の指標と，児童の認知能力との関連性が認められている。国際教育到達度評価学会（International Association for the Evaluation of Educational Achievement: IEA）による，10カ国（発展途上国3カ国を含む）1500人の児童を対象とした幼児教育プログラムに関する評価では，プログラムの質（子どもによる自発的な活動，大人数ではなく少人数でのグループ活動など）が，認知能力の発達を左右する重要な要因として特定された。プログラムの質に関する要素のなかでも，プログラムの構造（子どもと職員の比率，集団の規模，職員研修の有無，物理的環境）とプロセス（保育者の対応能力，環境の情緒性，活動の多様性）は，子どもへの影響が大きい重要な要素である。

⑧介入の程度（頻度）について調査したプログラムでは，家庭訪問の頻度と児童の発達の向上とが関係していることが報告されている。

これらの傾向から，プロジェクトの効果を上げる要因をまとめると，「恵まれない子どもたちに焦点を当てること」「十分な介入期間と頻度，内容が確保されていること」「子どもに対する直接的なサービスが盛り込まれていること」「保護者が子どもの発達を促進できるような仕組みが盛り込まれていること」「子どもの年齢の特性にあわせた，子どもの自発的な学びや環境からの学びが存在すること」となる。また，これらに加え，プログラムを設計，運営できる専門的な知識・技能を合わせもった途上国側の人材を育成することも不可欠であると思われる。

4　日本の協力可能性

最後に，日本の「乳幼児のケアと教育」分野への貢献可能性について触れておきたい。日本はこれまですでに，ODAでは青年海外協力隊（保育士，幼稚園教諭，幼児教育）派遣，研修員受け入れ（中西部アフリカ，中東），開発調査，拠点システム構築（お茶の水女子大学），草の根技術協力，ユネスコEFA信託基金の活用などを，NGOによる支援としては，幼児支援スタッフの研修，絵本プロジェクト，栄養改善，幼児教育等，様々な支援を実施してきている。

日本の幼児発達支援を歴史的にふりかえってみると，日本は，早くから幼児への支援を充実させてきたことがわかる。予防接種や母子健康手帳の普及などの結果，子どもたちの健康は大きく改善された。また，幼稚園教育の普及，保育所の拡大などの結果，現在では，5歳児についてはほぼ全員が幼稚園か保育所のどちらかに在籍している。

　幼稚園についていえば，日本に最初の幼稚園がつくられたのは1876年であり，日本の幼児教育の実践は130年以上の伝統をもつ。むろん，日本の幼児教育に伝統があるといっても，それは日本の文化や歴史のなかで形成されてきたものであり，それをそのまま途上国に輸出すればいいというものではない。日本は，言語的にも文化的にも均質であるため教育を普及させやすいという意味で恵まれた条件にあった。また，日本はどこの国の植民地にもならなかったため，幼児教育においても外国モデルを自由に取捨選択できた。フレーベル式の幼児教育をとりいれると同時に，米国の「子ども中心」の思想を取り入れ，倉橋惣三ら先駆的な保育実践・研究者によって日本独自の幼児教育が形作られていったのである。

　日本が作りあげてきた幼児教育の知見は重要であるが，そのままの形で途上国にとってモデルになるわけではない。しかし，途上国の人びとがそこから学ぶことも少なくないはずである。今後はさらに，不利な立場にある子どもたちに向けての補助，農村部や僻地への教育の普及，健康指導，政策的な枠組みづくり，幼稚園と保育所との連携（教育と社会福祉の連携），保育者・教員の養成，大学附属幼稚園の機能，教育統計データの収集と情報マネジメント，カリキュラムの策定とモニタリング・評価，地域や保護者との連携など，日本が貢献できる部分は少なくない。途上国側の実態とニーズを十分に踏まえて，相互理解に基づく，適切な協力活動を設計していくことが課題である。

今後の学習のための参考文献

(1)初級
ユネスコ（2006）『EFA グローバル・モニタリング・レポート2007　ゆるぎない基盤――乳幼児のケアと教育（概要）』。
　　http://unesdoc.unesco.org/images/0014/001477/147785JPN.pdf
浜野隆・三輪千明（2012）『発展途上国の保育と国際協力』東信堂。
　　＊保育分野での国際協力に関して包括的に記述された専門書。途上国の乳幼児を取り巻く状況，ECD の概念，途上国の保育内容と保育方法，ECD の効果と意義，EFA

における保育，国際協力の動向と事例・課題，実践アプローチと立案上の留意点，等が取り上げられている。

お茶の水女子大学子ども発達教育研究センター（2004）『幼児教育ハンドブック』お茶の水女子大学。

浜野隆・坪川紅美編著（2009）『幼児教育ハンドブック2――国際教育協力とよりよい協力活動のために』お茶の水女子大学。

(2)中級

UNESCO（2006）『EFA グローバル・モニタリング・レポート2007 ゆるぎない基盤――乳幼児のケアと教育』。
http://unesdoc.unesco.org/images/0014/001477/147794jpn.pdf

D. P. Weikart (2000), *Early Childhood Education : Need and Opportunity*, UNESCO International Institute for Educational Planning.
　＊幼児教育の行政や計画に関わる人びとを対象に書かれたテキスト。幼児教育の歴史，国際動向，幼児教育に期待されること，幼児教育の効果，効果的なカリキュラムやプログラム，評価やモニタリング，政策提言など，広範囲にわたって記述されている。
http://unesdoc.unesco.org/images/0012/001223/122380e.pdf

M. E. Young, ed. (1996), *Early Child Development : Investing in the Future*, Washington, D. C. : World Bank.

(3)上級

S. Grantham-McGregor, Y. B. Cheung, S. Cueto and the International Child Development Steering Group (2007), "Developmental potential in the first 5 years for children in developing countries", *Lancet*, Vol. 369, pp. 60-70.
　＊途上国の5歳未満児の多くは，貧困，栄養不良，健康障害，刺激に乏しい家庭環境など，認知・運動・社会情緒的発達に悪影響を及ぼす複数のリスクにさらされていることを指摘したうえで，途上国の幼児の発育に関する国家統計がきわめて乏しいことを指摘している。

Susan P. Walker, Theodore D. Wachs, Julie Meeks Gardner, Betsy Lozoff, Gail A. Wasserman, Ernesto Pollitt, Julie A Carter and the International Child Development Steering Group (2007), "Child development: Risk factors for adverse outcomes in developing countries", *Lancet*, Vol. 369, pp. 145-157.
　＊貧困およびそれに関連する健康，栄養ならびに社会的要因によって途上国に暮らす2億人以上の児童が潜在的な発達可能性を実現できていないと指摘し，早急に介入が必要とされる領域を特定している。

Patrice L. Engle, Maureen M. Black, Jere R. Behrman, Meena Cabral de Mello, Paul J. Gertler, Lydia Kapiriri, Reynaldo Martorell, Mary Eming Young and the International Child Development Steering Group (2007), "Strategies to avoid the loss of developmental potential in more than 200 million children in the developing world", *Lancet*, Vol. 369, pp. 229-242.

(4)ウェブサイト
World Bank Early Child Development
　　http://www.worldbank.org/children/
UNESCO Early Childhood Care and Education
　　http://www.unesco.org/new/en/education/themes/strengthening-education-systems/early-childhood/
お茶の水女子大学幼児教育分野における国際協力
　　http://www.ocha.ac.jp/intl/cwed/eccd/index.html

■ Column 9 ■

出生登録と母子健康手帳

東ティモールの母子健康手帳

　出生登録は，子どもの存在と国籍を正式に証明するものである。子どもの権利であるから，無償で，普遍的でなくてはならない。しかし，実際には，2007年に生まれた子どものうち約5100万人が出生登録されなかったと報告されている。その半数は南アジアで起こっている。また，データのある途上国に限ると，4カ国中1カ国において，出生登録された子どもの比率が50%未満となっている。とくにサハラ以南アフリカと南アジアについては，3人のうち2人の子どもが出生を登録されなかった。

　出生登録されない子ども，そして登録されないまま育った大人は，国家によって存在しないがごとくに扱われる場合が多い。乳幼児のときに保健サービスを受けられない，就学できない，といった問題が起こりかねない。さらに，そのまま大人になったら，市民としての権利を行使できなくなるかもしれない。銀行口座を開けない，投票に行けない，正式に結婚できない，遺産を相続できない，などなど。

　出生登録を促進するためには，単独のキャンペーンをおこなうよりも，既存の社会サービスのなかに統合する方が有効だともいわれている。たとえば，保健サービスや「乳幼児の発達，ケアと教育（ECD または ECCE）」プログラムの一環として出生登録を促進するのである。

　ところで，日本には母子健康手帳（通称，母子手帳）というものがある。母親の妊

娠と出産,そして生まれてくる子どもの健康に関する記録を1冊にまとめた手帳であり,日本では1948年に使われ始めたが,意外なことに他国ではあまり同じような例がない。日本の母子健康手帳に触発されて,自分の国にも導入しようという動きがいくつかの途上国でもみられる。そしてそうした動きを,JICA, UNICEF, NGO などが支援している。たとえば,21世紀最初の独立国家として誕生した東ティモールでは,新政府と UNICEF が中心になって復興のシンボルとして母子健康手帳が導入された。

　こうした日本発の母子健康手帳は,母親の出産と子どもの出生を記録し,その情報を母親が管理できるようにすることをとおして,出生登録の促進に寄与することが期待される。

参考ウェブサイト　特定非営利活動法人 HANDS「世界に広がる母子健康手帳」
　　http://www.hands.or.jp/mch/index.html

（勝間　靖）

第10章　初等教育
——すべての子どもに教育を——

櫻井里穂

> **この章で学ぶこと**
>
> 　本章では開発途上国の初等教育に関して理解を深める。日本では誰もが受けている初等教育も，世界には完全に普及していない国が数多く存在する。第1節では，初等教育が最も行き渡っていない地域がサハラ以南アフリカであること，初等教育で留年や落第する児童もいること，一般的には女子の不就学児の割合が男子よりも多いが，ラテンアメリカなど必ずしもそうでない地域もあることなどを学ぶ。
>
> 　第2節では，こうした状況に対する国際社会の取組みを学習する。1990年に開催された「万人のための教育（EFA）世界会議」以降，すべての子どもに対して初等教育を完全普及することは国際社会の必須課題とされている。それは「万人のための教育（education for all: EFA）」のみならず『ミレニアム開発目標（MDGs）』や『子どもの権利条約』でも国際社会の責務とされ，2015年までに達成すべき開発目標とされている。しかし2012年時点で5800万人の初等教育不就学児童がおり，その約半数はサブサハラアフリカ諸国にいる。これは1999年時点での初等教育不就学児童全体に占める同地域割合が40％だったことと比較しても増加している。
>
> 　第3節では，なぜ初等教育が普遍的に行き渡らないのか原因を考察する。貧困問題や児童労働，少数民族や障がいを理由に社会的に不利な状況に置かれること，教員不足，教育の質に関する課題や行財政の問題など，途上国の政治・経済・社会・文化的要因が錯綜して良質な初等教育の完全普及を阻んでいることを理解する。
>
> 　第4節では，初等教育の普遍的達成を目指した国際的な取組みの一例として，2002年から世界銀行を中心に始められた資金供与の枠組み「教育のためのグローバルパートナーシップ（元 EFA ファスト・トラック・イニシアティブ）」について，その成果や今後の課題をみていく。日本の教育協力も振り返り，良質な初等教育の普遍的達成には，途上国政府や援助機関，市民社会組織などの一層の協力が必須であることを学ぶ。
>
> **キーワード**　万人のための教育（EFA），サハラ以南アフリカ，不就学児童，教育の質，教育のためのグローバルパートナーシップ（元 EFA ファスト・トラック・イニシアティブ）

1　初等教育の普遍的な達成を目指して

（1）途上国における教育

　初等教育は，一般には通常5～7歳の学齢期から始まり，11～12歳ぐらいまでの子どもを対象とした基礎教育である。ただし「初等教育」は「基礎教育」と同義語ではなく，後者は初等教育のほか，成人を対象とした識字教育なども含めた広義の教育を指す（浜野，2005）。また通常，義務教育は初等教育から始まる場合が多いが，それがすべてではない。たとえば世界で最も義務教育開始の学齢が低いメキシコでは，2002年に就学前教育が法的に義務教育化され，現在3歳から始まる就学前教育が義務教育の第1段階である。

　初等教育の就学率とは，初等教育学齢期の児童が学校に在籍している割合であり，ある学年に在籍（登録）している児童をその学齢期の総人口で割った比率である。就学率には粗就学率（gross enrollment rate）と，純就学率（net enrollment rate）がある。粗就学率とは学業成績が十分でないなどの理由で留年している児童や，また，様々な事情で本来の就学年齢より早く，もしくは遅く入学する児童数も含むため，その比率が100％を超えることがある。一方，純就学率とは，ある学年のその学齢期にあたる在籍中の児童をその学年に在籍するべき学齢の総人口で割った比率であるため，100％を超えることはない。また，留年率とは，同じ学年を2回以上繰り返す児童を，該当学年の総在籍（登録）児童数で割った比率である（EFA-GMR, 2011）。

　今日，初等教育は貧困の削減，乳幼児死亡率の低減，生活の質の向上をはじめ，国の経済発展にも寄与するとされ，良質な初等教育の普遍的達成は国際的に達成すべき目的とされている。表10−1は，広く参照されている『EFAグローバル・モニタリング・レポート（GMR）2011年版』（EFA-GMR 2011）の抽出であるが，地域ごとの純就学率および第5学年まで在籍している残存率を見ると，就学率が最も低いのがサハラ以南アフリカであることが分かる。また，ラテンアメリカおよびカリブ諸国や南アジア・西アジアでも粗就学率と純就学率に開きがあり，留年率や該当学年の就学適齢年齢以外の児童が多いことが分かる。

　さらに経済協力開発機構（OECD）諸国とサハラ以南アフリカとを比較した図10−1は，年齢と就学達成度を示したものであるが，OECD諸国では7歳児のほ

表10-1　地域別に見た初等教育の達成度

地域名	粗就学率（2008）		純就学率（2008）		第5学年までの残存率（2007）	
	合計 %	ジェンダー格差（GPI）	合計 %	ジェンダー格差（GPI）	合計 %	ジェンダー格差（GPI）
世界の平均	107	0.97	88	0.98	−	−
アラブ諸国	96	0.92	84	0.94	−	−
中央・東ヨーロッパ	99	0.99	93	0.99	−	−
中央アジア	100	0.98	90	0.98	−	−
東アジアおよび環太平洋諸国	110	1.01	94	1.02	−	−
ラテンアメリカおよびカリブ諸国	116	0.97	94	0.99	88	−
北アメリカおよび西ヨーロッパ	102	1.00	95	1.01	−	−
南アジア・西アジア	108	0.96	86	0.95	80	0.99
サハラ以南アフリカ	102	0.91	76	0.95	72	1.01

注：−は，データなし。GPI＞1で，女子が男子より多いことを示す。
出典：EFA-GMR（2011）；和訳は筆者による。第5学年までの残存率のGPI（2007）は，筆者計算による。

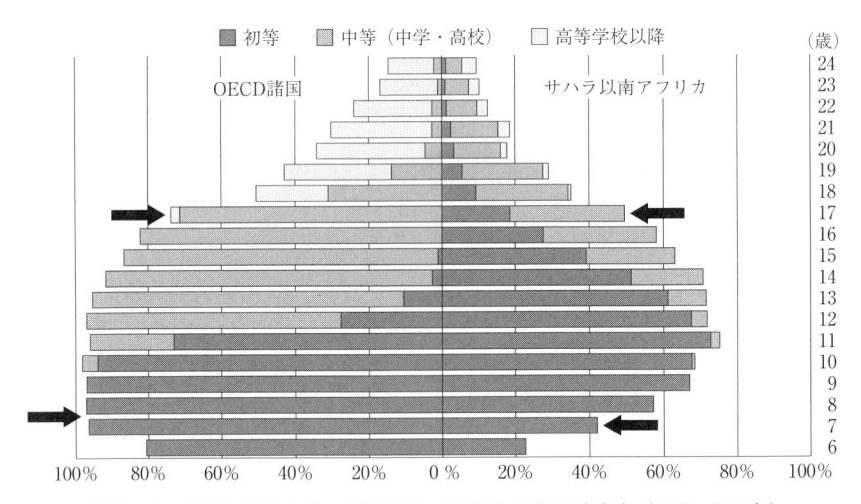

図10-1　OECD諸国とサハラ以南アフリカ諸国の就学達成度（2000〜2006年）
注：年齢と在籍している教育レベルによる割合を示す。
出典：EFA-GMR 2009, p. 27. 和訳は筆者による。

194　第Ⅲ部　成長と発達のための人間開発

ぼ全員が初等教育を受けているが，サハラ以南アフリカにおいては，そうではなく，さらに17歳でも約2割が初等教育を受けていることなどが読み取れる。これは1990年代以降，多くのサハラ以南アフリカ諸国で初等教育が無償化・義務化され，本来の就学適齢年齢以外の子どもが小学校に在籍し始めたことにも起因している。

（2）サハラ以南アフリカにおける初等教育

　サハラ以南アフリカは，北アフリカに分類されるモロッコ，アルジェリア，チュニジア，エジプトなど数カ国を除いたサハラ砂漠上とそれ以南に位置する49カ国の総称である。人口約8億7800万人，平均寿命は54歳，15歳未満の子どもの人口が全体の4割を超える。800から1000以上の言語が存在し，宗教も多様性に富んでいる。

　サハラ以南アフリカ諸国の第1の特徴は，世界で最も教育の後進地域であり，EFA-GMR（2015）によると，2012年で約半数の子どもが小学校に在籍しておらず，これは世界全体の不就学児童の半分以上にあたる。また小学校の最終学年までたどりつく割合は1999年の58％から2010年には56％と悪化している。男女の就学率を比較すると，女子だけに初等教育を越えた無償教育期間があるマダガスカルなどの数カ国を除いて，全体としては女子の就学率が男子に比べて低い。

　第2の特徴として，サハラ以南アフリカ地域内および一国内には，教育の達成度に相当な格差がある。中央アフリカ，ニジェールは就学率も低く，第5学年までの残存率も低い。就学率や第5学年までの残存率の低い国は，地理的にみるとおおむね赤道直下の国かサハラ砂漠付近に集中している。

　第3の特徴として，一国内での教育格差が世界で一番大きい地域でもある。たとえば，エチオピア，ナイジェリア，ケニア，ブルキナファソでは，粗就学率の最も高い地域と最も低い地域では4倍以上の開きがあり，これは同じく教育後進国のバングラディシュ，ネパールといった南アジアの国々と比較して2倍以上の差がある。一国内の就学率の地域差が小さい国ほど国全体の就学率が高くなることも証明されており（Sherman, 2008），今後，学校レベル，コミュニティレベル，県（郡）レベルの教育ニーズを把握し，都市と地方の教育格差を埋めていくことが喫緊の課題とされている。

第4の特徴として，初等教育の義務化と無償化が急激に推進されたため，現場レベルで教室や教師不足が起こり，教育の質に影響を与えている（澤村，2007）。たとえば，マラウィ（初等教育の無償化　1994年），マダガスカル（同1994年），ウガンダ（同1997年）では無償化で就学者は増えたが，そのうち多くが落第している。良質な初等教育の普遍的達成を目指すにあたり，サハラ以南アフリカ諸国は様々な課題を抱えている。

（3）ラテンアメリカにおける初等教育

　ラテンアメリカは33の独立諸国と14の非独立領域で成り立つ人口約6億4600万の地域である。特徴として，義務教育開始年齢が早い国が多いことのほか，留年率・落第率が高いこと，女子の就学率が男子と差がないことなどが挙げられる。通常，途上国や経済移行国においては文化的・宗教的に女子の教育が軽視されがちで，女子の就学率が男子の就学率より低いのが一般的であるが，ラテンアメリカでは初等から中等教育と学年が上がるほど女子の就学率・残存率が男子の割合より高くなっている。

　落第や留年に関しては，多くのラテンアメリカ諸国では現在も多くの公立の小中学校が午前と午後の二部制であり，児童・生徒はそのどちらかに出席すれば良いため，学校に通いながらスーパーの袋詰めの仕事をしたりして働いている子どももおり，こうした子どもの労働なども落第率の高さに影響を与えている一因とされている。

　地域全体として，初等教育の修了率が9割を超えたラテンアメリカでは，留年率・落第率を減らし，一部の土着の民族の子どもなど，初等教育にアクセスできていない「最後の5％」の子どもに就学の機会を与えることが課題とされている。

2　普遍的初等教育達成への挑戦
――権利としての教育――

（1）万人のための教育（EFA）

　公教育（formal education）が普遍的に広がったのは18世紀後半以降であり，これがさらに世界的に拡大したのは第2次世界大戦後，国連教育科学文化機関（UNESCO）や世界銀行，国際開発金融機関などの国連機関が教育を推進してか

らである。「初等教育は無償かつ義務的なものでなければならない」と国連の条約や規約のなかで初めて決議されたのは，『世界人権宣言』(1948年) であった。第26条で，「すべて人は教育を受ける<u>権利</u>を有する。教育は，少なくとも初等の及び基礎的段階の教育においては<u>無償</u>でなければならない。初等教育は<u>義務的</u>でなければならない」(下線は筆者) としている。

　『世界人権宣言』以降，初等教育の無償化は何度か国際的な目標とされたが，初めて基礎教育の拡大として「教育問題」だけに限定した世界規模の会議は，1990年にタイのジョムティエンでおこなわれた「万人のための教育 (EFA) 世界会議」であった。これは UNESCO，国連児童基金 (UNICEF)，国連開発計画 (UNDP)，世界銀行といった国連機関主導の世界会議で，155の政府代表団や100を超える NGO, 30以上の国際機関が参集した。この会議では，初等教育へのアクセスと修了が2000年までに達成されることを『万人のための教育世界宣言』として決議し，教育を受ける権利を万人の「基本的人権」とし，基礎教育普及は国際社会の責務であるとした。この宣言はその後，先進国の教育協力政策や途上国の教育政策に影響を与えた。

（2）ダカール行動枠組み

　『万人のための教育世界宣言』から10年後，2000年にはセネガルのダカールで UNESCO, UNICEF, 世界銀行，UNDP, 国連人口基金 (UNFPA) などが共同開催した世界教育フォーラムが開かれ，164カ国から1200名以上が参加した。このフォーラムでは1990年代の EFA の目標達成が一部を除いてまだ十分ではないことを課題として「ダカール行動枠組み」という EFA 達成に向けた6つの目指すべき目標が再度設定された。

- 目標1：就学前教育の拡大と改善
- 目標2：無償かつ良質な初等教育の普遍的達成 (2015年まで)
- 目標3：ライフスキル青年・成人の学習ニーズの充足
- 目標4：成人識字率の50％の改善 (2015年まで)
- 目標5：教育におけるジェンダー格差の是正 (初等・中等教育の格差是正は2005年まで，そのほかは2015年まで)
- 目標6：教育の質の向上

ここでは目標2が単に「初等教育の達成」ではなく「良質な」初等教育の達成とされていること，目標2，4，5には期限の設定があること，そして教育へのアクセスや質の保証のほかに，目標5はジェンダーの公正性にも触れていることなどが注目に値する。
　さらにこの会議では，今後の教育開発協力においてEFA国際戦略（プランニング，主張と意思疎通，経費，モニタリングおよび評価，そして国際・地域メカニズム）という必要な行動が確認され，国連機関の相互間でのパートナーシップの結束をUNESCO中心に強めていくことが約束された（小川・江連・山内，2008）。また，EFA達成のための包括的なモニタリングに関してはその一環として，UNESCO教育局のなかにUNESCOとは独立した「EFAグローバル・モニタリング・チーム」が結成され，2002年以降『EFAグローバル・モニタリング・レポート（EFA-GMR）』が発行され，EFAの6つの目標を含めた教育の進捗状況が報告されている。

（3）ミレニアム開発目標（MDGs）

　初等教育の完全普及が国際的に謳われたそのほかの国際的アジェンダとしては，2000年9月に開催された国連ミレニアム・サミットや2002年5月の国連子ども特別総会がある。189カ国，147人の国家元首が参加した国連ミレニアム・サミットでは，極度の貧困を撲滅するという目標をミレニアム開発目標（MDGs）とした。この目標では，2015年までに国際社会が達成すべき枠組みとして，主に子どもの健康と福祉に関連する8つの目標が掲げられた。初等教育に関連するのは2番目の目標「初等教育の完全普及の達成」と，3番目の目標「ジェンダーの平等推進と女性エンパワーメント」である。2番目の目標は2015年までに男女を問わず，すべての子どもたちの初等教育の修了を目指している。また3番目の目標は「初等・中等教育におけるジェンダーの格差を2005年までになくすこと，すべての教育段階において遅くとも2015年までにジェンダー格差をなくすこと」である。
　しかしながら2番目の目標は，「『良質な』初等教育」というEFAの目標には含まれている「良質な」という言葉が入っておらず，教育のアクセスの拡大を目指した目標であった。

（4）子どもの権利条約

　初等教育が義務的で，無償でなければならないということが子どもの権利に関

するアジェンダのなかで宣言されたのは国籍や名前の保証や無償で義務的な初等教育を受ける権利など，子どもに与えられるべき10の権利を示した『子どもの権利宣言』（1959年）に遡る。

『子どもの権利宣言』に引き続き，子どもの権利を最も包括的に規定したのは1989年の『子どもの権利条約』である。1990年1月26日に61の国が調印して以来，批准国は増え，2015年10月1日にソマリアが批准したことにより，米国を除く，世界のほとんどの国にあたる196カ国により批准されている。

『子どもの権利条約』が注目されるのは，今までの条約と異なり，子どもを親やその他の保護者の「所有物」と見るのではなく，「個々の権利を持つ主体者」として解釈し，子どもの「最善の利益」を行使できるようにすべきである，とした点である。また，批准後も2年後に1回，5年後以降は5年ごとに各国政府が批准した内容と現状が適合しているかどうかのプログレス・レポートを国連に提出することが義務づけられている点である。つまり，批准したら終わりではなく，常に各国が責任を持ってその内容を検証しなければならない仕組みがある。

『子どもの権利条約』のなかで初等教育に関係するのは第28条で，「初等教育を義務的なものとし，すべての者に対して無償のものとする」としている。MDGs（2000年）と同じく，教育の機会平等には言及しているが「教育の質」には言及していない。

初等教育の義務化，無償化といった教育の普及の試みは，2000年の「ダカール行動枠組み」で初めて具体的に目標が明確化され，今日徐々に行動計画が実行されている。黒田（2008）は，ジョムティエン会議以降，基礎教育の重要性が国際社会に広く認識されだしたのは，教育を「権利」ととらえるUNICEF・UNESCOの理念と，教育を貧困撲滅の有効手段，「最大の社会経済開発効果」のあるもの，ととらえる世界銀行・UNDPの理念が，「基礎教育の重視」という共通目標を掲げ「共闘体制を敷いた」ためである（228頁）と分析している。

このように国際社会は，2000年以降，EFAの達成という「達成目標」を掲げてきたが，達成目標を掲げる利点は，国際的なアジェンダに取り込まれた共通目標の方が国民の意識啓発につながりやすく，重要性・緊急性が明確になり，必要な資金や技術が調達しやすいことである。同時に，教育達成を目指す途上国にとっても，教育改革・教育政策が各国の行動計画として取り組まれやすくなる。

一方，目標設定のマイナス面としては，たとえば別の教育施策を進めていた国

も，資金調達など現実的な面から EFA の世界的潮流に沿った教育目標に変更を余儀なくされたり，また，すべての教育の側面や効果が指標により数値化できる，という誤解を生み出す可能性などがある。

3 初等教育が普遍的にならない諸原因

（1）貧困と児童労働

「児童労働」は，すべての児童に対して初等教育が完全に普及しない理由の1つであるから，MDGs の9番目に入るべきだとも言われている。

現在広く使われている児童労働の定義は，国際労働機構（ILO）による表10-2の○印の部分である。現代の児童労働が問題視されるのは，それが貧困のためにおこなわれるために，学校へ通えず，そのため貧困から脱却できないという負の連鎖サイクルのためである（Sakurai, 2006）。

児童労働は貧困との関係が問題視されるにとどまらず，近年では学業成績や落第，留年率などに影響があることなど教育への様々な負の影響も実証研究されている。一例として1998年から2006年まで34カ国の7〜14歳の働く子どもを対象にした ILO の調査（Allais & Hagemann, 2008）でも，家庭内労働・経済活動を問わず，週に14時間を超えた労働は就学に悪影響を及ぼすことが指摘されている。このような背景も踏まえて，国際社会は「就業の最低年齢条約（第138号条約）」や，「最悪の形態の児童労働に関する条約（第182号条約）」を批准して，子どもを児童労働から守ろうとしてきている。

ただし一方で，児童労働の意味にはあいまいなものもあり，「脆弱で保護の必要なもの」という西欧先進諸国の子ども観が必ずしも当てはまらず，「働く子どもに大人と同様の保護を与えるべきである」という考えが主流の社会（たとえば，ラテンアメリカやアフリカ）もある。こうした地域では，働くことは学びであり，大人になる過程において必要なものであるとされている。

（2）社会的に不利な状況に置かれた子どもたち

児童労働以外にも様々な理由で初等教育から疎外されている（marginalized）児童がいる。『EFA-GMR 2010』は，少数民族や言語マイノリティ，ジェンダーによる差別，先住民族，下層カースト，紛争の影響下に暮らす子ども，エイズなど

表10-2　年齢別の児童労働の定義

	簡単な労働	危険を伴わない労働	危険を伴う労働	最悪な形態の労働
18歳未満			○	○
15歳未満		○	○	○
12歳未満	○	○	○	○

出典：A. Cigno, L. Guarcello, Y. Noguchi, S. Lyon, F. C. Rosati (2003), *Child Labour Indicators Used by the UCW Project : An Explanatory Note*, p. 2（翻訳は筆者による）.

の病気の子どもたちを教育から「疎外された」児童としている。

　このように社会的に不利な状況に置かれている児童に加え、世界に1億5000万人いるとされる障がいのある児童（その80％が途上国にいるとされる）も、教育の機会を奪われがちな存在である（EFA-GMR, 2010）。実は、途上国において教育から疎外されている子どものうち最も人数の多いグループが障がいのある子どもである。しかし、一言で障がいといってもその種類も多岐に渡り、また障がい児の定義が国によって異なるため、その人数にはばらつきがある。たとえばUNICEFは障がいをもつ子どもの3％しか就学できていないとし、UNESCOは、不就学児童の3分の1の約2500万人が障がいがあるとしている（黒田, 2008; UNESCO, 2009）。

　障がいをもつ児童が不就学になりがちな理由としては、資金不足、特別な訓練を受けた教員不足などのほかに、「文化的・宗教的観念による差別的な態度」が背景にある（Abosi & Koay, 2008）。ナイジェリア、ケニア、ボツワナなどの伝統的なアフリカ社会の迷信では、障がいを「神からのいましめ」とする風習があり、障がいを悲劇ととらえ、触れてはいけないものとし、家族は子どもを世間から隠そうとするため、不就学になりやすい。

　途上国においても近年、アメリカのインクルーシブ教育の影響や『子どもの権利条約』（第23条），「万人のための教育世界会議」、1994年の『サラマンカ宣言』などの影響で全員が同じ場で同じ教育を受けるというインクルーシブ教育が主流となってきた。2008年に施行された『障がい者権利条約（Convention on the Rights of Persons with Disabilities）』は、そうした差別を法的に是正させるものの1つであった。UNESCOも教育は基本的人権であり、公正な社会を達成するために必要であるという観点から、近年はとくに他機関と協力し、障がいのある子どもたちを含めたインクルーシブ教育に力を入れている（黒田, 2008）。しかしながら、途上国の障がいのある児童の就学率はいまだ低いのが現実である。

(3) 教育の質

　初等教育の普及が徐々に達成されつつある今日，その「教育の質」が新たな論点となっている。教育の質について広く引用されている『EFA-GMR 2010』では，①第5学年までたどり着く残存率，②教師1人当たりの児童の人数，③女性教員の割合，④訓練を受けている教師の割合，⑤GNP予算中の初等教育費の割合，⑥児童1人当たりの政府予算，という6つのいずれも数字で測れる値を教育の質を測る指標としている。しかし，この指標には実際の授業に関わる教育「内容」やどれだけ理解したかを測る「学習到達度」の要素が含まれていない。

　初等教育の義務化・無償化に伴い，途上国においても教育の質を省みようとする傾向は年々高まり，それは学習到達度調査への参加の増加という形で表れている。たとえばOECDが15歳を対象に世界的におこなっている「生徒の学習到達度調査（programme for international student assessment: PISA）」や，特定の学年を対象とした「国際数学・理科教育動向調査（trends in international mathematics and science study: TIMSS）」などへの参加である。一方で，先進国とは異なる途上国の教育事情をより正確に測るため，途上国で地域ごとにおこなわれている教育調査もある。代表的なものとしては，サハラ以南の南・東アフリカのアングロフォン諸国でおこなわれている「教育の質測定のための南東部アフリカ連合（Southern and Eastern Africa Consortium for Monitoring Educational Quality: SACMEQ）」という小学6年生の学習環境・学習能力・教育の公正さなどを測る調査や，またラテンアメリカの読み書き・算数などの学習能力を測定する「ラテンアメリカにおける教育の質評価研究（laboratorio latinoamericano de evaluación de la calidad de la educación: LLECE）」などがあり，数多くの国が参加するようになってきている（齋藤，2008）。

　こうした教育の質を測る到達度テストが盛んになってきた背景には，EFAの潮流で初等教育の就学児は確かに増加したものの，義務化・無償化に伴い教室に児童が溢れ，教育環境が悪化した国も少なくないことがある。たとえば1994年に初等教育の無償化を実施したマラウィでは，クラスの人数増加により，第1学年でも約4人に1人が留年し，留年率は1999年の14％から2007年には20％となった（EFA-GMR, 2010）。同様に，ブルキナファソ，マリ，ニジェールといった純就学率の低い国においても，教員1人当たりの担当児童が多く，教育の質に悪影響をおよぼしかねないとされている。良質の初等教育の普遍的達成のためには教育の

質の改善，しいては学習環境を整えることが喫緊の課題であろう。

（4）教育の制度的課題

国際社会の目指している初等教育の普遍的な達成のためには，教育へのアクセス，教育の質の向上のほか，教育行財政を含む教育マネジメントに関する課題もある。近年の途上国の無償化に伴う教育行財政面の課題とは何か。

サハラ以南アフリカ諸国での授業料の無償化は初等教育への就学者を増加させたが，その背景には政治の色を感じざるを得ない。たとえば，澤村（2007）によれば，初等教育の無償化実施は，決まって大統領選のある年か，もしくはその翌年であることが多く，本来中立的であるべき施策に政治的な影響が避けられていない。事実，ケニアの場合，大統領選が2002年におこなわれ，その時の公約として初等教育の無償化が約束され，2003年から実施された。同様に，マラウィでは1994年，ウガンダは1997年に大統領選に合わせて初等教育は無償化された。

この地域の初等教育授業料無償化のインパクトについてケニア・ウガンダ・マラウィ・ガーナの4カ国で比較調査をおこなったOgawa & Nishimura（2011）は，教育行政や財政面でも負の側面をあげている。たとえば学校運営では，管理職の訓練を受けていない多くの校長は，運営委員会の活動や運営に不慣れなため，無償化による負担を感じていること，同様に，教師も人材不足で仕事量のみが増え，やる気が損なわれていることを指摘している。また，学校側のみならず無償化以前から学校に通わせていた児童の親も，自動進級への不安や，「誰でも通える学校」に対して受動的な態度になった，としている。さらに，財政面においては，都市部とそれ以外の地域においての格差がサハラ以南アフリカ諸国に共通の課題であり，地方の学校への教育資金の遅配，そして資金管理の透明化などのモニタリングの必要性などを各国の共通課題としてあげている。

初等教育の普遍化により就学児童も確かに増えた。しかし，教育を普遍化していく過程があまりにも上からのトップダウンでおこなわれ，現地の文化や実情を無視しているため，学校レベル，郡（県）レベルでは混乱をきたしている。今後は，それぞれの異なる段階で，教育行財政を十分にモニタリングし，現地の実情に合わせて良質な初等教育の普及を図っていく必要がある。

4 普遍的初等教育達成のためのパートナーシップ

(1) 教育のためのグローバルパートナーシップ

EFA 達成のためのイニシアティブは UNESCO, UNICEF, ILO, NGO, そして世界銀行などが中心に行っているものをすべて含めると実に20以上存在する（初等教育に関係するものでも，たとえば，*Global Action Week*: GAW; *Global Task Force on Child Labour and Education*: GTF; *School Fee Abolition Initiative*: SFAI など数多い）。現存する6700万人の不就学児童を2015年までに小学校に通えるようにするには，資金面で毎年，追加的に11億ドルかかるとされている。そこで，ここでは資金援助を含めた初等教育の普遍的達成のための「教育のためのグローバルパートナーシップ（*Global Partnership for Education*）」を紹介する。「教育のためのグローバルパートナーシップ」は EFA ファスト・トラック・イニシアティブ（EFA-FTI）が，2011年9月の国連総会において，良質な初等教育の普遍的達成のため，確固たるパートナーシップを目指してその名称変更をしたものである。現段階（2011年10月）での知名度を考慮し，便宜上 EFA-FTI と呼ぶことにする。

EFA-FTI は，MDGs にある「初等教育の完全普及」と，EFA の目標の一つである「良質な初等教育の普遍的達成」を推し進めるため，2002年に世界銀行が中心となって始められたドナーと途上国政府とのグローバルパートナーシップである。その主な目的は，EFA の目標を達成することであり，「軌道に乗っていない（off-track）」国々の教育支援である。EFA-FTI 発足の背景には，2000年の国連ミレニアム・サミットにおいて，国際社会は開発目標達成のために力を合わせていくことが必要だとし，2002年メキシコのモンテレーで「モンテレー合意」として途上国への援助増額の必要性が唱えられたことが背景にある。この合意を受け世界銀行は「EFA 推進のための行動計画」を作成し，同年6月にカナダで行われた G8 サミットを経て正式に EFA-FTI として発足した。EFA-FTI の資金獲得対象国となるには，①承認された貧困削減戦略文書（PRSP）があり，②ドナーの同意を受けた教育計画が策定されていることが必要である（小川・江連・山内，2008）。EFA-FTI 発足当初の2002年では18の低所得国と人口の多い5カ国であったが，徐々にその対象国も増え，2011年10月までに46の低所得国がその対

象国となっている。

　元来 EFA-FTI の対象分野は，EFA のすべての目標ではなく，初等教育だけに特化していた。しかし，2011年に行われた理事会にて，基礎教育を中心にしつつも，就学前教育やライフスキル，ジェンダー格差是正などすべての EFA の目標を対象にするとされた。また2011年から向こう3年間の戦略として，①不就学児童の4割以上が住んでいるとされる脆弱国家へのさらなる支援，②学習成果の向上や良質な教育の保障，そして③女子教育支援について，目標数値つきの成果主義アプローチで支援していくことが取り決められた。

　EFA-FTI は一定の教育効果があり，たとえばサハラ以南アフリカでは2000年から2007年の間に2000万人の学齢期児童が小学校に就学した。これは EFA-FTI の受益国でない国と比較して倍以上の早さであった。また EFA-FTI の38カ国中15カ国が2015年までに95％の児童が初等教育を修了できそうだと予測されていること，途上国政府自身が積極的に初等教育達成のためドナーと協力しようとするリーダーシップを発揮していることなどもプラスの効果であるとされている（EFA-FTI の公式ウェブサイト）。これは，ここ2年ほど EFA-FTI が組織改革をおこない，現在では途上国政府・ドナー側・教員組合・市民組織社会などから選ばれた代表が理事会の構成員としてその意思決定にかかわっていることも起因していると思われる。

　EFA-FTI の承認国（途上国）は増加の一途を辿っているが，EFA 達成のための様々なイニシアティブやパートナーシップが存在するなか，今後も EFA-FTI（「教育のためのグローバルパートナーシップ」）を中心とした途上国教育支援が続けられるものと想定される。

（2）初等教育分野での日本の協力

　日本の途上国教育援助は，戦後の「コロンボプラン」への加盟（1954年）に始まり，1960～80年代にかけては高等教育や職業訓練分野での教育協力を中心としてきた。1980年代まで初等教育分野での教育協力がおこなわれなかったのは，日本の国際協力が当時「経済インフラ」中心で基礎教育分野はなじまなかったこと，そして日本の国際協力が戦後の賠償として始まったことが影響したとされている（黒田・横関，2005）。

　1990年代に入り，日本の教育協力もその力点を基礎教育にシフトする。教育援

助に関わる各省庁，援助機関，研究機関も様々な形で貢献し，文部科学省は1996年に「時代に即応した国際協力の在り方に関する懇談会」を発足させ，2000年には「国際教育協力懇談会」で日本の国際教育協力に関して討議し，「国際協力イニシアティブ」が立ち上げられた。一方，外務省も1990年代以降の「政府開発援助大綱」などで人的資源に中心をおいた国際協力の方針を示し，2002年にはカナナスキス G8 サミットにおいて，日本は「成長のための基礎教育イニシアティブ (Basic Education for Growth Initiative: BEGIN)」を発表，2005年4月にはアジアアフリカ閣僚会議を，2008年には第4回アフリカ開発会議（Tokyo International Conference on African Development: TICAD）を横浜で主催し，日本の基礎教育分野における教育協力の決意表明をした（黒田，2010）。

　2010年秋には「日本の教育協力政策2011～2015」が公式発表されたが，ここでは「EFA と MDGs 達成への貢献」という国際的目標が基本とされ「疎外された人びとに届く支援（教育支援）」や「FTI 支援強化」「国際社会とのパートナーシップ」など世界の教育協力の潮流に沿った内容が公約された。具体的には2011年からの5年間で35億ドルの教育分野での支援を約束している。政府開発援助（official development assistance: ODA）は，1997年をピークに，2010年度においてはほぼ半減しているので，日本の積極的な教育協力の姿勢を新たに外に示した形となっている。

　日本の教育協力は，途上国の自主性を重視した「自助努力」を国際社会とともに支援する取組みを基本方向にし，国内においては NGO，市民組織，企業や大学，研究者間との連携も図りながらその効果を上げていくという，いわば「共同作業」の視点で進められている（黒田，2010）。

（3）良質な初等教育達成のために

　2015年を目標に設定された EFA であるが，良質な初等教育の完全普及の達成に向けて課題も多い。サハラ以南アフリカや南・西アジアでは依然として就学率も低く，留年率や落第率も高い。こうした地域では貧困やジェンダー，民族，言語，障がいなどの様々な理由で教育から疎外されている児童が数多く存在する。

　こうした疎外された子どもに対しても良質な教育を普及させるために，国際社会はより具体的な目標を設定したり，また，援助効果を高め，多国間協力を強固なものにするように EFA–FTI を締結した。しかし，たとえば初等教育の義務

化・無償化政策など，まだまだトップダウンの政策が現場に混乱をきたしている現実もある。真に良質な初等教育の完全普及を目指すのなら，現地の学校レベル，コミュニティ・レベル，県（郡）レベルのそれぞれのニーズを知ることなしには持続的な教育の達成は難しい。国連機関やドナーは，今後も現地の市民社会組織・研究者・教育行政官などとも一層協力していく必要があろう。

今後の学習のための参考文献

(1)初級

黒田一雄・横関祐見子編著（2005）『国際教育開発論──理論と実践』有斐閣。
　＊途上国の教育開発研究に関するテキストである。第一部は国際教育開発の理論，第二部・第三部は教育段階別の課題およびジェンダーや紛争など教育開発に関する課題，そして第四部が国際教育開発の分析手法と分かりやすい章立てから構成されている。（参照）浜野隆「第4章　初等教育」82-102頁。

黒田則博（2010）「日本の国際教育協力に関する自己認識──過去20年の報告書論文等の分析から」『国際教育協力論集』13巻1号，83-95頁。

外務省（2010）「日本の教育協力政策2011～2015」。

World Education Forum (2000), *The Dakar Framework for Action. Education for All : Meeting our Collective Commitments,* Paris: UNESCO.

(2)中級

EFA-GMR (2011), *Education for All Global Monitoring Report 2011 The Hidden Crisis : Armed Conflict and Education,* Paris: UNESCO Publishing.
　＊2000年の世界教育フォーラムでは，EFA達成のための6つの目標である①就学前教育，②良質な初等教育，③ライフスキル，④識字率改善，⑤ジェンダー格差改善，⑥教育の質，には包括的なモニタリングが必須とされた。この報告書はそのために2002年より出版されているものであり，3部構成（EFAの6つの目標に関する報告，特集テーマ，データ）で成り立つ。ユネスコとは独立したEFAグローバルモニタリングチームによって書かれている。本章では主に，2009年以降のEFAグローバルモニタリングレポートを参照した。

EFA-GMR (2013/14), *Education for All Global Monitoring Report 2013/4 Teaching Learning : Achieving Quality for All,* Paris: UNESCO Publishing.

EFA-GMR (2015), *Education for All 2000-2015 : Achievements and Challenges.* Paris: UNESCO Publishing.

小川啓一・西村幹子・北村友人編著（2008）『国際教育開発の再検討──途上国の基礎教育普及に向けて』東信堂。
　＊本書は教育開発に関わっている実務家および研究者がEFAの目標達成に関して分

析したもので，EFA に関するパートナーシップ・地域ごとの EFA 進捗状況の事例・そして EFA の具体的な6つの目標に関する分析という3部構成で成り立っている．(参照) 黒田一雄「第9章　障害児と EFA」214-228頁，齋藤みを子「第7章　教育の質に関する課題」161-185頁。

小川啓一・江連誠・山内乾史 (2008)「ダカール会合以降の国際的な基礎教育支援の動向」小川啓一・西村幹子編著『途上国における基礎教育支援〈上〉——国際的潮流と日本の援助』学文社, 25-45頁。

廣里恭史・北村友人編著 (2008)『途上国における基礎教育支援〈下〉——国際的なアプローチと実践』学文社。

澤村信英 (2007)『アフリカの教育開発と国際協力』明石書店。

A. Cigno, L. Guarcello, Y. Noguchi, S. Lyon, and F. C. Rosati (2003), *Child Labour Indicators Used by the UCW Project : An Explanatory Note*, Roma: Understanding Children's Work (UCW).

Keiichi Ogawa, and Nishimura Mikiko (Eds.). (2011), *Universal Primary Education Policy and Quality of Education in Sub-Saharan Africa*, Report for the Japanese MEXT International Cooperation Initiative, Kobe: Graduate School of International Cooperation Studies (GSICS), Kobe University.

Riho Sakurai (2006), *Child Labour and Education*, UNESCO. (EFA グローバルモニタリングレポート2007のための委託研究論文)
http://unesdoc.unesco.org/images/0014/001474/147485e.pdf

(3)上級

Joel E. Cohen, David E. Bloom and Martin B. Malin (2006), *Educating All Children A Global Agenda*, Cambridge, MA: American Academy of Arts and Sciences.
　＊EFA 達成に関して，データを用いた進捗状況の解説，初等・中等教育の普及に関する歴史的な分析，教育の質の向上のための教育評価や費用，教育開発が社会開発などに与える影響，についての数章に分けて書かれている。初等教育および中等教育の重要性も述べた本である。

Federico Blanco Allais and Frank Hagemann (2008), *Child Labour and Education : Evidence from SIMPOC Surveys* (Working Paper), Geneva: IPEC, ILO.

Okey Abosi and Teng Leong Koay (2008), "Attaining development goals of children with disabilities: Implications for inclusive education", *International Journal of Special Education*, 23, pp. 1-10.

Joel D. Sherman (2008), "Regional disparities in primary school participation in developing countries", *Prospects*, 38, pp. 305-323.

UNESCO (2009), *Policy Guidelines on Inclusion in Education*, Paris: UNESCO.

(4)ウェブサイト

UNESCO
　　http://www.unesco.org/new/en/education
Global Partnership for Education（former EFA-FTI）
　　http://www.educationfasttrack.org/home/

Column 10

西アフリカで進む「みんなの学校プロジェクト」

　アフリカにおける初等教育の完全普及は，小学校運営への地域住民の主体的かつ継続的な参加がなければ達成できない。木陰での授業，教員不在のクラス，教科書もノートもない児童，板書のみの授業，女子の少ない教室。西アフリカの小学校では珍しくない光景だ。これまで現地政府や援助機関の努力にもかかわらず，セネガルの初等教育純就学率は73％，ニジェールは54％（いずれも2008年現在）。西アフリカにおける完全普及までの道のりは険しい。

住民の努力で建てられた教室で学ぶ子どもたち
（筆者撮影）

　JICAが西アフリカの4カ国（ニジェール，セネガル，マリ，ブルキナファソ）で実施している「みんなの学校プロジェクト」は，行政と住民が協力して小学校運営に取り組み，より多くの子どもたちが，より質の高い教育を継続的に受けられるような仕組みづくりを目指している。住民によって民主的に選出された学校運営委員が，身の丈に合った活動計画を立て，それを地域内のヒト・モノ・カネで継続的に実施できるよう，運営委員および教育行政官に対する研修を通じて協力している。

　「教育の大切さもわからない貧しい住民に何ができるのか」。

　現地の教育行政官はもちろん，外国の援助関係者からもしばしば聞かれる声だ。

　しかし現実は異なる。教室や机など施設の改善，補習授業や模擬試験の実施支援，故郷を離れて勤務する教員の生活支援，児童の通学継続や女子の入学を促す住民への働きかけなど，住民主導で実施されている活動は多岐にわたる。

　「せめて子どもたちには良い教育を受けさせたい」。

　成人識字率が3割程度の西アフリカだからこそ，各地の学校運営委員が熱望しているのだ。プロジェクト先発国のニジェールでは，すでに活発な学校運営委員会が全国の1万3000校を超える小学校で展開されており，就学率や卒業試験合格率などの向上に大きく貢献している。

　今後，このような行政と住民の協働による教育開発を各国政府および援助機関が適切に政策に取り入れることで，初等教育の完全普及はもとより，達成後の成果維持も決して夢ではなくなる。

（國枝信宏）

第11章 教育とジェンダー
――男女間の格差是正と女性のエンパワーメント――

北村友人

この章で学ぶこと

　2000年に採択された『国連ミレニアム宣言』は，すべての人が等しく生きることのできる社会の実現を目指しており，とくに教育分野における性別による格差の存在を重大な問題としてとらえている。そのため，2005年までに初等・中等教育における男女間の格差を解消し，それによって男女の平等と女性のエンパワーメントを図ることと，2015年までにすべての子どもたちが初等教育を受けることができるようにすることが，ミレニアム開発目標（MDGs）として掲げられた。また，これらの目標は，主として途上国における基礎教育の普及を目指す国際目標である「万人のための教育（education for all: EFA）」のなかでも重要な位置を占めている。

　しかしながら，すでに2005年までの達成を目指していた目標（初等・中等教育における男女間格差の解消）は，現在になってもいまだに実現されておらず，2015年までの目標（教育におけるジェンダー平等の実現）もその達成は非常に困難な状況にあることが広く認識されている。こうした状況のなか，改めて途上国の教育分野におけるジェンダーの問題をとらえ直し，より公平かつ公正な教育の普及のあり方を検討することによって，MDGsやEFAといった教育の国際目標の実現に一歩ずつ近づいていくことができるはずである。

　また，途上国における教育実践のなかで両性の関係をより平等なものとするために，ジェンダー・バイアスを是正していくことが欠かせない。そのために，教育におけるジェンダー格差がどのように論じられてきたのか，歴史的な変遷を振り返ることも必要である。

　このような問題認識に基づき，本章では，途上国の教育分野におけるジェンダー格差の現状についての読者の理解を深めるとともに，教育とジェンダーをとらえる新しい視点のあり方についても考えることを目指している。

キーワード　ジェンダー格差，ジェンダー平等，国連女子教育イニシアティブ（UNGEI），エンパワーメント

1　教育におけるジェンダー格差の現状

（1）教育におけるジェンダー格差の地域別の現状

　今日の国際社会を概観すると，多くの国で教育におけるジェンダーの問題がいまだに大きな課題となっていることがわかる。とりわけ途上国では，政治的，経済的，社会文化的な理由から，主に女子・女性の教育機会へのアクセスが妨げられている。

　たとえば，男女間で平等に初等・中等教育の機会を享受することが実現されている国は，世界中で3割にも満たないと推定されている。そして，いまだにそのような基礎教育段階における男女平等を実現していない国のなかで，2015年までに初等・中等教育段階における男女間での平等なアクセスの実現が見込まれる国は85カ国に過ぎない。したがって，残りの72カ国では，このような目標を達成することが困難であるとみられており，さらにそのなかの63カ国に関しては，とくに中等教育段階での男女平等を2015年までに実現することが絶望視されている。

　次に，世界の地域ごとの状況を較べてみると，とくにサハラ以南アフリカと南西アジアにおいて男女間格差が著しいことに気づく。以下の数値は各地域の平均値であるが，たとえば初等教育段階に関しては，小学校に入学する子どもたちの比率がサハラ以南アフリカでは男子100人に対して女子93人，南西アジアでは男子100人に対して女子87人に過ぎない。初等教育の就学率に関しても，南アジアで男子の純就学率が83％，女子が79％，サハラ以南アフリカに至っては男子が67％，女子が64％となっている。そして，中等教育になると状況はさらに厳しくなり，サハラ以南アフリカにおける男子の純就学率は30％，女子は27％，南アジアで男子が53％，女子が45％，中東・北アフリカでは男子が57％，女子が54％である。もちろん，これらの地域では，男子の教育機会へのアクセスも決して十分であるとはいえないが，女子がより不利な状況に置かれていることが理解できるであろう（本章で提示する統計データについては，ユネスコ統計研究所のウェブサイト〔www.uis.unesco.org〕を参照のこと）。

　さらに，高等教育では男女間格差がさらに広がり，すべての地域で女性の就学率が男性の就学率を下回っている。とくに，エチオピア，エリトリア，ギニア，ニジェールといった低所得国では，高等教育機関に入学する人数の比率が男子

100人に対して女子は35人以下に過ぎない。ただし一方で，より経済レベルの高い国のなかには女子学生の数が男子学生の数よりも多いといった国もみられる。

ちなみに，中南米では男女間の格差が他地域とは異なる形で表れており，とくに中等教育段階では純就学率が男子の67％に対して女子は72％を示している。東アジアなどでも似たような現象がみられるが，とくに中南米では教育のジェンダー問題を考える際に，女子よりも男子の方が多くの困難を抱えていることに気づく。このような現象がなぜ起こっているのかについて明確な説明をすることは難しいのだが，社会文化的な理由や教育的な理由を挙げることは可能である。すなわち，中南米諸国に広くみられる「マチスモ（男性優位主義）」の文化の影響によって，10代半ばに達した男子のなかには教室で授業を受け続けるよりも大人の男たちと一緒に労働に従事する方が「男らしい」という感覚を抱く者が多く，結果として中等教育段階での不就学や退学がしばしばみられるようになるという。

また，教育的な理由としては，女子の学習到達度の方が一般的に男子よりも高い傾向にあり，学校教育に対する態度や姿勢においても教室文化に抵抗しようとする傾向が少ないため，一度学校に定着すると就学を継続する可能性が男子よりも高いといった説明がなされることもある。

（2）女子・女性の教育へのアクセスを妨げる要因

前項で確認したように，一般的には多くの国・地域で女子・女性の教育機会に対するアクセスが妨げられる傾向にある。その要因としては，様々な理由を挙げることができるが，なかでも経済的な要因，社会文化的な要因，学校の要因という3つの要因が相互に作用しながら，家庭の意思決定におけるジェンダー格差をもたらしている。

経済的な要因としては，男性と比べて女性には市場労働の機会が少なく，報酬も低くなる可能性が高いことから，将来の所得水準の高さや安定性を見込んで，家庭のなかで男子の就学を女子よりも優先する傾向にある。また，男子よりも女子の方が幼少時より家事労働や家庭内・コミュニティでの生産活動に従事する時間が長い傾向が，多くの国でみられる。そのため，女子を学校に通わせることはこうした労働力を失うことを意味しており，家庭にとってはその分の機会費用（就学を選択することで失われる，女子が労働に従事していれば得られたであろう利益）がかかることになってしまう。このような理由から，とくに学費など就学にかか

る直接費用が高い場合には，女子の就学は家庭のなかで男子よりも後回しにされることがしばしばみられる。

　社会文化的な要因は，宗教的な理由から慣習的な理由まで多岐にわたる。たとえば，ある一定の年齢に達した女子が学校教育を受けることに対して，否定的な見解や態度をとる社会がある。それは，宗教的な理由に基づくこともあるが，慣習として低年齢の女子の結婚が一般化している場合などにもみられる現象である。また，家父長制の伝統が根強い社会では，将来，家族を支えていくのは基本的に男子（とくに長男）であるため，女子よりも男子に対して優先的に就学機会を与えようとする傾向が強い（ただし，途上国を含めた多くの社会において，最終的に両親の面倒を最も身近でみるのは主として娘であることも往々にしてみられる。とはいえ，それだから娘に優先的に教育を受けさせるようになるかというと，必ずしもそういうわけではないことの方が一般的であろう）。

　女子の就学を妨げる学校要因として，家から学校までの距離の遠さ，女性教師の不足，女子用トイレの不備などを挙げることができる。通学に関しては，学校への距離が遠いことによって生じる通学費用が家計の負担になることもあるが，それ以上に長い時間をかけて女子を学校に通わせることに対して抵抗感をもつ親が多く，女子の就学をためらわせる原因となっている。とくに，小学校までは徒歩圏内に学校があることも多く，それほど大きな影響を及ぼさないが，中学校，高校と教育段階が上がっていくにつれて学校の所在地が家から遠くなってしまうということがしばしば起こる。また，宗教上の理由や社会慣習の面から女性教師のもとでしか授業を受けられないケースもみられたり，男性教師による性的ハラスメントや暴力といった問題もある。さらに，月経が始まった女子にとっては，女子トイレの不備が大きな障壁となってしまうこともある。

　また，学校要因の一部として，教育的な要因についても理解することが必要である。すなわち，教科書・教材の内容や教授法がジェンダーの観点から公平・公正なものになっていない場合，生徒のなかには授業などで居心地の悪さを感じてしまう状況が生じる。加えて，学校には公的なカリキュラムの他に，暗黙のうちに共有されたある種の「隠れたカリキュラム（hidden curriculum）」が存在しており，学校現場において教師が無意識・無自覚にとっている態度や行為が，子どもたちの価値観の形成に対して大きな影響を及ぼすことも指摘されている。とくに「女の子らしさ」や「男の子らしさ」といったジェンダーに関する価値観は，教

師自身が気づかずに教室のなかなどで生徒たちに押しつけてしまっていることがある。たとえば，学級活動や学校行事などにおける役割分担，生徒に対する叱り方などを通して，伝統的なジェンダー秩序をメッセージとして生徒たちに伝えてしまっていることがある。そのため，途上国の学校現場においては，公的なカリキュラムだけでなく隠れたカリキュラムに関しても，ジェンダー平等の視点から改めてみつめ直すことが求められている。

（3）教育のジェンダー格差に関する指標

　教育における男女間の格差に関する状況を理解するには，統計的なデータを読み解くことが欠かせない。こうした男女間格差や女性の社会的地位などを測るための国際的な指標として，国連開発計画（UNDP）が設定した「ジェンダー開発指数（Gender-related Development Index: GDI）」と「ジェンダー・エンパワーメント指数（Gender Empowerment Measure: GEM）」がある。また，世界経済フォーラム（World Economic Forum）も「ジェンダー・ギャップ指数（Gender Gap Index）」（男女平等指数とも訳される）を設定して，「経済」「教育」「健康（保健）」「政治」という4つの分野について男女間格差の国際比較をおこなっている。とくにGEMが女性の社会進出の達成度を示しているのに対して，「ジェンダー・ギャップ指数」は男女間の格差に焦点を当てている。さらに，教育分野では，たとえば初等・中等教育段階における男子の粗就学率に対する女子の粗就学率の比率を表す「ジェンダー均衡指数（Gender Parity Index: GPI）」に基づき，教育機会の男女間格差の状況について知ることができる。

　ただし，こうした男女間格差を測るための指標は，異なる国・社会の状況を国際比較するうえで有効なものではあるが，注意しなければならない面もある。たとえばGEMに関して，国レベルやフォーマルな分野（政府や企業）における個人の女性たちの状況を指標の対象としているが，トランスナショナルあるいはローカル（地方）といった異なる地理的レベルやインフォーマルな分野（女性団体やNGOなど）での個人の女性ならびに組織での女性の活動にも目を向けなければ，実際の女性たちのエンパワーメントの状況を理解するには不十分であるという指摘がある。こうした指摘はGEMのみならず，他の指標をみる際にも気をつけなければならない。

（4）教育のジェンダー平等による効能

　それでは，教育におけるジェンダー平等が実現することは，なぜそれほどまでに重要なのであろうか。ここでは，とくに女子・女性による教育機会へのアクセスを向上させることによって得られる効能について，経済的な側面と社会的な側面からそれぞれ整理する。

　女子・女性に対する教育が普及することで，社会の経済開発が促進されるという考え方は広く受け入れられており，女子・女性に対する教育の社会的収益率の方が男子・男性に対する教育よりも高い傾向にある国も多い。また，多くの途上国において，教育水準の低さが原因で女性のフォーマルな経済活動への参加が男性よりも低くなっていることが，生産性の面からみて大きな損失となっている。

　ただし，女子教育の経済効果に関する研究は，分析手法の方法論的な限界や女子教育推進のための政策的意図の影響を受けることによる客観性の不足など，様々な問題を抱えていることが明らかになっている。また，女性は主としてインフォーマル・セクターや家庭における非賃金労働に従事する傾向があるため，フォーマル経済をみているだけではその経済貢献を測ることはできない。とはいえ，女性の教育が女性の労働参加を促進し，女性の賃金を向上させ，結果として労働市場における男女格差の是正が期待される。そのため，女性の労働力としての経済貢献を高めることは社会全体の経済活動を活性化させるうえでも重要である。

　それでは，教育を受けた女性が増えることによって，社会的にはどのようなインパクトがあるのだろうか。たとえば，とりわけ1990年代から急激な人口増加が起こっている多くの途上国では，人口増加の抑制が大きな社会的課題となっている。教育（とくに女性に対する教育）が，家族計画に関する知識を広めたり，妻と夫の関係性を変化させたりすることで，出生数を減少させることは広く知られている。また，教育を受けた親は，家庭内における子どもの数と子ども1人当たりにかけることのできる教育費とのバランスを考えるようになり，結果的に子どもの数をみずから制限するような行動をとるようになる。実は，急激な人口増加は経済成長を鈍化させるリスクをはらんでいるため，人口問題という観点から女子・女性への教育を促進することは，その社会的なインパクトのみならず経済的な効果についても期待することができる。

2 ジェンダー格差是正の国際的取組み

　ここまで概観してきたように，教育のジェンダー格差（とくに女子・女性が置かれた不利な状況）が多くの社会に存在しており，それを是正し，ジェンダー平等を実現することは今日の私たちにとってきわめて重要な課題である。こうした認識が国際社会のなかで広く共有されるようになったのは，20世紀に世界各地で継続的に取り組まれた，様々な思想的・実践的な試みの集積があったからである。本節では，教育におけるジェンダーをめぐる議論の変遷と国際的な取組みについて概観する。

（1）ジェンダーとエンパワーメント

　ジェンダー（gender）とは，生物学的な性（sex）とは異なり，社会的，文化的，歴史的，経済的，政治的に構築される性差のことであり，いわゆる「女らしさ」や「男らしさ」といった言葉で表現され，時代とともに変化するものである。こうしたジェンダーの概念は，19世紀以降に産業革命が進展し，社会状況が変化したことに伴い，経済的にそれ以前よりも豊かになった層（中産階級）が生まれてくるなかで形成されてきた。こうしたジェンダー概念のなかには，とくに男性優位・女性劣位といった縦の関係性が組み込まれていることに注意を払う必要がある。今日の多くの途上国社会の状況をみるときにも，伝統的な価値観のなかで男性優位・女性劣位の関係性が強固に存在していることに気づく。また，とくに近年，ジェンダーに対する意識が高まってきたなか，多くの途上国では教育をはじめとする様々な分野で「ジェンダーの主流化（gender mainstreaming）」ということが強調されている。

　こうした途上国におけるジェンダーに対する意識の高まりは，長年にわたる議論や実践の積み重ねを経て実現してきたことである。1960年代に「開発と女性（women in development: WID）」という概念が提唱され，途上国の女性が国や地域の開発に積極的かつ主体的に参加することで，開発からの利益や恩恵を女性も公平に受けられるようにすることの重要性が広く認識された。このような考え方のもとに多くの女性が開発プロジェクトに参加するようになり，女性の教育，雇用，健康の向上などの面で一定の成果をみることができた。そもそも，かつて多

くの途上国では、開発が進めば自然と女性の状況も改善されるのではないかという楽観的な見方が支配的であった。しかし、1970年代から80年代を通じて、実際には開発が進んでも女性をめぐる状況が男性よりも良くなるわけではなかったり、逆に開発が進むことで社会のなかに差別や格差が生じて、その被害を女性が被るといったケースもしばしば出てきた。そこで1980年代になると、女性の状況を改善するためには男性が果たしている役割や責任なども問い直したうえで、「男性と女性の相対的な関係」や「女性に差別的な制度や社会システム」を変えていくことによって、男女の平等な関係の構築を目指す「ジェンダーと開発（gender and development: GAD）」という考え方が広く受け入れられるようになった。

このようなGADの視点から途上国のジェンダーと教育に関する問題をとらえるためには、「エンパワーメント（empowerment）」について考えることが欠かせない。エンパワーメントとは、「社会的に差別や搾取を受けている人や、自らを主体的に生きる力を奪われた人が、主体性を取り戻していくプロセス」のことを意味する。とくに、多くの社会で女性は意思決定過程から排除され、力を奪われた状態（disempowerment）にあるため、ジェンダーの問題（社会的・文化的に作られた性差の問題）に気づくことで意思決定過程に参加する機会を獲得し、力をつける（すなわちエンパワーされる）ことが必要である。それは、外部から力（power）を与えられるのではなく、自らのもっている力を引き出すことによって実現されるのであり、そのために教育が果たす役割はきわめて大きい。なお、エンパワーメントという言葉は主に1960年代から使われ始め、1980年代には途上国の開発における女性の問題として議論が深められた。そして、1995年の第4回世界女性会議（北京会議）において重要な概念として用いられたことで、広く一般に普及した。

（2）教育とジェンダーをめぐる言説の変遷

教育とジェンダーの問題を考えるにあたり、ここでは歴史的にどのような議論が行われてきたのかを簡単に振り返る。教育とジェンダーをめぐる言説の歴史的な変遷を理解することは、今日の問題を考えるうえでも不可欠なことである。

近代社会の成立に伴い欧米を中心に、それまでの「家父長制度」にみられるような封建的な考え方が批判的に検証されるようになった。そして、個人をベースとする近代的な人権の概念が構築されるようになり、19世紀にはジョン・ステュ

アート・ミル（John Stuart Mill）によって女性の政治的権利が主張されるようになった。また，「人権の世紀」とも呼ばれる20世紀を迎える直前に『児童の世紀』（1900年刊）を著したエレン・ケイ（Ellen Key）は，子どもや女性には健やかな生活を送るために保護される権利があり，それを社会的に保障することの必要性を訴えた。その後，『ジュネーブ宣言』（1924年），『世界人権宣言』（1948年），『子どもの権利宣言』（1959年），『子どもの権利条約』（1989年）などに象徴されるように，子どもや女性の権利を守るための合意が国際社会においても広く受け入れられてきた。

さらに，1975年の「国際女性年」を契機とした「国連女性の10年」（1976～85年）の実施，5～10年ごとに開催された「世界女性会議」（1975年：メキシコシティ，1980年：コペンハーゲン，1985年：ナイロビ，1995年：北京）や国連特別総会「女性2000年会議」（2000年：ニューヨーク）などを通して，貧困，教育，健康，経済，人権，女性に対する暴力などの分野で，女性が全面的に参加するとともに，実質的な男女平等を進めていくことの重要性について幅広く議論を積み重ねてきた。また，これらの女性の権利に関する国際的な議論を通して，女性の経済的権利の重要性も広く認識されるようになり，1979年には女性の労働権や子の養育における男女平等などを明記した『女性差別撤廃条約』が締結された。

ここで簡単に振り返ったように，教育におけるジェンダーの問題を考えるうえで，このような「権利としての教育」を保障するという立場を理解することが，まず何よりも欠かせない。また，教育におけるジェンダー平等の重要性が国際社会で広く認識されるようになったのは，エレン・ケイをはじめとする思想家・実践家たちの粘り強い努力と，国際社会全体として『世界人権宣言』などの国際的な合意を積み上げてきたからであることを忘れてはならない。ただし，理念あるいは理想として教育のジェンダー平等を実現することの重要性が広く受け入れられるようになったとはいえ，実際にそれを実現していくためには具体的な取組みの積み重ねが不可欠である。そこで次に，教育におけるジェンダー格差是正のためにおこなわれてきた国際的な取組みについてみていくことにする。

（3）EFA目標と国際的なパートナーシップ

教育におけるジェンダー格差を是正するためにおこなわれてきた国際的な取組みとして最も重要なものが，「万人のための教育（EFA）」という国際目標のもと

におこなわれている基礎教育普及の運動である。1990年の「万人のための教育世界会議」と2000年の「世界教育フォーラム」に150以上の政府代表団，30以上の国際機関，100以上の市民社会組織（NGO等）がそれぞれ参加し，世界のあらゆる国家・社会においてすべての人が等しく，基礎的な教育を受ける機会が保障されなければならないということに合意した。そして，主に途上国を中心として基礎教育を普及させるために，国際社会が一丸となって協力し合うことを謳ったEFAの目標を採択した。

　1990年と2000年にそれぞれ採択されたEFAの目標は，基本的に初等教育の完全普及や識字率の向上などを達成すべき課題として挙げており，こうした目標の実現のためには，とくに女子・女性の教育を普及させることが重要であると強調している。ただし，1990年の目標には「ジェンダー」という言葉は使われておらず，あくまでも女性の教育状況の改善が意識されていたのに対して，2000年の目標では「初等・中等教育段階におけるジェンダー格差の是正とジェンダー平等の実現」ということが明確に謳われており，10年間を経て国際社会のなかで教育とジェンダーの問題に対する意識がさらに高まったことがうかがわれる。ちなみに，2000年のEFA目標で掲げられた6つのうち2つ（目標2：2015年までにすべての子どもたちに無償・義務制の良質な初等教育へのアクセスを保障，目標5：2005年までに初等・中等教育での男女間格差を解消し，2015年までに教育におけるジェンダーの平等を達成）が，「ミレニアム開発目標（MDGs）」の目標（目標2：初等教育の完全普及の達成，目標3：ジェンダー平等推進と女性のエンパワーメント）と共通している。このことからも，EFAやMDGsを推進するうえで教育とジェンダーの問題は重要課題として認識されており，国際社会のステークホルダーたちが協力し合いながら取り組まなければならない領域であることがわかる。

　こうした国際目標は，各国政府をはじめとする多様なステークホルダーたちが問題意識を共有化するうえで重要な意味をもっている。しかし，目標を掲げただけでは，具体的な実践になかなか結びついていかない。とくに，途上国で基礎教育を普及させるためには，途上国政府だけでは対応できないことも多く，先進国の援助機関，国際機関，市民社会組織（NGOなど）の助けを得ることが欠かせない。とくに，国際機関には多様なリソース（知識，情報，専門家，財源など）が蓄積されているのだが，国際機関の間での協調関係が必ずしも十分に構築されているとはいえず，リソースの効率的・効果的な活用がなされていないという問題が

かねてより指摘されてきた。そこで，2000年の世界教育フォーラムの後にEFAの枠組みのなかで，様々な国際機関が有する専門性を活かしながら，その他の関係機関の参加も得つつ，特定の分野に対する集中的な支援を提供するメカニズムとして「フラッグシップ・イニシアティブ（flagship initiatives）」が立ち上げられた。

　このフラッグシップ・イニシアティブの1つが「国連女子教育イニシアティブ（United Nations Girls' Education Initiative: UNGEI）」であり，国連児童基金（UNICEF）が主導機関を務めている。このUNGEIは，もともと2000年の世界教育フォーラムの場で当時のコフィー・アナン（Kofi Annan）国連事務総長によって発表されたイニシアティブであり，女子教育のアクセス，質の向上を目的とし，参加国はトップレベル（大統領や首相など）のコミットメントが要求され，国主導型の事業執行を前提としている。このUNGEIには，国際機関だけでなく，二国間援助機関，アフリカ女性教育者フォーラム（Forum for African Women Educationalists：FAWE）をはじめとするNGOなども参加して，幅広いパートナーシップを構築している。

　UNGEIは，本章でも概観したようにとくにサハラ以南アフリカ，南アジア，中東・北アフリカにおいて教育の男女格差がいまだに是正されていない現状に対して，国際的なパートナーシップに基づきながら女子・女性のための教育を普及させていこうという国際社会の姿勢を明確にした点で大きな意義をもっている。また，多くの途上国でみられるように女子が学校へ行くことができないという構造的な問題に対して本格的に取り組むことなしには，すべての人に基礎教育の機会を提供しようという目標を実現することは不可能である。そのためにも，『子どもの権利条約』や『女性差別撤廃条約』に基づく「開発への人権を基盤としたアプローチ」を推進することが重要であり，UNGEIはこうしたアプローチを具体化するための枠組みであるといえる。さらに，女子のニーズに焦点をしぼった教育政策や教育プログラムであっても，男子の教育状況を改善するうえでもプラスの影響を及ぼすことが指摘されており，男女両方の子どもに対する教育普及の意義をもつことが期待される。

　UNGEIをはじめとする教育におけるジェンダー格差是正のための国際的なパートナーシップは，国際レベルや国レベルで多様なリソースを女子・女性の教育に対して動員するように働きかけるうえで非常に重要な役割を果たしている。し

かしながら，それを学校やコミュニティのレベルでの教育実践として具体化していく際には，親や教師をはじめとする現場の人びととの協調関係を構築していくことが欠かせない。その際，子ども（とくに女子）の視点に立って考えることを忘れてはならない。途上国の学校現場で女子教育を推進するにあたっては，本章ですでに述べた「隠れたカリキュラム」の問題を含め，教科書や補助教材，教授法などにおいて，ジェンダーの視点や男女の平等な参加といった概念が適切に反映された教育内容となっているのか，生徒たちの目線から改めて検証することが必要である。

3　教育のジェンダー平等へ向けた途上国の取組み
――バングラデシュの事例――

　ここまで，教育のジェンダー格差をめぐる国際的な議論や取組みについて概観してきた。本節では，これらの国際的な枠組みに基づきながら，教育のジェンダー平等へ向けた取組みが途上国の現場でどのようにおこなわれているのか，バングラデシュの事例を通して紹介したい。

　すでに本章で指摘してきたように，南アジアは教育における男女間格差が最も大きな地域の1つであり，バングラデシュにおいても1990年代に入るまでは男女間の格差が顕著にみられた。たとえば，1990/91年の初等教育の総就学率は男子が76.5％，女子が66.3％であり，ジェンダー均衡指数（GPI）は0.87という状況で，男子と較べて女子の就学が遅れていることは明らかであった。中等教育の総就学率に関しても，男子で25.1％，女子が12.7％で，GPIが0.51と，男女ともに低いレベルの就学にとどまっていたが，そのなかでも女子の就学が大きく阻害されていた状況がみてとれる。

　しかし，それから20年近くが経った2007年のデータをみてみると，初等教育の総就学率が男子で88％，女子は95％となり，GPIが1.08ということで，男子よりも女子の方が就学しており，男女間格差は逆転したことがわかる。中等教育の総就学率についても同様の現象がみられ，男子で42％，女子が45％，GPIは1.06と，就学状況が大幅に向上するとともに男女間格差がやはり逆転している。

　なぜバングラデシュは，女子教育の状況をここまで劇的に改善することができたのであろうか。その理由としては，政府の強い政治的な意思，幅広いパートナ

ーの積極的な関与，国際社会からの手厚い支援などをあげることができる。

　バングラデシュでは，独立直後の1972年に制定した憲法のなかで義務・無償制の初等教育を実現すると謳ったが，実際に義務制の初等教育が導入されたのは1990年の義務初等教育法の制定によってであった。同法の制定を受けて，教育省では「普通教育プロジェクト（general education project）」（1991～96年）を立ち上げ，「義務初等教育プログラム（compulsory primary education programme）」（1992～93年）を導入した。また，1990年には，初等教育のみならず，6年生から8年生に所属する女子に限って，中等教育の授業料を免除するプログラムも導入している。その後も，第1期（1997～2002年）と第2期（2003～08年）にわたる「初等教育開発プログラム（primary education development programme: PEDP）」を，国際社会からの支援を受けながら積極的に展開した。なお，これらの政策展開は，EFA ならびに MDGs を実現するための取組みであると各種の政策文書においても明確に位置づけられている。

　こうした政策的な枠組みのなかで様々な取組みがおこなわれてきたが，女子の就学を促すうえでインパクトの大きかった具体的な施策としては，たとえば1994年に全国的なプログラムとして導入された「女子中等学校奨学金プログラム（female stipend program: FSP）」を挙げることができる。これは1982年から試行的におこなわれていたプログラムを全国規模に拡大したものであり，このプログラム導入以降，女子の中等教育への就学者数は急速に増え，1995年では250万人弱だった在籍者数が，2000年には約400万人にまで増加した。こうした奨学金プログラムの導入にあたっては，世界銀行をはじめとする援助機関からも財政支援を受けたことに加えて，コミュニティからの支持も幅広く得られたことが，成功の要因としてあげられる。また，奨学金の給付に際しては，母親名義の口座に振り込むことによって，確実に女子の就学向上につながるような工夫をしている。ただし，奨学金プログラムに対しては，政府による人気取りのためのばら撒き政策ではないかという批判も一方である。また，急激に就学者数が増えたことによって，教育の質が低下しているのではないかと心配する声もある。

　このような奨学金プログラムに加えて，小・中学校における女性教師の人数を増やすための取組みや，中等教育の修了試験に合格するための支援などを，援助機関等の支援を得ながら政府は推進している。また，政府の取組みのみならず，バングラデシュでは NGO による教育普及活動が非常に熱心におこなわれている。

なかでも世界最大級の国際NGOに成長しているBRACによる初等教育プログラムはよく知られており，BRACが直接運営しているBRAC小学校（全国に約1500校）は政府立小学校よりも教育の質が高いという評価をされることもしばしばである。また，このBRACのプログラムでは他のNGOとも協力しながら約5500の小学校を支援しており，これらの小学校に通う生徒たち（約16万5000人）のうち7割以上が女子である（2011年末現在）。これは，とくに教育面で不利な立場に置かれやすい，貧しい家庭の女子に対する支援を重視してきたためである（BRACについては，第2章と第5章を参照）。

こうしたバングラデシュにおける一連の取組みからは，女子教育の普及を優先課題にするのだという強い政治的な意思を政府が明確化し，そのための政策的な枠組みを構築するとともに，国内外の様々なパートナーとの連携や協調を積極的に進めてきたことがわかる。このような包括的な取組みが女子教育を促進するうえで何よりも欠かせないことを，バングラデシュの事例は示している。

4　教育におけるジェンダー平等実現への道筋

ここまで本章でみてきたように，教育におけるジェンダー格差の是正は多くの途上国でいまだに大きな課題となっている。そうしたなか，教育におけるジェンダー平等を実現するうえで，多くの国が女子・女性のための優先的な教育プログラムを導入している。しかしながら，とくにジェンダーを強調したプログラムではなくとも，基本的に教育の普及を目指したプログラムであれば男女それぞれに何らかのメリットをもたらすはずである。そうしたジェンダー中立的な教育プログラムとしては，授業料の廃止，制服をはじめとする学用品の支給，学校給食，就学者への食糧・物資の支給（たとえば世界食糧計画〔WFP〕の支援などを受けながら様々な国で実施されている「教育のための食糧〔food for education〕」プログラム）などをあげることができる。これらは，特定のジェンダーを重点的に支援するわけではないが，こうしたプログラムの導入によって全体の就学状況が改善されるということは，男女それぞれが何らかの形でその恩恵を受けることを意味する。したがって，ジェンダーを特定したプログラムを考える前に，何よりもまず一般的な教育改善プログラムとしてどのようなものが必要とされているのか，きちんと検証することが欠かせない。

とはいえ，こうしたジェンダー中立的な教育プログラムだけでは，やはり不利な立場に置かれている人びと（とくに女子・女性）の教育機会を拡大することが必ずしも十分にはできないという現実もある。そうした場合に，ジェンダー格差を是正するための特別な教育プログラムが必要とされる。その際，すでに本章で概説したように，経済面，社会文化面，教育内容，学校環境などに関してジェンダー・フレンドリーな改善をおこなうことが求められている。

 また，ジェンダーの視点やエンパワーメントの立場から女子・女性の教育をみることによって，女子・女性だけでなく男子・男性も活動の対象にすることが可能になることを忘れてはならない。そのような視点・立場から教育におけるジェンダー平等を実現しようとすれば，女性に対する見方を改めて検証するとともに，父親の参加などの子育てのあり方，女子が教育を受けることへの両親の考え方や態度についても，社会全体でみつめ直すことが求められている。

 さらに，途上国の教育分野においてエンパワーメントの概念が広く共有されるなか，そうした概念に基づく教育プログラムが導入されてきた。しかし，その一方で，当初目指していたジェンダーの視点からのエンパワーメントのあり方とは「ずれ」が生じてきたという懸念も，一部のフェミニストの間で表明されている。それは，「かつての正義（justice）と平等（equality）に基づくジェンダー概念」に対し，「ソフトで，なだめるような『エンパワーメント・ライト（empowerment-lite)』」が蔓延しているといった批判である。つまり，こうした「ソフトなエンパワーメント」は，これまでにフェミニストたちが数十年にわたって活動し，要求してきたような「女性を組織化し，女性がより主体的に政治参加するための訓練，資源，法律を提供し整備すること」と一見同義にみえるが，実際には開発援助機関などが実施するプロジェクトを通して女性たちが経済的に豊かになれば，あたかも社会的な規範，組織，関係といったものも解決できるかのように思い込まされてしまっているとの指摘である（この問題については中村〔2010〕を参照）。

 こうした批判の背景には，「貧困削減に資する経済成長（pro-poor economic growth）」を途上国で推し進めるために，ジェンダー平等それ自体の必要性ではなく，効率的な経済開発の手段や道具としてジェンダー課題を正当化した政策が導入される傾向がみられる。たとえば，「女性に投資することは，最もコストがかからず効率的な経済成長を促すことにつながる」といった言説に過度に依拠した政策である。こうした考え方自体を否定する必要はないが，経済的な有効性や

効率性ばかりを強調したプログラムには，社会文化的な視点や教育的な視点が欠けてしまう危険性があることを忘れてはならない。

　本章で概説したように，教育におけるジェンダー格差の問題は，それぞれの社会の歴史的・政治的・経済的・社会文化的な文脈に沿ってとらえ直される必要がある。そして，その立脚点は常に基本的人権としての教育をいかにして保障するのかという視点でなければならない。また，1990年に採択されたEFAの目標では，とくに女性の問題としてとらえられていた男女間格差が，2000年のEFAの目標においては単に性別の問題ではなく社会的な性役割に関わる問題であるとして，「ジェンダー」という言葉が明示的に使われるようになったことの意義は大きい。もちろん，本章で指摘したように，むしろ男子の就学促進に問題を抱えている国があることも忘れてはならない。しかし，一般的にはとくに社会的に弱い立場に置かれていることの多い女子・女性に対するケアを充実させることが，多くの国において優先課題であることは言うまでもない。

　最後に，このような教育とジェンダーの問題を考えるなかで，男女間の格差について社会的な文脈から深く考察を加えることの重要性を改めて強調したい。すなわち，途上国における教育のあり方に関してジェンダーの問題を考えることが，他の様々な社会的な弱者たち（障がいをもった人びとや人種的・民族的・宗教的なマイノリティなど）に対しても目を向けていく契機となることを期待したい。

今後の学習のための参考文献

(1)初級

黒田一雄・横関祐見子編著（2005）『国際教育開発論——理論と実践』有斐閣。
　　＊国際教育開発分野のスタンダードな教科書である本書の第9章「ジェンダーと教育」（結城貴子）は，国際社会においてジェンダー平等の概念がどのように発展してきたのかについて解説をしたうえで，途上国における女子・女性の教育の意義ならびに今日の状況と対応策について概説している。

田中由美子・大沢真里・伊藤るり編著（2002）『開発とジェンダー——エンパワーメントの国際協力』国際協力出版会。
　　＊開発におけるジェンダーに関する諸課題を多様な視点からとらえている本書は，とくに途上国の女子・女性にとってのエンパワーメントを考えるうえで参考になる論考を多数収録している。なかでも第5章「教育とジェンダー——新しい戦略」（菅野琴）と同章の4つの事例は，途上国の女子・女性がみずからの社会的地位を向上させたり経済的状況や生活環境を改善したりするうえで教育が果たす役割の重要性について理解するのに役立つ。

(2) 中級

澤村信英編著（2008）『教育開発国際協力研究の展開―― EFA（万人のための教育）達成に向けた実践と課題』明石書店。
 ＊本書は，途上国の教育開発に対する国際協力の現状と課題について明らかにする，多様な研究成果をまとめたものである。とくに第6章「女子就学振興政策の社会経済開発効果」（黒田一雄）は，主に教育経済学的な観点から途上国において女子教育が普及することによって期待される経済効果や社会的有用性について概説している。また，第13章「ジェンダー平等を目指した女子教育の拡充」（勝間靖）は，UNGEI というジェンダー平等へ向けた国際的なパートナーシップを通して，とくに同イニシアティブの主導機関であるユニセフの教育開発政策に焦点を当てながら，国際社会としていかに女子教育の普及・改善を図るべきかについて論じている。

木村涼子編著（2009）『ジェンダーと教育』日本図書センター。
 ＊本書は「日本の教育と社会」と題された論文集（リーディングス）シリーズの1冊であり，主に日本を中心とした先進国における教育とジェンダーの諸課題に関する論文を収録している。それらは，教育研究におけるジェンダー視点の意義についての論考からはじまり，学校教育のなかでのジェンダー形成やジェンダーの視点からの教育史のとらえ直しなどをおこなっており，直接的には途上国の教育との関わりは論じられていないが，多くの示唆をもたらしてくれる。

UNESCO (2003), *EFA Global Monitoring Report 2003/4 : Gender and Education for All——The Leap to Equality,* Paris: UNESCO.
 ＊UNESCO が毎年刊行している本報告書は，国際的な基礎教育普及のための「万人のための教育（EFA）」目標に関する各国の進捗状況をレビューしている。とくに，毎年テーマを決めて特集をしており，この2003/4年版はジェンダーに焦点を当てて，途上国の教育における男女間格差の問題について幅広く論じている。

(3) 上級

A. Cornwall (2007), "Pathways of women's development", *Open Democracy* [online], July 30.
 http://www.opendemocracy.net/article/pathways_of_womens_empowerment

J. Raynor and K. Wesson (2006), "The girls' stipend program in Bangladesh", *Journal of Education for International Development,* Vol. 2, No. 2.
 http://www.equip123.net/JEID/articles/3/Girls'StipendProgramInBangladesh.pdf

中村唯（2010）「途上国開発におけるジェンダーと女性のエンパワーメント概念の構築――インドにおけるマイクロファイナンスの取り組み（女性自助グループ）を事例に」『国際政治』161号，110-124頁。
 ＊ここに挙げた3本の論文は，途上国の教育におけるジェンダーの問題を考えるうえで多くの示唆を与えてくれる実践例を紹介するとともに，そこにみられる問題などについて鋭い指摘をおこなっている。

(4)ウェブサイト

国連女子教育イニシアティブ（United Nations Girls' Education Initiative: UNGEI）
　http://www.ungei.org/index.php

■ *Column* 11 ■

西アフリカの女子教育

　アフリカ諸国の教育におけるジェンダー格差は複雑だ。就学率が既に高い国や地域では男子の就学や学習到達度が問題となり始めているが，やはり多くの国では，女子の教育機会や学習到達度が依然として低いのが現状だ。

　西アフリカでは，女子の就学率がとくに低い。貧困，宗教，ジェンダーといった要因が重なり，女子に対する不公正がつくられる。ナイジェリアの子どもは平均6年8カ月，学校に行く。富裕層は9年8カ月で男女格差や都市と農村の差がほとんどない。

チャドの小学校1年生
（筆者撮影）

しかし，貧困層をみると，都市部の男子の6年5カ月に対し，農村の女子は3年4カ月と大きな格差がある。さらに，農村部でもイスラム教徒が多いハウサ民族の女子は4カ月と著しく短い（EFA-GMR, 2010）。男女格差は，貧困，都市と農村，宗教などによってさらに拡大する。

　小学校1年生の教室には女子と男子がほぼ半数でも，高学年になるに従って女子の割合が減ってくる。家事の手伝いをするため，結婚するために，小学校を辞めてしまうからだ。小学校1年生のクラスの子どもの年齢は様々で，学齢に満たない子どももいれば，学齢を超えた10歳や11歳の子もいる。このような子どもは，小学校を卒業することなく，ドロップアウトしてしまう可能性が高い。

　どうやって，6～7歳の学齢の子どもを小学校に入学させるのか。いま，改めて幼児教育への関心が高まっている。4歳か5歳で小学校に隣接した幼稚園に通い始めれば，そのまま6歳で小学校に入学する可能性が高まる。幼稚園は，コミュニティと小学校の橋渡しとなるのだ。小学校で母語と違う共通語で学ぶことは，幼い児童にとって大きな負担となる。小学校で使われる教授言語に慣れて，教室での集団生活を経験し，学校で学ぶ準備（school readiness）ができる。文化的に引っ込み思案の女の子も，積極的に授業に参加することができるようになる。設備の整った都市部の私立幼稚園ではなくて，村の小学校の校庭の片隅，大きな木の下にある小さな幼稚園。ここに西アフリカの教育ジェンダー格差を是正する出発点があるのではないだろうか。

（横関祐見子）

第12章　教育と情報通信技術
　　　——持続可能な活用を目指して——

山口しのぶ

この章で学ぶこと

　途上国において教育開発分野への情報通信技術（information and communication technology: ICT）の導入が注目を集めている。国際社会が共同で取り組む枠組みであるミレニアム開発目標（MDGs）では，2015年までに達成すべき8つの目標の1つとして「初等教育の完全普及の達成」（目標2）を掲げると同時に，「開発のためのグローバルなパートナーシップの推進」（目標8）のなかで，「とくに情報・通信における新技術による利益が得られるようにする」（ターゲット8F）ことを重要としている。また，G8サミットの教育タスクフォースでの提言を受け，ICTの活用は教育へのアクセスの拡大，および研修などを通じた教育の質の向上を目指すツールとして各国の具体的な活動に取り入れられている。さらに，国連教育科学文化機関（UNESCO）主催のE9教育大臣会議（2001年）は，会議の提言を「北京宣言」として取りまとめた。そこでは，万人のための教育（EFA）を促進するための要素としてICTを挙げ，①過疎地域の学校におけるICTの活用，②リソース共有のための教育者間ネットワークの構築，③ICTを活用した教員，教育行政官の研修プログラムの実施，④ベスト・プラクティスの事例の共有，などが重要項目として採択された。このような背景を受け，途上国における教育分野へのICTの導入は，様々な事例を通じ拡大している。たとえば，民間企業との連携を駆使した低価格コンピューター・プロジェクト，太陽電池を活用した遠隔教育プロジェクト，モバイル研修と遠隔教材を融合した教員研修など，現場の状況を効果的に反映した画期的な取組みが多く試行されている。同時に，問題点も指摘されており，予算不足，インフラ整備不足，現地人材育成の難しさなど，課題は多岐にわたる。本章では，MDGs達成のツールとしてのICT導入に焦点を当て，事例に基づく成功要因を分析するとともに，教育分野へのICT導入に関して多方面からの分析の重要性について議論を展開する。

キーワード　教育とICT，開発とICT，持続可能性，イノベーション，人材育成，持続可能な技術，基礎インフラ

1 ミレニアム開発目標における教育とICT

（1）教育の現状と問題点

　教育の発展において，世界的に重要視されている目標としては，初等教育の完全普及，成人識字率の向上，ジェンダー格差の解消，教育の質の向上などが最初にあげられるだろう。

　UNESCOの『EFAグローバル・モニタリング・レポート』では，2000年以降の基礎教育，初等教育の普及率の上昇，不就学児童の減少，識字率の増加，男女格差の縮小など発展傾向が報告された。1999年以来，学校に通っていない子どもの数は世界全体で3300万人減少し，とくに南，西アジアでは1999年の半数以下となるなど，一部の国や地域ではめざましい進歩を見せている。成人識字率は1990年代より10％上昇し，84％となり，成人女性の識字人口は男性よりも速いペースで増えている。また，学校に通っていない子どものうち女子の割合は58％から54％に減少した。

　しかしながら，絶対数を見てみると2007年には7200万人以上の子どもが学校に通っておらず，このままでは2015年には5600万人が学校に行けなくなると推測されている（図12-1）。とくにサハラ以南アフリカでは，1200万人近くの女子が一度も学校に行っておらず，今後も就学は困難とされている。UNESCOの今日の推測ではおよそ7億5900万人の成人が読み書きができず，これは全世界の成人の人口の16％にあたるとされる。その内3分の2をしめているのは女性であり，また成人非識字者の多くはインドなどの人口大国に集中している事実が明らかになっている（図12-2）。数多くの子どもが基本的なスキルさえ身につけていないまま学校を去っている現状もある。サハラ以南アフリカの数カ国では，5年間教育を受けた青年の40％が非識字者である可能性が報告されている。2015年までに世界の初等教育の完全普及を実現するには，約190万人の教員の新規採用枠が必要ともいわれている。

　1990年に「万人のための教育（EFA）」が定められて以来，各国で識字力向上の重要性が語られているにもかかわらず不就学児童が減少する速度はあまりにも遅いというのが現状だ。その背景には，財政不足，インフラや整備の欠如，教員の不足や質の問題，戦争などの政治的混乱，格差問題や自然災害など，阻害要因

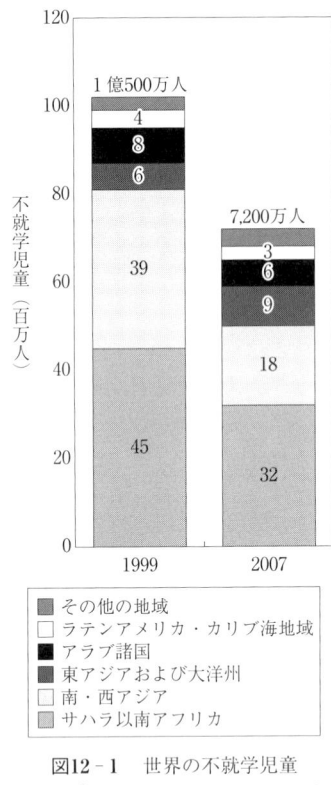

図12-1　世界の不就学児童
出典：『EFA グローバル・モニタリング・レポート2010』ユネスコ，2010年1月，56頁。

図12-2　15歳以上の成人非識字者数（単位：百万人）
出典：『EFA グローバル・モニタリング・レポート2010』ユネスコ，2010年1月，95頁。

は多岐に及んでいる。問題解決に向けて，各国が責任を負い，世界レベルでの協力体制は必要不可欠である。そのうえで就学率および成人識字率の向上には，新しいアプローチをもって臨まなくてはならない時代にさしかかっているのではないか。次項では，国際機関や関連組織が策定する開発目標，政策における教育とICT の位置づけを紹介していきたい。

（2）MDGs における教育と ICT の位置づけ

MDGs では，教育と ICT は2つの目標に関連している。目標2は「初等教育の完全普及の達成」であり，「2015年までに，すべての子どもが男女の区別なく

表12-1 教育とICTに関連するMDGsの目標,ターゲットと指標

目標とターゲット	指標
目標2:初等教育の完全普及の達成	
ターゲット2A:2015年までに,すべての子どもが男女の区別なく初等教育の全課程を修了できるようにする。	2.1 初等教育における純就学率 2.2 第1学年に就学した生徒のうち初等教育の最終学年まで到達する生徒の割合 2.3 15～24歳の男女の識字率
目標3:ジェンダー平等推進と女性のエンパワーメント	
ターゲット3A:可能な限り2005年までに,初等・中等教育における男女格差を解消し,2015年までにすべての教育レベルにおける男女格差を解消する。	3.1 初等・中等・高等教育における男子生徒に対する女子生徒の比率
目標8:開発のためのグローバルなパートナーシップの推進	
ターゲット8F:民間部門と協力して,とくに情報・通信における新技術による利益が得られるようにする。	8.14 人口100人当たりの電話回線加入者数 8.15 人口100人当たりの携帯電話加入者数 8.16 人口100人当たりのインターネット利用者数

出典:外務省発表のMDGs一覧(仮訳)をもとに筆者作成。

初等教育の全課程を修了できるようにする」ことがターゲットである。また,目標8では「開発のためのグローバルなパートナーシップの推進」が定める具体的なターゲットとして「民間部門と協力して,とくに情報・通信における新技術による利益が得られるようにする」と明記している(表12-1)。

　MDGsでは,「教育」と「ICT」の重要性はそれぞれ異なる目標として位置づけられているが,「教育とICT」の融合は直接言及されていない。教育開発におけるICTの導入を議論するには,2つの流れを見ていく必要がある。1つは,教育開発おけるICTの位置づけ,もう1つはICT発展からみた教育への貢献である。

　では,まず,教育開発の中でICTが取り上げられるようになった経緯を見てみよう。

　基礎教育や識字教育の普及に最も力を注いでいる国際的な取組みは,EFAであろう。1990年にタイのジョムティエンで開催された「万人のための教育世界会議」で,155カ国政府,33政府機関,125のNGO機関により『万人のための教育世界宣言』が採択された。宣言では,すべての人びとに教育機会を与え,公正さ

を促進するとともに，学習成果に焦点を当て，そのための手段や環境を充実させることが約束された。さらに，この会議は「行動のための枠組み」として，2000年までの数値目標を掲げ，到達すべき具体的項目を設定することで実現可能性を高めた。

その後，EFA 2000 アセスメントでは，各国で顕著な発展が見られたとしながらも，1億1300万人以上の子どもが初等教育の機会を持てず，8億8000万人の成人は読み書きができず，教育におけるジェンダー格差が続いていることが報告された。これを受け，2000年4月には，ダカールで開催された「世界教育フォーラム」で包括的な教育ビジョンが承認された。164カ国の政府機関とパートナー機関が2015年までに子どもや青年，成人に対する教育機会を拡大させることを約束した「ダカール行動枠組み」では，6つのゴールが明記された。

その後，UNESCO 主催の E9 教育大臣会議（2001年）は，「北京宣言」で，EFA を促進するための要素として ICT を挙げ，教育へのアクセス拡大および教育の質の向上に向けて，教育における ICT 活用の重要性を提言した。ラジオ，テレビ，衛星などの利用による教育機会の増加に加え，ICT の導入は，多様な教授法，教育コンテンツなどの改革を大幅に促進してきたと説明している。

さらに国連は，MDGs の教育関連目標の実現に向け，2003年からの10年を「国連識字の10年」と宣言した。識字がもたらす利益は，自信の向上，生涯学習への窓口，母子保健の改善，社会活動への参加など多岐にわたるため，「国連識字の10年」の活動は，MDGs 達成の重要な要素と考えられる。同年の国連総会では，UNESCO が同活動の「国際行動計画」を策定し，ICT の活用は，学習者の意欲向上を目指した学習環境の構築の有用な手段の1つとして明記された。

（3）ICT の発展における教育への貢献

前項では，MDGs 教育目標策定の基礎となる1990年以降の教育発展の流れに触れたが，ここでは，ICT の発達がどのように開発分野で取り上げられるようになったかを見てみよう。

ICT の発達は，私たちの生活環境を大きく変えた。インターネットが1990年代から世界中に普及し，コミュニケーションやビジネスのあり方が大きく変わった。同時に，情報格差（デジタル・デバイド）が経済格差につながっているとの問題が取り上げられるようになった。世界銀行は『世界開発報告1998/1999』で情

報や知識，そしてICTが開発に果たす役割を強調し，国連開発計画（United Nations Development Programme: UNDP）は『人間開発報告書2001』でICTによる貧困削減への可能性を説いた。2000年には九州・沖縄G8サミットで「グローバルな情報社会に関する沖縄憲章（IT憲章）」が採択された。「IT憲章」はICTが「21世紀を形づくる最強の力の1つである」と謳い，情報格差の解消やITが提供する多様な機会の重要性が盛り込まれた。同憲章により，「デジタル・オポチュニティ作業部会」が設立され，2001年には人材育成や途上国のICT利用支援などを含んだ「ジェノバ行動計画」が採択された。

MDGsで「民間部門と協力して，とくに情報・通信における新技術による利益が得られるようにする」ことがターゲットの1つとされたことをうけ，2001年にはアナン国連事務総長のもと，国連機関，民間企業，およびNPOから構成される「国連ICTタスクフォース」が設置された。同タスクフォースは情報格差解消のための相互協力をうながし，2003年と2005年に開催された「国連世界情報社会サミット」にも貢献した。これは国連主催の初の情報通信分野のサミットであり，インターネット・ガバナンス，情報インフラ整備，電子商取引，支援資金のメカニズムなど，ICTに関連する様々な問題が取り上げられた。さらには，貧困撲滅や公正で豊かな世界平和にICTがどう活用できるかが話し合われ，「チュニス・サミット文書」が採択された。

国際社会がICTの貧困削減への可能性を認識し始めると同時に，政府，国際機関，そしてNGOを含む援助機関はICTを活用した国際開発プロジェクトを試行し始めた。1990年代には貧困層が多い途上国の地方で，インターネットに接続された機器を整備したテレセンターを設置し，貧困層を対象に試験的な活動が実施されたが，プロジェクトの持続性や効果の観点から，失敗に終わるものも少なくなかった。

2005年の世界サミットではMDGsを含む開発目標達成におけるICTの重要性が強調された。開発に関わるICTの活用は多岐の分野にわたることから，2006年には国連事務総長の承認のもと「情報通信技術と開発のための世界同盟（Global Alliance for ICT and Development: GAID）」が発足し，「開発のためのICT」の認識を高め，貧困層を援助するための革新的なビジネスモデルと環境作り，能力強化をはかることを目的としている。

その後，2008年の『開発のためのICT教育白書』では，教育におけるICTの

役割と重要性について下記のようにまとめている。

　ミレニアム開発目標では普遍的初等教育の普及とジェンダー平等の推進が規定されているが、それらの目標の達成にICTは重要な役割を果たすだろう。ICTは時間や空間を超え、いつでも学ぶ事を可能にするため、今まで社会から排除されてきた人びとも取り込んでいくことができるからである。また、ICTは教育機会へのアクセス、そして質の高い教育を提供することにおいても、きわめて重要な役割を果たすことができる（2頁）。

各国における21世紀の教育制度改革は、教師中心の旧来の教授法から、学習者が中心の方法への転換が焦点となっており、ICTは教育制度改革に貢献するツールとして期待されると説いている。さらには、ICTは指導方法を向上させるためのツールであり、教員に取って替わるものではないとし、持続的な研修の重要性を明記している。

2　教育開発のためのICT

　MDGsの目標2では、初等教育に加え、その指標には15～24歳の男女の識字率が強調されていることから、本節では、学校教育に限定せず、識字率向上のためのツールとしてICTを紹介しよう。目標3では男女格差の解消も重要課題となっているため女性教育の事例にも言及したい。
　では、ICTが教育、識字向上を実現するためのツールとしてどのように役立つのであろうか。
　まずICTの定義を再確認すると、「情報共有・交換のための形態で、広義な定義は、ラジオ、テレビ、ビデオ、DVD、電話、衛星システム、コンピューター、ネットワークワードウェア、ソフトウェアに加え、ビデオ会議システムや電子メールなどの関連機材やサービスも含まれる」とされる。ICTと聞くと、コンピューターに代表されるハイテク機器を思い浮かべることが多いが、ICTにはラジオ、テレビ、電話など多種多様な身近な技術も含まれる。
　ではとくに教育、識字向上を促進するツールとしてICTがどのように活用されてきたかを大きく4つの観点から見てみよう。

（1）教育へのアクセスの拡大

社会的，文化的，政治的または地理的要因により教育の機会が制限されているケースはいまだ少なくない。教師不足，教材不足，および授業に出る時間がもてないなど教育の機会を阻害する要因は多種多様である。ラジオ，テレビ，インターネットなどのICTを活用したプログラムはそのような要因を打破するツールとして期待されてきた。

1990年代の初めにUNESCOがモンゴルのゴビ砂漠で1万5000人の遊牧民族の女性を対象とした「ゴビの女性のための識字プロジェクト」は，ラジオ，電池，テキスト教材をセットとし，所得創出スキル，保健管理など日々活用できる題材をもとに教材を開発し，ラジオ放送と学習指導を実施した。指導者は学習者を定期的に訪問し，個々の進捗状況を記録し，読み書き能力の向上に役立てた。

テレビ番組を活用した教育プログラムも歴史が古い。1968年にメキシコ政府が外部資金に頼らずに開始したTelesecundariaは僻地に住む子どもに中学校教育を提供した。中学カリキュラムを6500のモジュールからなるテレビ教材として制作し，中学校の各学年で網羅する全教科を1人の教師が教えることを可能にした事例である。1993年に衛星が導入されて以来，利用者は急増し，1998年の参加者は89万人以上を記録し，これは7年生から9年生の全学生の17.6％にあたる学生数であった。Telesecundaria学校は3名の教師からなり（各学年1名），生徒は毎週30時間，年間200日学校に通い，15分のテレビ授業の後，教師の指導のもと，教科書と学生用ワークブックを活用しグループ学習に参加する。2000年代前半には，1万4000校で105万人の生徒が参加したと報告されている。

また，ブラジルの事例であるTelecurso 2000では，中途退学者および教育の機会がもてなかった成人を対象に初等・中等教育を提供している。テレビまたはビデオに教科書を併用し，学習者はテレビ番組を視聴するか，各地に設置されているビデオクラスに参加する。4年の初等教育プログラムを1年で習得できる工夫がされており，学習者は試験に合格することで次の段階に進むことができる。累計200万人以上が参加した本プロジェクトの詳しい内容は次項で紹介しよう。

（2）学習意欲の向上

ICTには，視聴覚教材を活用し，学習者の興味を引き出すことで，学習を継続する環境を生み出すという強みがある。インドの僻地に住む女性の機能的識字

力の向上を目指した取組みでは，学習者は日々の生活に密着したストーリー，音楽などを使って語彙を取得した。電気や電池の必要ない手動式プレーヤーが活躍し，学習者はグループレッスン後，みずから録音したカセットとプレーヤーを持ち帰ることで学習を続けた。パキスタンの事例では，テレビ局，NGO，成人基礎教育協会が連携し，識字テレビ番組が各30分のレッスンで1日2回，週に6日間放映された。事前調査で重要とされた保健・栄養管理，金銭管理，子育てなど生活に必要な題材が教材として取り上げられ，これが学ぶ意欲を持続するための成功要因になったと分析される。

コンピューターを活用した事例も各地で試行されている。2005年に，マサチューセッツ工科大学で開始された「1人の子どもに1台のラップトップを（one laptop per child: OLPC）」は，過疎地域の児童に低価格のラップトップを配布し，知識や情報へのアクセスの拡大を目指すプロジェクトである。パイロット地域であるブラジル，ナイジェリア，ペルー，タイ，ウルグアイなどから導入され，現在30カ国以上の国で実施されている。当初のモデルであるOLPC XOは，オープンソースソフトウェア（FOSS）を使用し，ハードディスクではなく，フラッシュROMを使用しているが，各国のOLPCプロジェクトは，パートナー，資金調達方法，実施体制は多様であり，一括管理はされていない。

モンゴルでのOLPCプロジェクトでは，2008年に全国25校の小中学校に約1万2000台のラップトップが配布された。筆者が訪問した地方の小学校では，生徒の集中力や学習意欲の向上が見られ，創造的な学習を促進したと報告されている。また，生徒がラップトップを持つことで教師のICT活用に対する意欲も上がり，コンピューターで作成した教材を，教師間で共有するようになった。同時に，問題点も指摘されている。低価格を目指すために大量注文の必要があり，途上国の政府にとっては負担も大きい。OLPCは基本的に教材を活用できるフレームワークを提供するもので，効果的な教材は現地で開発する必要がある。また，FOSSの活用に焦点を当てた教員研修を含め，政府の教育におけるICT政策と整合性を保つことが必須である。

（3）現地主導型の学習コンテンツ開発

ICTは現地に適応した学習コンテンツ開発のツールとしても注目される。現地での開発に加え，他で開発された教材を，それぞれの土地で効果的に応用する

こととも可能にする。また，古いコンテンツを更新，改良することでより質の高い教材開発につながり，それらの教材をCD-ROM化することで，低価格で配布することもできる。

　デジタルカメラは現地での教材作成に活用されるツールである。インドの教育とICTプロジェクトでは，各地に点在する「コミュニティ学習センター」および「村の知識センター」に，デジタルカメラやコンピューターを設置し教材開発を進めた。マデュライ村の「村の知識センター」における識字レッスンでは，受講者は，デジタルカメラを使い身近な題材で教材を作成する。講師は学習者の教材に文字を重ね識字学習を進めていく。学習者は自ら教材作成を続けることで，継続的な識字教育として成功した例である。

　バングラデシュで2002年に設立された「Bangla Innovation through Open Source」は，国内でICTが普及しない理由として，有用性とコストを挙げ，オープンソースソフトウェア（FOSS）の技術を活用してベンガル語による教育分野へのICTの導入を図った。ベンガル語のオンライン辞書や文献アーカイブを構築し，教師がアクセスできる環境を提供した。また，各教科の専門家と連携し，マルチメディア学習教材を開発した。

（4）教師の育成

　学習の意欲を上げ，質の高い教育を実施するには，質の高い教師が不可欠である。しかしながら，近年の『EFAグローバル・モニタリング・レポート』でも指摘されているように，初等教育の完全普及を実現するには，教師が不足しているのが現状である。ICTは教師を置き換えるものではないが，教師の負担を減らすサポート材料としての活用が期待される。

　ICTは，教師の育成に活用されることが多い。テレビ，ビデオ，ビデオCDを活用した視聴覚教材は教授法の優良事例を共有するには最適であり，コンピューターやコンピュータープログラムはより多くの知識を提供できる研修教材として効果をもたらす。また，電話会議システムは距離を超え，インタラクティブな研修を可能にし，僻地で教育に携わっている教師の意欲の向上にもつながっている。

　インドの事例「Training and Development Communication Channel（TDCC）」では，ビデオと電話会議システムを活用し，インタラクティブな遠隔

教育を実施した。TDCCは片方向ビデオと双方向オーディオからなる遠隔教育・研修・会議システムで，参加者はインド国内の1164の学習センターを使用することができる。教員研修では，講師が異なる教材を効果的に使用しながら，質疑応答を交えて過疎地の教員に対応した。TDCCの活動を拡大するためにインドの人材開発省は「インド研修教育ネットワーク」を設立し，インディラガンジー国立放送大学を中心に遠隔教育を促進している。また，モンゴルでは，2003年の新教育法で生徒中心の教授法が重視され，教え方が大きく変わることを受け，教授法の研修教材を開発した。事例を多用した生徒中心の教授法および教師と生徒のコミュニケーション法を含むビデオCDを制作し，教師より多大な評価を受けた。

3　教育とICT
――ベスト・プラクティスの実例――

（1）ICTを活用した教員研修（モンゴル）

　モンゴルでは，社会主義体制下で教育は重点分野とされ，初等・中等教育は普及し，高い識字率を誇っていた。しかし，社会主義から資本主義への移行期には，生徒の就学率が1993年以降の15年間で14％減少し，GDPに占める教育予算の割合は11.5％から6.8％に激減した。さらに，強烈な寒波がゴビ地方を見舞い，学校の校舎を崩壊させた。2003年の新教育法では，生徒主体の教授法が導入され，教師が取り組むべき課題を増加させた。これを受け，UNESCOと国連児童基金（UNICEF）は2004年より「冷害を受けた3県における学校修復および学校長・教員の再研修」プロジェクトを実施し，ゴビ地方3県の小中学校を対象に，学校インフラの整備，および学校長・教員の研修を通じた意欲の向上を目指した。研修チームは，モンゴルの人口密度の低さ，不十分な交通インフラの整備，研修のコストなどを鑑み，教員研修へICTを活用した研修教材を導入した。

　当時，大半の地方学校は電力網に接続されておらず，村もしくは学校単位での自家発電に頼っていた。通信網は県庁所在地を除き音声電話が電話局で利用できる程度で，インターネットへのアクセスも不可能であったが，国営ラジオ放送は，モンゴル全土で受信可能だった。県営テレビ放送は村の電話局から地上波で中継放送されていたが，放送時間も受信可能エリアも限られていた。オフラインメデ

ィアとしては，音声ではオーディオカセットが，映像ではビデオ CD が普及しており，テレビ，衛星放送用チューナー，ビデオ CD プレーヤー，パラボラアンテナ，太陽電池，鉛蓄電池の組み合わせが家庭にも浸透し始めていた。

以上の基盤整備状況を踏まえ，ガイドライン（指導書），ラジオ番組，ビデオ CD の 3 種類の教材が開発された（図12-3）。理科，国語，社会，数学・情報，美術・技術，コミュニケーションの 6 教科について教員240名を対象に，各教材の有効性，応用性，使用方法などの評価を実施した。

ラジオ番組は，国営ラジオ放送を通じて午前と午後に15分程度の同一番組が流された。回答者の97.6％が番組を活用し，89.6％が有用であると評価した。これは，ラジオが身近で，時間を調整して聞くことができたためである。また，番組放送後，グループ討論や発表をおこなった教員は半数を超え，学内研修として活用している様子がうかがえた。

ビデオ CD 教材は，6 教科中 4 教科が 4 段階評価で 3 以上の得点を得た。過去にビデオ CD 研修経験のある教員は平均35.3％と低かったにもかかわらず，今後使用したいとの回答はほぼ100％を占め，さらには，学校や自宅でのビデオ CD 用機材の保有率が比較的高く，100％近くがビデオ CD 教材を使用できると回答した。また，生徒中心の教授法を取り入れた具体的な授業内容を組み込んでいた教科の点が高く評価された。

将来活用したい研修教材の比較ではビデオ CD の人気が高く，教員の興味の高さを示していた。遠隔地でも村政府が太陽電池導入を奨励する地域が増えていることも影響していた。それに対し，ラジオ番組は容易に利用可能であるにもかかわらず，比較的に評価は低く，ラジオは旧式メディアであるとの意識を反映していた。また，時間的拘束も 2 部制や補習などで授業負担の重い教員からは敬遠される傾向にあった。

研修後，多くの学校長や教員が優秀賞を受賞し，生徒が学術オリンピックで上位入賞を果たすなど，学習能力の向上が報告された。各種の研修用 ICT 教材は非常に高く評価され，教員の意欲向上に貢献したとされる。その後，モンゴル教育大学は，自ら外部資金を獲得し，計11教科のビデオ CD 教員用研修教材が全小中学校に配布された（図12-4）。

図12-3　教育用研修教材のビデオCD
出典：筆者撮影。

図12-4　地方学校での自主研修風景
出典：筆者撮影。

（2）テレビ番組による初等・中等教育促進（ブラジル）

　広大な国土をもつブラジルでは低就学率への対応策として，ラジオやテレビが活用されてきた。代表的なものは80年代から放送が開始された現地テレビ局の教育基金 Roberto Marinho Foundation（FRM）による教育番組 Telecurso である。ブラジルでは小，中学校修了時に卒業試験がおこなわれる。Telecurso は通学が困難，または退学した若者を対象とし，学習者はカリキュラムに沿い番組用の教科書とともに受講することができ，15年以上も継続して放送された。

　1990年代初頭には，経済の急成長に伴い，工業労働者の低学歴問題が浮上した。そこで，FRMがサンパウロ州工業連盟の資金提供を受け，労働者のための新教育番組 Telecurso 2000を制作し，現地テレビ局が無料で放映するという官民連携のプログラムが開始された。番組は，初等・中等カリキュラムを網羅し，テレビ講義に加え，講義ビデオと教科書がセットで提供された。内容は，基礎学習に加え，工業化社会に適する人材の育成も狙っており，職業教育，基礎スキルの応用，市民教育，実践化の4つの指針にしたがって開発された。

　Telecurso 2000ではレベル1，レベル2，職業コースの3コースを設けた。レベル1では数学，国語（ブラジル語），ポルトガル語，英語，歴史，地理，一般科学を網羅し，レベル2では一般科学が，物理，化学，生物学に分けられる。職業コースでは複数科目を合わせた特別授業を設定した。コースは，国内の有名大学から豊富な知識や経験をもつ教育者によって開発され，教科書は子どもや青少年を対象に，読みやすく作られた。また，若年の受講者を意識し，工場，街中，家庭，新聞スタンド，旅行代理店といった生活環境での場面を取り上げた。

　全国放送は朝6～7時に，再放送は，ケーブルや衛星通信によってその後の時

間帯に放送された。そのため，番組は録画され，視聴者は都合の良い時間に見ることができた。結果として，1995年から1999年のTelecurso 2000の教科書販売数は520万冊に達し，受講者は20万人にのぼったと報道されている。経済的側面では，初期投資は小さくないが，幅広い層が繰り返して視聴できるのが特徴であり，長期的には，社会的コストは低いという結果が出ている。

図12-5　太陽光発電を利用したゲル
出典：筆者撮影。

　テレビやインターネットといった集中運営が必要な事業は，莫大な初期投資が必要なため，ブラジルやメキシコのような比較的に広い国土を有する国に適している。また，政府，テレビ局，州工業連盟，教育機関のパートナーシップが大きく貢献した点が特徴的である。

（3）ICTコミュニティ学習センターを活用した女性教育（ナイジェリア）

　3つ目の事例として，ナイジェリアで，女性と若者がICTを活用してコミュニティで大きな役割を果たした事例を紹介しよう。現地のNGOが数々の団体との連携のもと，幅広い活動に貢献したことが特徴で，サハラ以南アフリカといった最も困難な地域での取組みとして興味深い。NGOであるファンツァム基金は，女性や若者が中心となることでコミュニティの発展が促進されると考え，活動を展開した。

　2001年から03年にかけて，ナイジェリア南部カファンチャン州の3つのコミュニティ学習センターに，コンピューターと周辺機器を整備し研修を実施した。具体的には，現地の保健婦，保健指導者や学生が，コンピューターの基礎研修を受け，ICT教材を活用し，保健衛生に関する情報の整理，共有をおこなった。さらに，情報を活用し，実際に保健衛生に関する問題を分析するという実践的な内容であった。その他，収集した情報をもとに，ラジオ番組を制作し，コミュニティへの市民教育に活用された。また，コミュニティにおける出生や死亡記録に関するデータベースが初めて開発された。

　このプロジェクトでは，多くの団体のリソースが活用された。本プロジェクトで使用されたコンピューターは英国の非営利団体であるコンピューターエイド

(Computer Aid) を通じて，そしてビデオやビデオ CD を活用した研修はビデオ・オンラインゲーム会社によって提供された。また，イスラエルの大学からは NGO のスタッフの研修のための費用が寄付された。

ICT の導入により，多様な活動が可能になり，コミュニティ学習センターを中心にコミュニティの様子は大きく変化した。バヤロコ村では合計155名が3カ月のコンピューター基礎研修を修了し，その半数は女性であった。カゴロ村でも CLC を活用して60名が研修を終えた。バヤロコ村の CLC は経済的に自立し，研修指導者の雇用や機材の購入が可能になり，女性20名，若者10名への研修奨学金を提供するまでになった。

これは現地の女性，若者が中心となり多様な ICT ツールを活用することで，社会で必要なスキルを習得し，コミュニティへ貢献した事例である。また，ICT スキルを習得した若者が就職するなど，限定的ではあるが，現地の貧困削減にも貢献したことが報告されている。

4　ミレニアム開発目標到達のツールとしての ICT

（1）教育への ICT 導入における成功要因

前節では，ICT を教育現場に活用した事例に触れたが，ここでは，成功事例に共通する点を教訓として整理してみたい。

①適正な ICT ツールを把握・活用する

数々の成功事例から ICT の導入は，必ずしも高度な技術でなくとも有用であることがわかる。ラジオ，テレビ，ビデオなどに代表されるローテクが，教育へのアクセス拡大，教師の育成，識字力向上のために活用されている。教育政策および開発プロジェクトの計画・実施には現存する ICT の選択肢を注意深く検討し，現地にて応用可能，持続可能な技術を導入することが鍵となる。

②学習者のニーズを ICT ツールに反映する

成功事例の共通点は，学習対象者のニーズを注意深く考察し，教材内容に反映しているところである。学習者中心の教授法を促進し，学習意欲を向上させるツールとして ICT が活用されている。モンゴルの事例では，教師が指導技術向上

のためにみずからビデオ CD 教材を選んだことで，有用な研修用教材として今日まで持続的に活用されている。

③伝統的教材と ICT の複合教材を活用する
　ブラジルやモンゴルの事例では，現存する教材や技術に新技術を併用して質の高いプログラム，教材を開発した。より効果的に活用できるよう，音質・画質を改善し，実験や模範講義など実践的なコンテンツを導入すると同時に，幅広い内容を網羅したことが成功要因とされる。また，教育テレビ番組や研修用ビデオ CD に加え，紙媒体のテキストを活用し，グループ討論などと組み合わせたことが効果的とされた。

④費用対効果を勘案して ICT ツールを選ぶ
　ブラジルのテレビ教育番組は，初期投資に多大な費用を投入している。しかしながら，受講生数は飛躍的に増加し，長期に活用されたことで，受講生 1 人当たりのコストは低く，費用対効果は高いと報告されている。メキシコのテレビ教育番組は言語，文化を共有する中米で活用され，受講生は数カ国に及ぶ。インターネットを活用する取組みは，接続費のほかに，指導者の十分な研修やメンテナンスを含めた人材育成が必要不可欠であるが，機材調達に追われ，研修費用が後回しになるケースが少なくない。ICT を活用した活動の運営には，インフラ整備代に加え，技術を支える人材育成の費用を忘れてはならない。

⑤国家政策との連動と，民間とのパートナーシップ
　教育に ICT を継続活用するには，国家の ICT 政策と教育政策の連携が重要である。一貫した「ICT と教育」政策が人材の能力開発を支える。ICT 政策は技術開発省，インフラ省のほか，大統領や首相の直属の組織下で策定される場合も多い。教育担当省庁は，情報通信基盤を含むインフラ整備を効果的に教育分野に反映できるよう関連省庁との連携を強化する必要がある。ブラジルやインドの事例では，政府，放送局，大学が連携して，費用効率の良い取組みが実現した。政府と民間企業とのパートナーシップは，今後ますます重要となる。

（2）ICT は MDGs を達成するためのツールとなりうるか？

　事例より様々な教訓が語られたが，はたして ICT は MDGs の教育目標を達成するためのツールとなりうるのであろうか？　教育分野での ICT の活用は，まだまだ途上の部分も多いが，2010年の現時点では，条件付で楽観的に考えたい。ICT が教育促進に貢献するための条件（留意点）をメッセージとしてここに列挙しよう。

①「ICT は魔法ではない」

　過去の ICT プロジェクトには，高度なテクノロジーがすべてを解決してくれる魔法のように思われているケースも少なくない。アフリカのある国で OLPC プロジェクトが注目され，政府は学校に120万台の OLPC コンピューターを導入したいと考えている。コンピューターを導入することで，地域インフラ発展への意欲を高め，ひいては地域経済成長への起爆剤にしたいと考える。しかし，機材調達費は国家予算の12分の1を占めると言われ，これには教師の研修費用は含まれていない。また，OLPC プロジェクトは，質の高い教育コンテンツが開発されていることが前提条件である。ICT はコンピューターに限らず，教材を効果的に活用するためのツールであることを忘れてはならない。各国，各地域の現状を把握し，ICT を教育に導入する利点と欠点を十分に把握・検討したうえで導入される必要がある。

②「ICT は教師の代替ではない」

　ICT は補助手段としての教育ツールであり，教師を置き換えるものではない。ICT を活用し，学習意欲を向上させたり，多様な教授法を通じて教師の負担を軽減することは可能である。しかし，コンピューターが教師の役目をまっとうすると考え，教員育成の予算，研修機会が欠如するとしたら本末転倒であろう。むしろ，ICT ツールをうまく活かすための教員研修が必要である。民間や公的機関との連携を通じ，知識共有ネットワークをつくっていくのも今後の有用な道である。

③「興味とインフラとコンテンツは三位一体」

　教育に ICT を効果的に導入するには，3つの要素が支えあい，相乗効果を発揮する。コンピューターやインターネットへの興味が高くても，導入，維持費が

高く，教師がみずから修理費を工面するような状態では，継続性に乏しい。基礎インフラが整備されず，停電を繰り返し，授業が中断されるようでは，学習者の集中力はもたないであろう。また，インフラ整備が進み，ICT 導入へ積極的であっても，効果的な教材コンテンツが開発されなければ意味がない。インフラとコンテンツが揃っていても，その技術が学習者の興味を引くものでなくては続かない。興味，インフラ，コンテンツのどれが欠けても，ICT が持つ力を引き出すことはできない。教育発展に貢献できる適正な ICT の導入には，現地でのニーズの把握およびアセスメントは最重要項目である。

④「ローテク（low technology）を恐れるな！」
「テクノロジーを恐れるな」との文言はよく聞くが，これは，高度なテクノロジー，いわゆるハイテク（high technology）に言及する場合が多い。MDGs 達成を目指した教育現場への ICT の導入には，応用性のある技術を選ぶことが必要不可欠である。現場のインフラと照らし合わせ，ローテクでシンプルな ICT を導入することも少なくない。また，インフラ整備が進み，その恩恵を教育活動に適用できる環境が整えば，活用できる ICT ツールも変化する。現状のアセスメントが十分に行われず，ICT プロジェクトが持続しなかったときに技術を非難するのは間違っている。技術を選ぶのは人であることを忘れてはならない。

⑤「技術は日々進化する」
技術の進展に伴い，社会基盤の動向は常に変化する。ICT は予想もつかないペースで発展しており，1 年前にはなかった光ファイバーが敷設され，インターネットを使った遠隔研修施設が導入された例も少なくない。技術の進展と基盤整備の状況により，最適な ICT ツールは絶えず変化する点に注意を払う必要がある。現地の情報通信基盤整備の状況を定期的に調査し，技術が適正であるか否かを把握しよう。他の開発プロジェクトと同様，モニタリングとそれに伴う見直しは必要であり，ICT の活用法も状況に沿って変化させていく姿勢が大切だ。

⑥「コミットメントをもつのは人」
教育分野で ICT を活用する事例を様々な形で盛り込んだが，世界全体を見てみると，残念ながら多くの国で，ICT を用いた教育は優先事項となっていない

のが現状である。長期的なICT教育改革を実施するには費用がかかり，政策決定者にとっては，国家予算や外国からの援助の振り分けの際に難しい決定を下すこととなる。「教育とICT」の成功には，政治主導によるリーダーシップが必要とされる。ICTを活用し教育の機会を拡大する，多様な教材開発，人材育成を通じて教育の質を向上する，ひいては，MDGsを達成するというコミットメントは，政府，教育機関，民間企業，コミュニティ，国際機関，その他教育に携わる人びとが一丸となり初めて実現するものであろう。

今後の学習のための参考文献

(1)初級

EFA-GMR編，浜野隆監訳（2008）『EFAグローバル・モニタリング・レポート2008概要――「全ての人に教育」を2015年までに達成できるか』UNESCO。

EFA-GMR編，浜野隆監訳（2010）『EFAグローバル・モニタリング・レポート2010概要――疎外された人々に届く教育へ』UNESCO。
　　＊EFAゴール達成にはまだ遠い道のりが残されている現状を明らかにしているレポート。21世紀の知識社会を築くにはすべての人びとを受け入れる教育システムが必要とし，国際社会に行動を呼びかけている。

(2)中級

UNESCO (2006), *Using ICT to Develop Literacy: UNESCO ICT in Education Programme,* Bangkok: UNESCO.
　　＊教育における情報技術の役割を分野別に分かりやすく説明した報告書。識字教育への情報技術の導入の有用性・必要性を事例を通じて紹介している。

小川啓一・江連誠・武寛子（2005）「万人のための教育（EFA）への挑戦――日本のODAに対する提言（報告書）」JICA国際協力総合研修所。

International Telecommunication Union (ITU) (2010), *World Telecommunication/ICT Development Report 2010: Monitoring the WSIS Target――A mid-term review,* Geneva: ITU.
　　＊2005年のチュニス・サミットで提言され，各国政府が同意した達成目標の中間報告書。10のターゲットについて現状分析をもとに今後の取組みに関して具体的な指標，方策についての提言をUNESCO, WHO, UNDESAとの連携のもと分かりやすく説明している。

(3)上級

Willem J. Pelgrum and Nancy Law (2003), *ICT in Education around the World: Trends, Problems and Prospects,* Paris: UNESCO.

Brian Gutterman et al. (2009), *White Paper: Information & Communication Technologies (ICT) in Education for Development*, New York: Global Alliance for ICT and Development.
　＊初等教育の完全普及，ジェンダー平等促進に関する開発目標達成に情報技術がどのように貢献できるかを説明している白書。教育へのアクセスの拡大，質の向上および情報技術導入に際しての課題が多数の国の事例を通じて議論されている。

Simon Batchelor et al. (2003), *ICT for Development : Contributing to the Millennium Development Goals――Lessons Learned from Seventeen infoDev Projects*, Washington D.C.: The World Bank.

Michael Trucano (2005), *Knowledge Maps : ICT in Education*, Washington D.C.: The World Bank.

⑷ウェブサイト
UNESCO
　　http://www.unesco.org/
UNESCO Bangkok
　　http://www.unescobkk.org/
日本UNESCO協会連盟
　　http://www.unesco.jp/
ITU
　　http://www.itu.int

── Column 12 ──

携帯識字プログラム

　人口1億7000万人のパキスタンにおける非識字者の数は5000万人だが，その63％は女性である（EFA-GMR, 2001）。この数は増え続けており，2015年には5400万人くらいになると予想されている。成人女性の識字率はバロチスタン州で18％，首都イスラマバードで75％となっており（*Pakistan Social and Living Standards Measurement Survey 2008-09*），地方と都市で識字率の差は大きい。

　このような状況だが，携帯電話はかなり広く普及しており，1億人以上が使用している。パキスタンに4年間滞在したが，携帯電波は広く行き渡っていた。

　そこで，携帯電話を識字教育のツールとして使ってみた。対象は18～25歳の女性（実際はかなり年上の人もプログラムに参加したが）。彼女たちは，まず5週間，識字センターで基礎を学んだのち，携帯電話を受け取る。それから朝・昼・晩と，彼女たちは携帯メール（SMS）を山のように受信することになる。SMSを作成して送るのはNGOで，その内容は，健康，宗教，保健，育児などに関するものだ。受信すると，

彼女たちはそのメッセージを数回暗唱し，手元にあるノートに何度か書き写すことになっている。

　識字の先生や，一緒に学ぶ友だちからもメッセージが届き，みずからも返信する。女性によっては1日50通以上のSMSを送る。ときには，家族もこの学習に巻き込まれる。彼女たちは週に1度，識字センターへ行き，先生に質問するほか，テストを受ける。携帯をもち，みんなとつながる4カ月。夢中になった彼女たちの識字力は飛躍的に向上した。シアルコット県では，最初の識字テストでは90％の女性が落第点だったが，4カ月後は86％がよい成績を修めた。また，彼女たちの自信に満ちた笑顔は，なによりの報酬となった。

　携帯識字プログラムはユビキタス学習である。彼女たちの携帯の性能が上がれば，メール，本，雑誌，写真，動画，ソーシャル・ネットワーキング・サービス（SNS）も利用できるようになるので，生涯学習のツールとして大きな可能性を秘めている。

　このプログラムは，援助機関の支援をうけて拡張中だ。この先，さらなる持続的な拡大のためには，援助でなく，BOPビジネスのモデルを使い，彼女たちが数年のローンで携帯を購入することが望ましい。識字を学び，人とつながり，情報に絶え間なくアクセスできる持続的なシステムを構築されることが重要と考えている。

（宮沢一朗）

携帯電話を使った識字プログラムに夢中になるパキスタン女性
（筆者撮影）

第Ⅳ部

国際開発のパートナー

第13章　援助機関と被援助国
——パートナーシップとオーナーシップ——

稲田十一

この章で学ぶこと

　1990年前後に生じた冷戦の終焉は、国際社会に大きな影響を与えたが、それは国際開発の世界にも大きなインパクトを与えた。冷戦下では、とくに最大の援助大国であった米国は、ソ連に対抗する観点から、反社会主義政権や戦略的に重要な途上国を重点的に支援し、また、その他の主要援助国も、それぞれに政治的経済的に重要と考える（すなわち「国益」上、重要な）国への支援に力を入れてきた。しかし、冷戦の終焉は、こうした戦略的観点からの援助の意義を失わせ、開発途上国支援は、国際社会全体にとっての軽視できない共通課題（すなわちグローバル・イシューズ）としてより強くとらえられるようになった。それとともに、「援助疲れ」による国際的な援助資金総量の低下のなかで、国際社会では援助の効率化の議論が高まり、主要先進国間の援助協調が進展していくのである。

　2000年以降は、さらにそうした援助協調が広がりをみせ具体化してきた。たとえば、途上国支援の枠組みとして多くの途上国で貧困削減戦略文書（poverty reduction strategy paper: PRSP）が義務づけられるようになり、ミレニアム開発目標（MDGs）が設定され、これらを中核として開発をめぐるパートナーシップ体制が強化されてきた。また、そうした動きとセットになる形で、途上国側のオーナーシップが重視され、ガバナンス強化や政策支援が支援の重点となってきた。他方で、主として欧米先進国が主導するこうした国際的な援助協調強化の議論の一方で、中国を筆頭とする新興ドナーが台頭し、それは既存の国際援助体制に対する新たな挑戦となってきている。

　本章では、こうした援助機関間および援助機関と被援助国の間のパートナーシップとオーナーシップの議論の進展とその相剋について、カンボジアの例を取り上げながら、分析し解説することにしたい。

キーワード　援助協調、パートナーシップ、オーナーシップ、PRSP（貧困削減戦略報告書）、援助効率化、新興ドナー

1　国際援助協調の進展

(1) 国際援助協調進展の経緯

表13-1は，2000年前後を境にした，国際社会における国際援助協調の流れを整理した一覧表である。

まず，表の国際的潮流の背景と経緯を補足しておこう。

1990年代，先進各国ともODA総額は減少傾向で「援助疲れ」と言われる状況を示していた。東西冷戦への対処という国際政治的な目標や前提を失い，ODA財源も縮小するなかで，何を援助の主要な到達目標とするべきか，いかにすれば効果的に援助の成果を上げられるか，が議論されるようになった。

また，90年代を通じた貧困削減への取組みは，当初は，とくに社会セクター（教育や保健衛生分野）への支援の集中という形で現れた。しかし，社会セクターへの援助量の増加の一方で，同じ分野に様々なドナー（援助供与国，援助機関）からの類似したプロジェクトが多数存在することにもつながり，ドナー間の調整不足が弊害として浮かび上がった。たとえば，1995年に提出されたヘレイナー・レポートは，アフリカ地域でのプロジェクト援助の乱立の弊害を指摘した。

このような状況のなかで，途上国にとっての援助の「取引費用」を削減することの重要性が強調されるようになり，援助の「調和化（harmonization）」や（途上国の政策方針への）「アラインメント（alignment）」（足並みを揃える，歩調をあわせる，といった意味）の概念が浮上した。もう少し具体的に説明すると，「調和化」とは，各ドナーがそれぞれの得意分野に特化して重複を避けながら役割分担をすることであり，「アラインメント」とは，援助の内容や実施方法を当該国政府の国内制度に沿ったものにしていくことを指す。

このように，90年代における援助効果向上への取組みは，パリに本部のある主要先進国援助機関の調整のフォーラムである経済協力開発機構（OECD）の開発援助委員会（DAC）や，国際開発における2大国際機関である国連開発機関や世界銀行など，主要な国際機関がそれぞれにイニシアティブを発揮しながら，相互に連携したり，影響を与え合いながら，広範におこなわれてきた。

以下では，そうした国際開発の潮流を形づくってきた中核的な国際機関である，世界銀行，国連開発機関，およびOECD／DACについて，それらが援助協調の

表13-1 1990年代後半以来の国際援助調整の展開過程（略年表）

	国連機関	世界銀行	OECD/DAC
1994	「開発への課題」報告書		
1995	国連世界社会開発サミット		
1996		ウォルフェンソン新総裁による貧困削減の重視	DAC 新開発戦略（21世紀に向けて）
1997	「国連の再生」報告書—UNDG 設立・UNDAF 導入		
1998		Assessing Aid —援助効率化と selectivity 主張	
2000	MDGs の設定	HIPCs イニシアティブ PRSP の枠組み開始	
2001	MDGs と PRSP の連携で合意（UNDP と世界銀行）		
2002	国連開発資金国際会議（モンテレー会議）	IDA 第13次増資 - 部分グラント化	
2003			ローマ調和化宣言
2004	国連事務総長ハイレベル・パネル報告書		マランケシュ開発結果マネジメント円卓会議
2005	人間の安全保障基金のマルチセクター・マルチエージェンシー化	IDA 第14次増資 - グラント比率拡大	パリ援助効果宣言（第2回援助効果向上ハイレベルフォーラム）
2006	Delivering as One 報告書		
2008	第1回国連開発協力フォーラム（UNDCF）		アクラ行動計画（第3回援助効果向上ハイレベルフォーラム）
2010	MDGs 首脳会合（ニューヨーク）	中国の出資比率6位から3位に引上	
2011			釜山成果文書（第4回援助効果向上ハイレベルフォーラム）
2012	国連持続可能な開発会議		

出典：筆者作成。

枠組み強化に果たしてきた役割を順に見ていくことにしよう。

（2）世界銀行と PRSP

　世界銀行は，1996年にウォルフェンソン（Wolfensohn）が新総裁になったのち，貧困削減を世界銀行の第1の組織目標として位置づけ，また，世界銀行の果たすべき役割は，開発戦略に熟知した「知識の銀行（knowledge bank）」として，途上国の開発政策の策定を支援するとともに，様々なドナーの支援を効果的に束ね

第13章　援助機関と被援助国　253

ていくことであるとした。

　そうした考えのもと，1998年頃から，世界銀行はウォルフェンソン自身が包括的開発枠組み（comprehensive development framework: CDF）を提示し，これをもとに，マクロ経済支援から，インフラ建設，社会開発，貧困削減，ガバナンス支援など，あらゆる開発の課題を1つの枠組みのなかでまとめ，国際機関や各ドナーがそれぞれの比較優位のある分野を中心にしながら密接に協力し相談しつつ，途上国側の開発戦略を練り，支援をしていくことを主張してきた。また途上国側には，様々な開発の課題をCDFのマトリックスに対応した形でまとめた開発計画案の作成の必要性を提唱した。

　これがより具体的な形で結実したものが貧困削減戦略文書（poverty reduction strategy paper: PRSP）である。今日，多くの途上国でPRSPを中核に各ドナーが支援するようになっており，PRSPは事実上，世界銀行がチェックすることになっているという点で，世界銀行主導のメカニズムであると言うこともできる。また，世界銀行はPRSPをとおしてCDFを実現したとも言いうる（朽木，2004）。

　PRSPが国際的な支援の中核的枠組みとして広まっていった過程には，重債務貧困国（highly indebted poor countries: HIPCs）の債務帳消し問題も密接に関係している。この背景についてもう少し説明しておこう。

　1990年代末から，「ジュビリー2000」などの欧米NGOを中心とするHIPCsの債務帳消し運動が，国際的に高まり，主要先進国は，1999年のケルン・サミットおよび2000年の九州・沖縄サミットで，HIPCsに対するODA，非ODAのすべての債務帳消しを決定した。ただし，様々な議論の末，その債務帳消しの条件として，途上国政府が貧困削減のために具体的にどのような政策をとりそのためにどの程度の資金が必要かをまとめたPRSPを作成し，世界銀行と国際通貨基金（International Monetary Fund: IMF）の承認を得なくてはならないという仕組みをつくった。債務削減で使用可能となった資金が，軍事費や非生産的な用途ではなく，基礎教育や保健・衛生などの貧困削減・社会開発分野に投資されることが必要だという考えや，援助をする以上，その援助が効果をもつためには「良い政策」が前提となるべきだ，との考えに基づくものである（世界銀行，2000）。

　そもそも，過去の債務が帳消しされても，途上国の経済建設や貧困緩和のための資金不足が解消するわけではなく，引き続き新しい援助資金の流入が必要である。それまでの世界銀行やIMFによる構造調整型の一方的なコンディショナリ

ティのつけ方に対する批判から，途上国側の「オーナーシップ」が強調されるようになったが，結局のところ，こうした新たに登場したPRSPの枠組みにおける，世界銀行・IMFやドナー側の構造改革や経済社会運営についてのチェックは，引き続き「事実上のコンディショナリティ」としての役割を果たしているとみる見方もある（柳原，2008）。世界銀行・IMFの債務削減や支援を受けるためには，従来のマクロ経済運営に関する改革の条件だけでなく，貧困対策や社会開発政策もチェックの対象となったことで，途上国の経済社会全般に対してより一層包括的な影響力をもつことになったとみることもできる（稲田，2004）。

　こうした枠組みの形成は，援助協調の体制にも大きな変化をもたらすことになった。2000年以前の，世界銀行を中心とする支援国（consulting group: CG）会合のシステムは，年1回，主要ドナーが集まって，それぞれの支援の総額や重点分野・内容などの概要を，互いに公表し合うような，やや儀式的な会合であった。しかし今日，開発の様々な分野ごとに，当該国の担当省庁を含めて各ドナーの担当者が現地でワーキング・グループ会合を頻繁に開催し，分野ごとに開発政策の方向性を議論し，その分野の具体的な案件全体を確認し，各ドナーがそのなかのどれを支援するかといった議論をするようになっている。こうした現地での頻繁なワーキング・グループ会合は，現地でルーティン化され，とくに教育分野や保健医療分野においてその進展が顕著である。

　後述するように，こうした動きは，セクター・ワイド・アプローチとかセクター・プログラム化と称される。分野によっては，まだ一部ドナー（とりわけ日本）が，こうした国際的（マルチの）枠組みの一部に組み込まれることを警戒して消極的な態度をとっているが，こうした「パートナーシップ・アプローチ」は，ますます強化されつつあるのが現状である。

　また，世界銀行は2002年のIDA13次増資交渉において，世界銀行グループの機関である国際開発協会（International Development Association: IDA）の支援総額のうち20％までグラントでの支援を可能とすることになり，さらに2005年のIDA14次増資交渉において，その比率が50％まで高まった。その結果，低所得国に対しては全額グラントでの支援も可能となった。さらに，世界銀行自身が「現地化」を進め，途上国の現場での人員や機能を拡大したことと相まって，現地での世界銀行の開発の取りまとめ役としての役割は拡大している。そのことによって，後述する国連開発機関との支援業務の重複の傾向はますます高まってい

るという側面もある。

（3）国連とMDGs

　開発に関連する国連機関は数多く，国連の経済社会理事会に所属する機関として，国連開発計画（UNDP）をはじめ，世界保健機構（WHO），国連高等難民弁務官事務所（UNHCR），国連児童基金（UNICEF）などが存在する。また，国連の主要専門機関のなかでは，緊急人道支援を主として担う組織（たとえばUNHCRや世界食糧計画〔WFP〕など）と開発支援に焦点をあてる機関（たとえばUNDPなど）とがあり，その間の連携・調整が必ずしも密接・円滑になされてこなかったことが，大きな課題であると指摘されてきた。

　こうした国連機関の問題点として，全体の統制がなく，どの機関も独自の憲章のもとに独自に活動しているため，他の機関と活動が重複したり，無駄が生じたり，縄張り争いが生じたりしており，機関間の重複の防止，優先順位の決定，外部からの評価などが必要不可欠とされている。開発や復興プロセスに関連する国連機関は多々あり，それらの国連関係機関の重複を避け，その間の調整を効率的におこなうべきだとの議論は，近年ますます高まりをみせている。

　国連関連機関の効率化論議はかなり以前からあるが，近年その改革の機運は高まっており，いくつかの具体的な改革も進められてきた。1997年には「国連の改革」報告書が出され，国連開発グループ（United Nations Development Group: UNDG）の設立が合意され，それら機関の共通の開発フレームワークとしての国連開発援助枠組み（United Nations development assistance framework: UNDAF）の導入・形成がなされた（大平，2008）。

　国連関係機関に関する効率化論議を方向づける国連事務総長の諮問機関の代表的なものが，「一貫性ハイレベル・パネル」である。このハイレベル・パネルは，2004年に，国連改革に向けた議論のたたき台として「脅威・課題・変化に関する国連事務総長ハイレベル・パネル」報告書を提出した。この報告書を受けて，国連事務総長は2005年に『より大きな自由を求めて（*In Larger Freedom*）』を刊行し，そこで「平和構築委員会」の意義とそれが紛争終結後に果たすべき活動について言及している。

　また，国連改革をめぐるハイレベル・パネルの議論の最終版とでもいうべきものが，2006年に出された『一丸となっての支援（*Delivering as One*）』報告書であ

る。この報告書は，国連関係機関の重複をできるだけ避け，その間の調整を効率的に行うことによって，「1つのリーダー，1つのプログラム，1つの予算，1つの事務所（one leader, one program, one budget, one office）」の方向にもっていくことを提案している（UN 2006）。現実にはそのような構想は実現していないが，UNDGの現地での中核的な役割をUNDPが常駐調整官（resident coordinator: RC）として果たし，またUNDGの各機関の現地事務所をUN Houseと呼ぶ1つの事務所ビルに統合する方向で，効率化が次第に進んできている面もある。

　一方，国連開発機関が主導して形成された重要な国際開発の枠組みとしてミレニアム開発目標（MDGs）がある。これは，2000年に開催された国連ミレニアム・サミットで採択されたミレニアム宣言を契機に，この『国連ミレニアム宣言』と1990年代に開催された主要な国際会議やサミットで採択された国際開発目標を統合して，1つの共通の枠組みとしてまとめられたものであり，2001年の国連事務総長報告書で登場した。

　このMDGsは2015年までに達成すべき途上国の貧困削減の8つの目標として提示されたものである。8項目として，貧困撲滅，初等教育普及，ジェンダー平等，乳幼児死亡率の削減，妊産婦の健康改善，感染症の防止，持続可能な環境づくり，グローバルな開発パートナーシップが掲げられており，さらに具体的に細分化された21のターゲットと60の個別の指標項目が設定されている（2014年1月時点）。

　2000年に設定されたMDGsは，1990年代半ば以来の数値目標の議論の集大成ともいえる。MDGsは，最終目標（2015年）だけでなく毎年のモニタリング指標でもある。またMDGsは援助協調メカニズムの中核としての役割も担っており，各国毎のMDGsが設定され，それ自体がモニタリング指標であるとともに，UNDGが各国の開発計画に関与していく際の取っかかりともなり，ドナー支援の努力目標ともなっている。

　なお，MDGsは，2015年を最終年とする貧困削減目標であるため，2015年より先の国際開発目標（ポストMDGs）の策定に向けて様々な動きがある。2012年の国連持続可能な開発会議（リオ＋20）のプロセスと多くの国々・NGOとの協議を踏まえて，2013年5月にはハイレベル・パネル報告書が提出され，同年9月には国連総会でポスト2015年開発目標に関するハイレベル本会議が開催された。

(4) DACと援助効率化

パリに本部のある主要先進国援助機関の調整のフォーラムであるOECDのDACは，その発足以来，加盟国の開発途上国への支援拡大と援助の効率化などのための開発支援に関わるガイドラインづくりをおこなうとともに，加盟国による遵守を働きかけてきた。ODAの対GNP比0.7％目標，グラント・エレメントや贈与比率，援助のアンタイド化などの状況に関する援助審査を実施してきた。近年は，プロジェクト評価手法，技術協力の効率化，ジェンダーや環境配慮，参加型開発やガバナンス，平和構築や紛争予防などに関するガイドラインづくりに向けて議論をとりまとめ，主要援助供与国の間で共通の援助指針形成の努力をおこなってきている。

たとえば，DACは，1990年に「1990年代の開発協力」報告書を提示し，市場経済の拡大と幅広い民衆の開発過程への参加（「参加型開発」）に基づく持続的な経済成長を提言した。また，1996年5月に『21世紀に向けて――国際協力を通じた貢献』と題する提言書，いわゆる「DAC新開発戦略」を作成した。そこでは，発展途上国の自助努力（オーナーシップ）と，それを支援する先進援助国・国際機関の間の協調（パートナーシップ）が強調され，また，そこにおいては，単に国家（政府）間の協調だけではなく，開発に関連するあらゆるレベルの政府機関，民間，NGOを包括的に含んだ形のパートナーシップが重視されている。また，援助の総量を拡大するという目標に加えて，途上国の貧困層人口比率，就学率や識字率，平均余命や乳幼児死亡率などの具体的な社会開発指標の改善の度合いを数値目標として提示することを提唱した。こうした内容は，その後の国際援助協調の潮流形成に大きな影響を与えたとされる。

2000年以降，国際援助協調が進むなかで，2003年には「ローマ調和化宣言」を採択し，2004年には「マラケシュ開発結果マネジメント円卓会議」を開催し，2005年5月には「パリ援助効果宣言（第2回援助効果向上ハイレベルフォーラム）」，2008年9月には「アクラ行動計画（第3回援助効果向上ハイレベルフォーラム）」，そして2011年12月に「釜山成果文書（第4回援助効果ハイレベルフォーラム）」をとりまとめるなど，国際援助コミュニティの間での協調体制を強化することによって援助効果を高めるべく，様々な努力を推進してきている。

（5）新しい援助モダリティ

　開発援助におけるこうした1990年代の主要な成果は，開発援助の目的を貧困削減とする方向性が打ち出されていったことや，途上国の援助受入能力の向上が援助効果向上の鍵となるとの認識からおこなわれた，様々な援助手法の改革であると言えよう。

　援助手法の改革提案としては，英国や北欧ドナーが中心となり，セクター・ワイド・アプローチ（sector-wide approach: SWAp）が提唱され，またその考え方から援助資金の「バスケット・ファンド」化の提案もなされた。さらに，先進諸国の行政における「ニュー・パブリック・マネジメント」の影響や，途上国における参加型開発の進展の影響などを受けて，途上国政府側に説明責任を課し，作成プロセスやモニタリング・プロセスの透明性を重視した，PRSPと中期公共支出枠組み（mid-term expenditure framework: MTEF）の導入などが示された。

　このような援助のあり方の改革は，とくにアフリカ諸国において顕著な傾向であり，ケニア，タンザニア，ウガンダなど，旧英国領のアフリカ諸国で，PRSPやSWApや財政支援などの新しい援助モダリティが導入され，援助協調が進められた。

　PRSPには，①客観的指標を使った当該国の貧困診断，②様々な主体による参加の過程を経た貧困削減への国内共通のビジョン，③開発の成果および貧困削減の結果を重視した政府・公的部門による優先的行動計画，④計画のモニタリングに際しての参加型手法，が含まれるとされている。

　さらに，近年は，援助協調の強化にむけた様々なイニシアティブが強化されてきた。たとえば，援助の内容や実施方法を当該国政府の国内制度に沿ったものにしていく「アラインメント」，財政支援などに参加するすべてのドナーが政策条件の議論に参加して，途上国とコンセンサスを得ることや，各ドナーがそれぞれの得意分野に特化して重複を避けることを含む「調和化」なども，進められている。

　とくに近年進展してきているのが，SWApである。SWApとは，「個別に単発のプロジェクトやプログラムを実施するのではなく，分野全体をひとつの有機的なプログラムとして運営することにより，制度や組織に関する当該分野の根本的な問題を解決するとともに，ドナー側と開発途上国側の双方の限られた支援を選択的に集中しようとするもの」であり，とくに教育・保健医療などの分野で進展

してきている。

　こうした傾向が進展するなか，ドナーによっては共通基金への拠出（コモン・ファンドとかコモン・プール方式と呼ばれる）や財政支援を重視（援助のプログラム化）するような動きも進んできた。こうした流れの延長上で，個別事業（プロジェクト）に対する支援をやめて，すべてのドナーが共通の基金（コモン・プールないしコモン・バスケット）に資金を集め，途上国政府の予算を共同管理するという極端な方法を目指す動きも，北欧や英国など一部のドナーによって推進されている。とくに英国は，近年，こうしたプログラム援助（とりわけ財政支援）やコモン・ファンド（多ドナー信託基金や共同プログラム）を支援の最も望ましい形態としている。このような援助協調強化の重要性と方向性について考え方を共有するドナーを「考え方を共有するグループ（like-minded group）」と称することもあり，北欧諸国・英国のようなバイ（二国間）のドナーだけではなく，UNDPや世界銀行などのマルチ（多国間）のドナーもこうしたグループに属する。

　こうした「プログラム援助」や「財政支援」型の支援は，ニーズに対応する資金への早急なアクセスが可能であるし，より強い調和化の可能性を有するものといえるが，その支援の有用性と効果は援助に際しての条件づけ（コンディショナリティ）に左右される。その意味で，こうした支援のあり方が「理念型」として理想であることは理解するものの，途上国側の政府の能力がいまだ不十分ななかでの，そのアプローチの有効性に関しては，引き続き議論があり，いまだ実現の方向にあるわけではないことには注意が必要である。

（6）オーナーシップ強化の議論

　こうしたドナー間の援助協調が進む一方で，途上国側のいわゆる「オーナーシップ」は，どのように確保されているのであろうか。

　多くの途上国において，教育，保健医療，交通運輸，水資源・灌漑，電力，農業など，開発政策は多岐にわたり，多くの官庁が関わり，また全体の開発計画・予算をとりまとめる省庁も，財務省であったり計画省であったり，あるいは議会（国会）や与党もその優先順位付けに大きな発言力を持って関与することが多い。すなわち開発計画の策定プロセスには多様な国内主体が関わり，その間には複雑な権力関係が存在し，様々な政治的駆け引きがおこなわれるのが現実の姿である。

　そうしたなかでの「オーナーシップ」の重視という議論は，あたかも相手側の

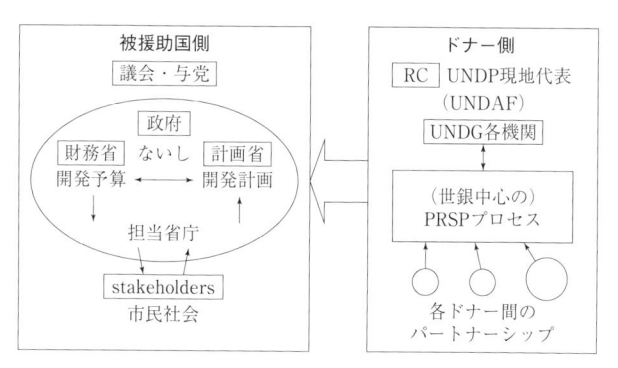

図13-1 現地での援助協調メカニズムの概念図
出典：筆者作成。

途上国に一体的なオーナーシップがあると想定させるものであるとするならば，多分に方向を見誤りかねない。とりわけ，被援助国側の「能力」や「ガバナンス」が弱いあるいはない場合，開発計画づくりやその具体的な案件策定は，ドナー主導になりやすい。

その一方，多くの国において，開発計画の策定および予算配分のメカニズムは，近年，計画策定と予算管理の機能を分け，合理的で効果的な役割分担をするようになっている。多くの途上国，とくに社会主義的な経済運営をしてきた国（後述するカンボジアもそうした国）において，相対的に大きな役割を担ってきた計画部門から，財務担当部局による合理的な公共財政管理を重視する形で，機構改革と人材と権限の再配分がなされてきている。実際，世界銀行はこうした形での公共財政管理能力の向上を組織的に支援してきた。

また，その一方で，開発計画や予算の優先順位づけなどの政治的判断は，民主的に選ばれた議会・国会や政権与党により決定されるべきとの考えが，途上国の政治のあり方の透明性や民主的手続を重視する立場から，国際開発援助コミュニティの間で強まってきている。脆弱国家や紛争後からの移行プロセスにある国ぐににおいては，こうした政治的な側面をもつ課題に関しては，国連機関が何らかの形で関与ないし支援をすることも多い。また，議会・国家が機能する前提として，そもそも健全な「市民社会」が育っていることが前提であるとする考えも，国際開発コミュニティの間で広まっている。

このような開発計画・予算配分をめぐる途上国側の様々な国内主体間のプロセ

スを含め，開発計画と援助協調のメカニズムを整理した概念図が，図13-1である。

2　カンボジアにおける援助協調とオーナーシップ

（1）カンボジアにおける援助協調の進展

このような，国際援助協調の現実の姿を理解するために，1つの典型的事例として，カンボジアを取り上げてみることにしよう。

カンボジアで，とりわけ2000年以降生じてきている援助協調強化の動きは，次のようないくつかの側面に分けて整理することができる。なお，1993年から2010年（現在）までの間に生じた，これらの具体的な動向や変化を時系列の一覧表の形で整理したのが，表13-2である。

①支援国会合の現地化（2002年以降）

1993年にパリで第1回カンボジア復興開発委員会（ICORC）が開催されたのち，毎年1回，この会合は，カンボジアに対する主要な2国間支援国であるフランスのパリおよび日本の東京で交代に開催されてきた。96年からは「カンボジア支援国会合（CG会合）」と称され，引き続き2001年まで，東京とパリの交代でCG会合が開催されてきた。しかし，国際社会での，途上国側のオーナーシップや現地でのアラインメント重視の議論を受けて，2002年からCG会合はカンボジアの首都プノンペンで開催されるようになっている。

②セクター毎のWG設置（1999年開始，2004年以降本格化）

また，1999年に6つのワーキング・グループ（WG）が設置され，2002年にさらに1つが追加，2004年には合計17のテクニカル・ワーキング・グループ（TWG）が設置された。これは，開発の分野ごとに担当省庁と関連ドナーが一堂に会して具体的な開発計画と支援内容を議論する場である。年1回のCG会合だけではなく，現地で頻繁に開催されるものであり，以下で述べるPRSPやSWApの具体的なプロセスとなるものである。

表13-2 カンボジアにおける支援国会合メカニズムの進展

年	カンボジア政府	援助協調の動向	カンボジア支援国（CG）会合メカニズム
1993	（初の国政選挙）		第1回カンボジア復興開発委員会（ICORC, パリ）
1994	国家復興開発計画（NPRD）		第2回 ICORC（東京）
1995			第3回 ICORC（パリ）
1996	第1次社会経済開発計画（～2000）		第1回カンボジア支援国（CG）会合（東京）
1997			第2回 CG 会合（パリ）
1998	三角形戦略（TS）（第2回国政選挙）	UNDAF 導入	
1999		世銀 CDF 提唱	第3回 CG 会合（東京） 6つの WG の設置：森林・天然資源管理，動員解除，行政，財政支援，社会セクター，ガバナンス
2000		世銀 PRSP 導入 ミレニアム開発目標	第4回 CG 会合（パリ）
2001	第2次社会経済開発計画（～05）		第5回 CG 会合（東京）
2002			第6回 CG 会合（プノンペン） 政府・ドナーパートナーシップ WG の追加（合計7）
2003	国家貧困削減戦略（～2005） カンボジア・ミレニアム開発目標（CMDGs） （第3回国政選挙）	ローマ調和化宣言	
2004	四角形戦略（RS） カンボジア・開発パートナー・調和化・アラインメント宣言	マラケシュ開発結果マネジメント円卓会議，調和化・アラインメント行動計画	• 第7回 CG 会合（プノンペン） • 政府・ドナー調整委員会（GDCC）の設置 • 17の TWG の設置（7つの WG の再編成）：法・司法改革，地方分権・業務分散化，行政改革，パートナーシップ・調和化，公共財政管理，農業・水，水産，森林・環境，食糧確保・栄養，土地，地雷除去，インフラ・地域統合，民間セクター開発，教育，保健，HIV／エイズ，ジェンダー（国家戦略開発計画〔NSDP〕に合わせて翌年に延期）
2005	カンボジア・調和化・アラインメント・開発結果マネジメント行動計画	パリ援助効果宣言	
2006	国家戦略開発計画（2006～2010）		第8回 CG 会合（プノンペン）
			第9～11回 CG 会合（プノンペン）
2010			第12回 CG 会合（プノンペン）

出典：外務省（2006）『カンボジア国別援助評価』第2章，22頁をもとに筆者作成。

③PRSP と MDGs の連携（2000年，2001年以降）

2000年に，国連開発機関を中心に MDGs が提示され，その一方，世界銀行を中心に途上国に対して，貧困削減に重点を置いた開発計画である PRSP の策定を求める動きが強まった。

カンボジアにおいても，2003年には，「カンボジア・ミレニアム開発目標（CMDGs）」が打ち出される一方，世界銀行は，カンボジア財務省を中核において2003年に03〜05年を対象とする国家貧困削減戦略（NPRS）づくりを支援した（JICA 国際協力総合研修所，2004）。

④開発計画——国家戦略開発計画として統合（2005年）

世界銀行が主導した PRSP と，アジア開発銀行（Asian Development Bank: ADB）がその作成を支援してきた社会経済開発計画（SEDP）は，2001年に作成された第2次 SEDP と，2003年に作成された NPRS が併存する形で，その混乱と主導権の取り合いが指摘されてきた。しかし2005年末になり，ようやく両者が国家戦略開発計画（NSDP）として一本化されることになった。カンボジアの関係省庁や関連する主要ドナーが，そうした統一的な開発計画の必要性を認識した結果，開発計画として NSDP に足並みを揃えることを求めたことが背景にある。

⑤SWAp の強化——教育（SWAp）・保健医療（SWiM）

国際社会の様々な支援アクターが，その支援を全体として効果的に進める方策として，あるいは支援対象国のガバナンス課題に対するアプローチとして，近年，重要性を増しつつあるのが SWAp である。カンボジアにおいても1990年代後半以来，とりわけ教育や保健医療分野において広まってきた。教育分野では SWAp，保健医療分野では SWiM（sector-wide management）とよばれるように，これらの分野の政策について全体的な政策枠組み（policy framework）を各ドナーが共有し，そのうえで各ドナーが分担してそれぞれに支援する形がとられるようになっている。

⑥公共財政管理重視の議論——財政支援，コモン・プール

近年，とくに議論となっているのが，財政支援の有用性についての議論であり，将来的な方向としては，カンボジアにおいても財政支援の支援スキームに基づい

て各国が支援する方向に持っていくべきだとする英国や北欧のようなドナーがある。その一方，日本は引き続き，プロジェクトに基づいた支援の有効性を議論している。世界銀行は，長期的には財政支援の枠組みは望ましいとしながらも，財政支援の前提となるのは，政府の公共財政管理能力や透明性などであり，現時点ではカンボジア政府の財政管理運営能力は十分とはいえず，そうした過渡的な状況では財政支援は必ずしもうまく機能しないという見解をもっている。

（2）カンボジアにおける援助協調下のオーナーシップ

上述のように，PRSP や MDGs が国際社会の主要ドナーの協調の核としての役割を果たしてきているとはいえ，開発や支援の方向性をめぐって，ドナー間の主導権争いも一方で存在する面も否定できない。そもそも，ドナーにより支援の「エントリー・ポイント」（相手国のなかで支援の中核として重視するカウンターパート）の違いがみられる。各国内主体は，相手国の国内政治過程のなかで様々な組織間の政治的綱引きや縄張り争いがみられることもよくある。こうした国内的な組織間の縄張り争いとドナー間の支援のエントリー・ポイントの重点分野の違いが，ある種の「組織間政治」を生み出すこともある。

その典型例として，前節で援助協調の枠組みが強化された国として取り上げたカンボジアの例を再度見てみることにしよう。

カンボジアでは，1992年以来，多くのドナーが支援に関わってきた。国連カンボジア暫定統治機構（UNTAC）後に引き続きカンボジア支援を熱心に進めた国連開発機関をはじめ，アジア開発銀行や世界銀行などの国際機関が，それぞれに復興支援のショーウィンドウとしてのカンボジアに深く関わっていったが，各ドナーの支援のエントリー・ポイントには以下のような重点の違いがみられる。

世界銀行は，その支援にあたって通常，財務省をエントリー・ポイントとしている。カンボジアにおいては，1992年当初，財務省の能力はきわめて弱く，世界銀行はその人材育成と能力強化を支援し，その公共財政管理能力の強化を進めてきた。

一方，アジア開発銀行は，計画省を中核に社会経済開発計画づくりを支援してきた。計画省は，伝統的な社会主義システムでは経済計画づくりの中核的な役割を担っており，復興過程でのカンボジアにおいても，この計画省を中核に開発計画づくりをすることが最も自然であると考えられたからである。

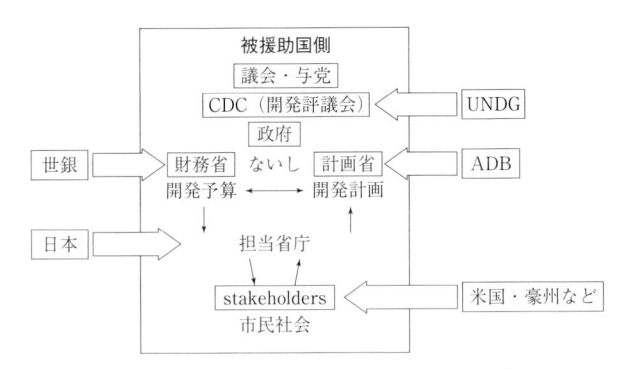

図13-2　カンボジアでの援助の主要パートナー（概念図）
出典：筆者作成。

　さらにその一方で，UNDGは，援助協調の核となるカンボジア側のカウンターパートとして，カンボジアの内閣のもとに新たに設立されたカンボジア開発評議会（CDC）を重視してきた。カンボジア開発評議会は比較的小さな組織で，開発予算を左右する権限は持っていないが，開発の長期ビジョンづくりなどに関わり，主要ドナーの援助のとりまとめにあたる権限を持っているとされている。

　日本は1992年以来，近年まで一貫してカンボジアにおける最大支援国であった（2009年から中国が最大ドナーになったと言われている）。日本の援助のシステムのなかでは，支援対象の分野毎の担当省庁（これをライン省庁という）を支援のカウンターパートとして重視してきた。

　また，米国は，UNTAC後に成立したカンボジアの政権の主要政党（与党）であり続けている人民党が，UNTAC以前にかつてベトナムの支援をえてカンボジアを実効支配してきたヘンサムリン政権の流れをくむ社会主義政党であることから，カンボジア政府を通じる支援を停止する米国議会によって作られた法案が存在しており，NGOなどいわゆる市民社会に対する直接支援という形で援助を供与してきた。

　こうした主要ドナーの支援のエントリー・ポイントの違いを簡略化して図式化したものが，図13-2である。この図をみてもわかるように，カンボジアの「オーナーシップ」を代表する主体は，現実には様々でありうる。

3 新興ドナーと国際援助協調の将来

(1) 新興ドナーとしての中国の台頭

2000年以降急速に進展してきた国際援助協調体制の今後の行方に関する大きな不確定要素の1つは，新興ドナーとしての中国の台頭である（下村ほか，2013）。

援助の目的の観点からは，中国の援助は天然資源保有国への投資が目立ち，資源獲得という要素が色濃く見える。さらに必ずしも経済水準が低い貧困国に援助をしておらず，国際的な開発目標であるMDGsやDAC諸国の方針とは異なる。国際社会からその腐敗や人権抑圧などで問題を指摘されているような国ぐに（たとえばスーダン）に対して，多額の支援を供与していることに対し，国際的な外交圧力を無視するもので，不透明さや腐敗を温存させるのに役立っている，との批判もある。

その一方で，受け手国からみた援助と開発の実像を見れば，支援対象国のインフラ建設や物資の流入を促進し，人びとの生活改善に直結し，しかも足の早い目に見える成果をあげているとの評価もある。中国の近年の援助や経済協力は，投資や製造業や雇用の創出という点で，きわめて肯定的な効果をもたらしているとみる見方もある（Brautigam, 2009）。

また，相手国政府の基盤強化を通じた政治的効果もあり，中国との外交関係の強化にもつながっている。また，資源開発や中国への輸出の拡大，中国の物資や労働者の流入を通じた中国との経済関係強化も，目に見えて進展している。他方で，民衆レベルでの対中意識は二律背反な面もあり，中国との関係強化は過剰な存在感への警戒感にもつながり，こうした状況は，1970年代の日本と東南アジアの関係に似ているともいえる。

(2) 中国の国際開発援助体制へのインパクト

中国の援助国としての台頭が，国際援助協調の枠組みに与える潜在的な影響は，決して小さくない。従来，国際援助社会の中心的アクターであるOECDや国際機関（とくに世界銀行）では，西欧諸国の視点の影響が強かったが，日本に続いて韓国がDAC加盟し，（国際援助コミュニティの外での）中国の援助が拡大するなど，非西欧援助アクターの比重の増加が認められる。国際援助社会のこのような変化

は，国際援助潮流にも変化をもたらす可能性がある。

とくに，DAC や世界銀行を中心に進んできた援助ルールの共通化や効率化に向けた協調の枠組みに中国が入るか入らないかは，他の先進国の援助のあり方や，途上国の政策改善圧力を左右する可能性がある。その一方で，情報の公開やルールの共通化やその遵守を中国に対して求める圧力は高まっている。実際，中国自身は，非欧米ドナーとしての新しい協調のあり方を追求するのであろうか。あるいは日本自身が非西欧ドナーでありながら国際援助協調を重視する方向に変化してきたのと同様に，中国もそのように変化していくのだろうか。

対外援助アクターとしての中国の影響力の拡大が注目されているように，その他の新興経済圏諸国を欧米の主要先進国中心に形成されてきた国際開発援助体制にいかに取り込んでいくかということが，今後の大きな課題となってきている。

(3) 国際援助協調の行方

国際開発援助をめぐっては，近年，国際社会の様々な主体間の協調や調整の仕組みが着実に進みつつある。その意味で，国際開発の分野でも国際的な制度化と共同統治（グローバル・ガバナンス）にむけた動きが確実にみられるが，依然としてその制度化は十分に進んでいるとはいえない面があることは否めない。異なる国際機関による多くのイニシアティブや新たなドナーの台頭があるなかで，様々な課題と議論が混在しているのが現状であるといえよう。

今後の学習のための参考文献

(1)初級

稲田十一（2008）「グローバル・ガバナンス」下村恭民・辻一人・稲田十一・深川由起子『国際協力——その新しい潮流』有斐閣，第9章。

稲田十一（2013）『国際協力のレジーム分析——制度・規範の生成とその過程』有信堂。
　＊開発援助・国際支援の分野で顕著になってきた制度化・規範化について，基礎的説明とテーマ研究に分けて整理した，「国際協力レジーム」についての基本文献。

朽木昭文（2004）『貧困削減と世界銀行』アジア経済研究所。

(2)中級

稲田十一（2004）「国際開発援助体制とグローバル化」藤原帰一・李鍾元・古城佳子・石田淳編『国際政治講座第3巻——経済のグローバル化と国際政治』東京大学出版会，第4章。

稲田十一（2009）「脆弱国家における国際援助調整」稲田十一編著『開発と平和——脆弱国家支援論』有斐閣，第11章.
　　＊国際援助調整が紛争後の国においても進展してきていることをカンボジアや東ティモールを例に取り上げて紹介している.
大平剛（2008）『国連開発援助の変容と国際政治』有信堂.
JICA国際協力総合研修所（2004）『PRSPプロセス事例研究——タンザニア・ガーナ・ベトナム・カンボジアの経験から』国際協力機構（JICA）.
下村恭民・大橋英夫・日本国際問題研究所編（2013）『中国の対外援助』日本経済評論社.
　　＊急速に拡大してきた中国の対外援助を，理念・規模・国際的影響など多様な角度から包括的に分析し全体像をまとめた，中国の対外援助についての基本文献.
下村恭民編（2006）『アジアのガバナンス』有斐閣.
世界銀行編，小浜裕久・富田洋子訳（2000）『有効な援助——ファンジビリティと援助政策』東洋経済新報社.
柳原透（2008）「国際援助レジームの形成とその意義」『海外事情』9月号.
UN Secretary General's High Level Panel (2006), *Delivering as One*, New York: United Nations.

⑶上級
William Easterly (2006), *The White Man's Burden : Why the West's Efforts to Aid the Rest Have Done So Much Ill and So little Good*, New York: The Penguin Press（ウィリアム・イースタリー著，小浜裕久・織井啓介・富田陽子訳〔2009〕『傲慢な援助』東洋経済新報社）.
Danbisa Moyo (2009), *Dead Aid : Why Aid is Not Working and How There is Another Way for Africa*, London: Penguin Books（ダンビサ・モヨ著，小浜裕久監訳〔2010〕『援助じゃアフリカは発展しない』東洋経済新報社）.
　　＊上記の2冊はいずれも欧米主導の援助が被援助国に与えたマイナスの影響について分析・議論したもので，前者は学問的な分析が中心であるのに対し，後者はより刺激的な形で議論を提起している．いずれも質の高い和訳である.
Deborah Brautigam (2009), *The Dragon's Gift : The Real Story of China in Africa*, New York: Oxford University Press.

⑷ウェブサイト
世界銀行
　　http://www.worldbank.org/
OECD/DAC
　　http://www.oecd.org/
MDG Monitor
　　http://www.mdgmonitor.org/

Column 13

マダガスカルにおける教育ドナー・グループ

首都アンタナナリボにある小学校
(© Mario Bacigalupo)

マダガスカルでは，1999年に63％だった初等教育の就学率が2008年には88.9％に達するなど，MDGsの「2015年までにすべての子どもが男女の区別なく初等教育の全課程を修了できるようにする」という目標2の達成に大きく近づいていた。

しかし，2009年3月に憲法手続きによらない形で暫定政府が発足し，ドナーからの援助停止が相次いだ。世界銀行の主導による国際的な支援枠組みである「EFA ファスト・トラック・イニシアティブ（EFA-FTI）」（第10章参照）の触媒基金を2005年より受けていたが，政治危機後，すでに承認されていたその追加資金についても凍結の危機にさらされた。

このような状況を受けて，世界銀行とUNICEFを共同の主導機関としたマダガスカルにおける教育ドナー・グループは，マダガスカル教育省と協力して，最も支援を要する分野に絞った計画を策定した。

世界銀行の内部に設置されたFTI事務局との交渉の末，政治危機のため，世界銀行がマダガスカル政府に資金を入金するという通常の方法に代わって，資金管理機関としてのUNICEFへ資金が振り込まれることに決まった。その結果，計3700万米ドル（2009～11）がマダガスカルに供与され，コミュニティ教員の給与補填，学校建設，小学校への補助金の支払い，学校給食，教材配布などに使われている。

これらの活動は，各ドナーがそれぞれの得意分野を生かし，教育省職員と協力して行っている。たとえば，学校建設はUNICEF, ILO，国際NGOのAide et Actionが担当し，学校給食はWFPが担当している。

とくにUNICEFは，学校レベルでのサポート（補助金支払いなど）に加えて，資金管理機関として，また教育ドナー・グループの共同主導機関として重要な役割を担っている。そして，2011年5月には，政治危機以来おこなわれていなかった教育セクターのレビューを教育省と共同でおこない，教育分野への投資の重要性を暫定政府に訴えた。しかし，政治危機以降，学校に行っていない子どもの数が53.3％増えるなど，家庭の貧困化，教育省の弱体化に対応するより一層の取組みが求められている。

（保坂菜穂子）

第14章　国連の役割
―― MDGs の達成と機構改革 ――

大平　剛

この章で学ぶこと

　国連による援助活動は，多くの専門機関や総会付属の補助機関によっておこなわれていることから，その構造は複雑であり，全体像を把握することは容易ではない。また，ともすれば活動が重複していたり，縄張り争いがあったりするなど，国連の開発援助活動は長らく批判の対象となってきた。そのような批判に対して国連では様々な改革がおこなわれてきたが，実質的に効果のある改革が実施されだしたと言えるのは1990年代以降のことである。改革はニューヨークの本部レベルと途上国の現地レベルでおこなわれ，効率的かつ効果的な援助を目指すようになってきている。

　この章では，そのような国連における改革をミレニアム開発目標（MDGs）達成に向けての動きのなかに位置づけて，目標達成に向けてどのような役割を国連が担っているのか，またどのような活動を国連としておこなっているのかを学ぶ。具体的には，まず本部レベルでの改革については，国連システムにおいて開発援助活動を担う機関を束ねる「国連開発グループ（UNDG）」の働きと意義に注目する。国連開発グループができたことによって，どのような変化が国連の開発援助に現れたのかを考察する。次に，途上国における現地レベルでは，国連カントリーチームによる MDGs に向けての取組みを紹介するとともに，「一丸となっての支援」と称される昨今の国連改革の実践例を取り上げ，現地レベルでの取組みについて学ぶ。最後に，国連が主導しているミレニアム・ビレッジでの取組みを取り上げ，国連が民間セクターと連携することの意義と課題について考える。

キーワード　国連開発計画（UNDP），国連開発グループ（UNDG），ミレニアム・ビレッジ，「一丸となっての支援」（delivering as one），国連カントリーチーム（UNCT）

1　開発援助のアクターとしての国連

　国際連合（以下，国連）はあまりにも巨大な組織であることから，その全体像を見渡すことは容易ではない。国連について語られるとき，その多くは安全保障問題についてであり，安全保障理事会の動向に注目が集まる。しかし，そのことによって国連の全体像の半分しか目に入らないとすれば問題である。国連の活動は安全保障理事会と経済社会理事会が，言わば車の両輪として機能し，前者が戦争や紛争を無くして「恐怖からの自由」の獲得に努めるのに対して，後者が貧困に代表される経済社会問題をなくして「欠乏からの自由」の獲得に努めるのである。

　しかし，このような崇高な理念を掲げながらも，国連が十分な成果を上げてきたかと言えば，そうではないのが事実である。国連の組織は肥大化し，それによって機関同士が限られた資金を求めて駆け引きをしたり，活動が重複してしまったり，あるいは現地で縄張り争いをするなど，非効率的な援助の実施に陥ってしまったのである。そのような状況を一変させたのが冷戦の終結という国際政治における大転換であった。それ以降，国際開発の分野では大きな変化が続いている。そのはずみを作り出したのが1990年代に開催された多くの国際会議であり，その集大成と位置づけられるミレニアム・サミットであった。

　国連による開発援助活動も世界的な国際開発の文脈でとらえなければならない。国連が国際開発の新しい潮流を作り出すこともあれば，逆に国際開発の新潮流に巻き込まれることによって，国連もそれに適応する形で機構改革をおこなわなければならないという状況が生み出される。本章では，そのような国際開発分野における新しい動きのなかで，国連がどのような働きをしているかとともに，どのような内部改革を国連がおこなうに至ったのかを詳述する。そして，そのことが途上国の現場においてどのような変化を生み出そうとしているのかといったダイナミズムを示したい。

2　フォーラムとしての国連

（1）グローバル・イシューズに対する認識の高まり

　21世紀の始まりを翌年に控えた2000年という節目の年に，当時189を数えた国連加盟国の代表がニューヨークの国連本部に集まって開催されたのがミレニアム・サミットであった。『国連ミレニアム宣言』と1990年代に開催された一連の国際会議で採択された諸目標とを統合して提示されたのがミレニアム開発目標（MDGs）である。つまり，MDGsはいきなり2000年になって策定されたのではなく，それ以前の国際会議の場で蓄積されてきた成果が核となって生み出されたのである。

　世界が抱える諸問題は，それぞれが複雑に絡み合うとともに，グローバル化の進展によって世界のすみずみにまで影響が及ぶことから，国際社会が協力して取り組まなければ解決は難しいとの認識が形成されていった。そのため，このような問題群は地球規模の課題として「グローバル・イシューズ」あるいは「グローバル・プロブレマティーク」と呼ばれることとなった。これらの地球規模の諸問題とは，人権，女性，人口，環境，食糧といった問題であり，そこには重層性と相互関連性が認められる。

　1990年代に開催された主要な国際会議をイシューごとに分類した場合，人権に関係する会議には「世界人権会議」以外にも，「万人のための教育世界会議」，「子どものための世界サミット」，「第4回世界女性会議」を含めることができよう。このように，1つのイシューはまた別のイシューと深く関わり合い，それぞれを独立させて解決することは不可能なのである。

（2）MDGs の策定へ

　一連の国際会議を受けて，その成果をまとめ上げたのは国連ではなく経済協力開発機構（OECD）であった。OECDは1996年に『21世紀に向けて――開発協力を通じた貢献』と題する報告書に成果をまとめ上げるとともに，日本政府のイニシアティブのもとで数値目標と達成期限を明確に示し，国際開発目標として提示したのであった。表14-1に示すとおり，この報告書に示された開発目標がその後，MDGsの原型となっていることは明らかである。

　二国間援助は，ともすれば独自の外交戦略のなかで国益追求のための手段とし

表14-1　OECD策定の国際開発目標

経済的福祉	・2015年までに極貧人口を半減させる。
社会的開発	・2015年までにすべての国で初等教育を普及させる。 ・初等・中等教育における男女格差を2005年までになくし，男女平等と女性のエンパワーメントにむけて前進を図る。 ・2015年までに5歳未満の乳幼児死亡率を3分の1に減少させるとともに，妊産婦死亡率を4分の1にまで減らす。 ・遅くとも2015年までに，すべての個人が基礎保健システムを通じて，リプロダクティブ・ヘルス・サービスにアクセスができるようにする。
環境の持続可能性と再生	・2015年までに地球規模および国家レベルでの環境資源の喪失傾向を反転させるために，2005年までにすべての国家が持続可能な開発のための国家戦略を実行に移す。
先進国による支援	・十分な資源に支えられて，進んで開発のパートナーと相互に関わり合う。 ・現地国政府による開発戦略を支援するために一層の援助の調整を図る。 ・援助政策と途上国に影響を与える他の政策との間に整合性を確保するように努める。

出典：OECD/DAC (1996), *Shaping the 21st Century : The Contribution of Development Co-operation*, Paris: OECDをもとに筆者作成。

て用いられるものだが，OECDがまとめた国際開発目標がMDGsの原型となったことからもわかるとおり，国際開発援助はもはや各国や国際機関がそれぞれの利益のためにばらばらにおこなうのではなく，人類にとっての共通課題を解決するために協力して取り組まなければならないと認識されるようになったのである。このことは，国際開発援助に従事するアクターの意識が収斂したことを物語っているととらえて良いだろう。また，MDGsといった国際開発目標が援助分野における規範としての役割をもつこととなり，開発援助レジームを深化させることになったととらえられる。では，共通の目標は設定できたが，どうすればそれらの目標を達成することができるだろうか。そのことは次節で述べるように，援助機関間における連携協力を推進するための議論へとつながっていく。

3　ミレニアム開発目標と本部レベルでの国連改革

(1)「援助の調和化」と国連開発グループの創設

常態化していた非効率的かつ非効果的な援助に変化の兆しが見え始めたのは，1990年代半ばのことであった。まず議論されたのは「援助協調」(aid coordination）についてであった。これは開発の優先度あるいは援助政策およびその実施方法について，援助機関間で合意形成を図るというものであった。このような動きは英国や北欧諸国が主導してきたが，これらの国が長年力を入れてきたアフリカでの開発援助が，十分な成果を上げられずにきたことへの反省に基づいていると言われている。現在ではこの「援助協調」の動きが深化し，「援助の調和化」（aid harmonization）へと議論は進展してきている。その背景にあった問題点とは，援助ドナーがそれぞれのやり方で援助をおこなうことに伴う手続きの煩雑さであり，限られた能力しか持たない途上国にとってはそれが大きな負担となって「取引費用」（transaction costs）がかさんでいたことであった。そこで，援助手続きを簡素化したり共通化したりするなどの手段を講じて，援助の効率性を高めようとする動きが開始されたのである。

このような国際開発を取り巻く状況のダイナミックな変化のなかで，国連においても効果的な援助を実施するための機構改革がおこなわれることとなった。それが国連システム内で開発に関わる基金，計画，機関，部署の活動を調整するために設立された国連開発グループ（UNDG）である。

1997年に第7代国連事務総長に就任したコフィ・アナン（Kofi Annan）は，就任早々に『国連の再生——改革に向けたプログラム（*Renewing the United Nations : A Programme for Reform*)』を発表し，UNDGを設立するという改革案を示した。彼はそれまでの国連による活動が必ずしも調整が取れていなかったことを認め，システムとして一貫性があり，問題解決能力をもった国連に再生することを目指したのである。その実現のために，総会付属の補助機関と専門機関との関係を抜本的に改革する必要性を唱え，加盟国に協力と理解を呼びかけたのであった。2011年7月の時点で，UNDGには合計32の基金，計画，機関，部署，さらにはオブザーバー資格として5つの機関などがメンバーとして名を連ねており，表14-2からもわかるように，UNDGは国連システムを横断する形で構成されるに至っている。

システムとして国連をとらえた際に，それをあたかも一枚岩であるかのように語ることがあるが，それは間違いである。専門機関は国連システム内に位置づけられるものの，法的には自律的な機関として国連本体とは独立した存在であり，なかには国連が創設されるよりもずっと以前に設立されていた専門機関も存在する。そのような性格の違いもあり，専門機関と国連総会の決議によって設立され

表14-2　UNDGを構成するメンバーとその分類

総会付属補助機関 （計画と基金）	専門機関	地域委員会および事務局
国連開発計画 国連児童基金 国連人口基金 世界食糧計画 国連難民高等弁務官 　事務所 国連女性開発基金 国連プロジェクトサ 　ービス機関 国連エイズ合同計画 国連人間居住計画 国連貿易開発会議 国連環境計画	世界気象機関 国際農業開発基金 世界保健機関 国連教育科学文化機関 国連食糧農業機関 国連工業開発機関 国際労働機関 世界観光機関 国際電気通信連合	⎧アフリカ経済委員会 ｜ヨーロッパ経済委員会 ｜ラテンアメリカ・カリブ経済委員会 ｜アジア太平洋経済社会委員会 ｜西アジア経済社会委員会 ⎩（5つの経済委員会については，1年ごとの輪番制） 広報局 国連人権高等弁務官事務所 国連薬物犯罪事務所 子どもと武力紛争に関する事務総長特別代表 経済社会局 アフリカ担当事務総長特別顧問室 後発開発途上国ならびに内陸開発途上国，小島嶼開発 　途上国のための高等代表事務所
オブザーバー：世界銀行，国連パートナー基金，人道問題調整室，事務総長スポークスマン，副事務 　　　　　　総長室局長		

出典：UNDGホームページ（http://www.undg.org/index.cfm?P=13, アクセス日：2011年7月13日）をもとに筆者作成。

た補助機関との間では，必ずしも協調の取れた活動が図られてこなかったのである。そのような経緯があるなかで，専門機関がUNDGに9つも名を連ねていることは，国連がシステムとして機能するために，開発分野における機関を網羅する仕組みが創設後初めて整えられたことを意味している。

　UNDGの目的は，途上国政府がMDGsを達成できるように，国連がシステムとして一貫性をもち，効果的かつ効率的な支援をおこなうことであるとされている。そのため，UNDGは国連諸機関による開発活動の調整をとり，それらを調和させるとともに，機関間で緊密に連携を取り合うための指針を立案する。その指針に基づき，途上国の現場では国連による開発活動の強化が目指されているのである。

（2）UNDPを中心としたシステム
　国連システムによる開発活動を語るうえで，中心となる機関が国連開発計画（UNDP）である。UNDPは世界140の国または地域に常駐事務所を構え，176カ

国で活動を行う（2011年7月時点）という現場（フィールド）主義を貫いている。常駐事務所には常駐代表（resident representative）が置かれているが，近年，国連システムにとってその役割は，一貫性のある国連開発援助活動の実施に向けた改革のなかでいっそう重要になっている。

　UNDPの現場主義は，各途上国の実状を理解したうえでの援助を実施するのに有効であり，おのずと他の国連機関よりも現場において優位性を有している。このような現場における優位性は本部レベルでの政策決定過程にも大きく影響を及ぼしており，ニューヨークの国連本部においてUNDGの議長をUNDPの総裁が務め，事務総長と28の国連機関のトップからなる国連主要執行理事会（UN Chief Executive Board for Coordination: CEB）に計画の進捗状況を報告する義務を負っている。つまり，本部においても現場においても，UNDPが国連による開発援助システムの中核を担っているのである。しかし，このようなシステム化がなされたのは，ようやく1990年代半ばになってからのことであった。

　UNDPが開発活動に関する国連システムの中心に位置づけられるのには，もう1つ別の要因がある。それはUNDPが開発援助分野に導入した「人間開発」という概念であり，1990年に刊行が開始された『人間開発報告書』において，人びとの暮らし向きを測る指標として人間開発指数を提示したからである。「人間開発」概念によって，豊かさは単に1人当たり国内総生産（GDP）に表されるような経済的指標のみで測られるのではなく，識字率や平均余命といった社会的指標にも関わることが示されたのである。また，ジェンダー開発指数やジェンダーエンパワーメント指数の提示によってジェンダー間の格差を取り上げるなど，途上国における女性の人権に関わる問題を取り上げた点も重要である。なぜなら人権問題はきわめて政治的な要素を含み，開発問題を各国の国内政治と切り離しては考えられないことを明確に示したからである。このようにUNDPは開発概念の発展に知的貢献を果たすとともに，開発援助の新たな方向性を示して国際開発を主導する役割をも担っているのである。

4　現地レベルにおける国連の取組み

（1）国連カントリーチームと国連開発援助枠組み

　途上国の現場では，国連諸機関が国連カントリーチーム（United Nations country team: UNCT）を形成して開発援助活動を行うようになってきている。そこで必要となるのは様々な機関を1つのチームにまとめ上げるリーダーの存在であり，またチームが1つの方向性をもって活動するための指針である。

　リーダーについては常駐調整官（resident coordinator: RC）という制度が存在し，そのリーダーシップのもとで現場での国連機関の活動を効率的かつ効果的になるような調整が図られている。RCの業務にかかるコストとその管理をUNDPが担っていることや，前述したようにUNDPの常駐代表が130以上の国または地域に派遣されていることから，従来はUNDPの常駐代表がRCの職を兼務することが多かった。しかし，1997年のアナン事務総長の改革により，コストと管理は従来通りUNDPに頼るものの，UNDP以外の機関からも適任者をRCに選出することが確認された。このことは，1990年代以降の開発活動の広範化を受けて，途上国の実状に即してより適切な人物を国連システム内から選出できるようにするだけでなく，システム内での人材の異動ならびに優秀な人材のキャリア・アップを可能にしたという点で，国連システムにとって大きな進展であったと言える。

　後者の指針については，国連開発援助枠組み（United Nations development assistance framework: UNDAF）と呼ばれる仕組みが，これもまた1997年のアナン改革によって生み出されている。UNDAFとは当該途上国での開発活動に優先順位をつけて，それを実施に移すための統一されたフレームワークのことを意味する。UNDAFの策定作業には当該途上国政府の関係省庁が関わるだけでなく，現場で活動しているNGOも加わることができる。その際，どのようなニーズがあるのかをまずは知らなければならないが，政府主導による分析がおこなわれる場合にはカントリーチームもそれに加わる形で分析がなされ，政府主導の分析が不十分な場合には国連支援による補完的な分析を行うか，あるいは国連主導の共通国別アセスメント（common country assessment: CCA）をおこなうこととなっている。いずれにせよ，分析から導かれたニーズをもとにUNDAFが作成され，当該途上国にとっての開発のロードマップが示されることになる。UNDAFが作成される際には，①人権を基盤としたアプローチ，②ジェンダー平等，③環境面での持続可能性，④結果重視のマネジメント，⑤能力開発の5つの原則が重視されることとなっている。

（2）「一丸となっての支援」と MDGs

　アナン事務総長による一連の改革は，彼が2期10年の任期を終える直前に設置した「開発・人道支援・環境における国連システムの一貫性に関するハイレベル・パネル」による提言で締めくくられることになった。2006年11月にこのハイレベル・パネルがアナン事務総長に提出した『一丸となっての支援（*Delivering as One*）』と題する報告書では，国連の現地レベルにおける開発援助活動を1人のリーダーが率い，1つの予算のもとで実施し，数多くのプロジェクトを1つのプログラムのもとに統合し，適切な場合には事務所をも1つに統合するという案が示された。この「一丸となっての支援」の背景には途上国側の負担を軽減するというねらいだけでなく，開発援助における国連開発援助の占める割合が相対的に低下し，国連の存在感が希薄になりつつあることへの危機感から，無駄を無くす努力をおこなう必要があるとの国連側の認識があったと言われている。

　「一丸となっての支援」に示された1人のリーダーとはもちろん RC を指し，RC の権限を強化してその指揮下での統合が目指されている。1つのプログラムは当該国政府主導の開発戦略のもとで組まれるものとされ，活動しているすべての国連機関が関わるに当たって，上述の UNDAF に基づいて援助プログラムの整合性が図られることになる。共通の事務所は「UN ハウス」と呼ばれ，UNDG に関係するすべての機関の常駐代表が駐在することが望ましいとされているが，現実には RC 事務所と UNDP，国連人口基金（UNFPA），国連児童基金（UNICEF），そして適切な場合には世界食糧計画（WFP）の4つの機関の事務所があれば良いこととなっている。2006年5月の時点で，その数はアフリカに17，アラブに5，アジア太平洋に10，欧州および独立国家共同体に16，ラテンアメリカ・カリブ海に10，そしてベルギーを加え，合計59に上っている。

　アナン事務総長が「一丸となっての支援」案を打ち出したところ，アルバニア，カーボベルデ，モザンビーク，パキスタン，ルワンダ，タンザニア，ウルグアイ，ベトナムの8カ国が自発的に試験国となることに手を挙げ，国連機関がシステムとして調整の取れたプロジェクトを実施できるかどうかの実験がおこなわれている。8つのパイロット国での「一丸となっての支援」の事例には，HIV／エイズやジェンダーに関する取組みが多い。これはたとえば HIV／エイズの問題が医療ケアの問題というだけでなく，学校教育においても予防の側面から取り組まれなければならないというクロスカッティング・イシュー（横断的課題）としての

性格をもつからである。MDGs を考える際，問題解決は単一の分野からのアプローチだけでできるものではなく，多くの機関がそれぞれの比較優位を活かしながら連携し合って取り組まなければならない。その意味からも 8 つの試験国での取組みからは多くの教訓が学べることになろう。

5　目標達成のためのパートナーシップ

（1）民間セクターとの連携

　MDGs の達成は援助機関による開発活動のみでは不十分であり，多くのアクターが連携して取り組む必要がある。その際，お互いの持ち味を活かしながら連携することが肝要である。ここでは民間セクターとの連携を取り上げてみよう。

　近年，国際開発の分野では民間セクターの役割に注目が集まっている。民間セクターはあくまでもビジネスとして活動し，現地の人びとを顧客あるいはビジネスパートナーとしてとらえる。ただし，民間セクターによる取組みにも商業的色彩の強いものから利他的な要素が強いものまで幅がある。商業的要素の強いものは，貧困層のニーズに見合う新商品を開発して新たなビジネスチャンスをねらうというものであり，これは社会の最底辺に置かれている人びとを顧客としてとらえることから「BOP（base of the pyramid）ビジネス」と呼ばれる。一方，後者の利他的な要素が強いものとしては，社会的企業という新たなビジネスモデルが挙げられる。これは，営利を目的とせず，課題の解決にビジネスの手法を用いて社会変革を目指す取組みであるとされている。また，これ以外にも企業は社会的責任（corporate social responsibility: CSR）と称して，社会が抱える課題の解決を掲げた活動をおこない，企業のイメージアップにつなげる取組みもおこなっている（詳しくは，第16章を参照）。

　民間セクターによる取組みの意図がどのようなものであれ，民間セクターが持つ資金，人材，ノウハウ，アイデアが MDGs の達成に一役買うことは言うまでもない。そこで，国連と民間企業が連携した事例を取り上げてこのことを考えてみよう。

　取り上げる事例は，ソニー株式会社が UNDP と国際協力機構（JICA）と連携して，2010年 6 ～ 7 月にかけてガーナの 9 都市とカメルーンの 3 都市でおこなった取組みである。ちょうど南アフリカ共和国でサッカーのワールドカップが開催

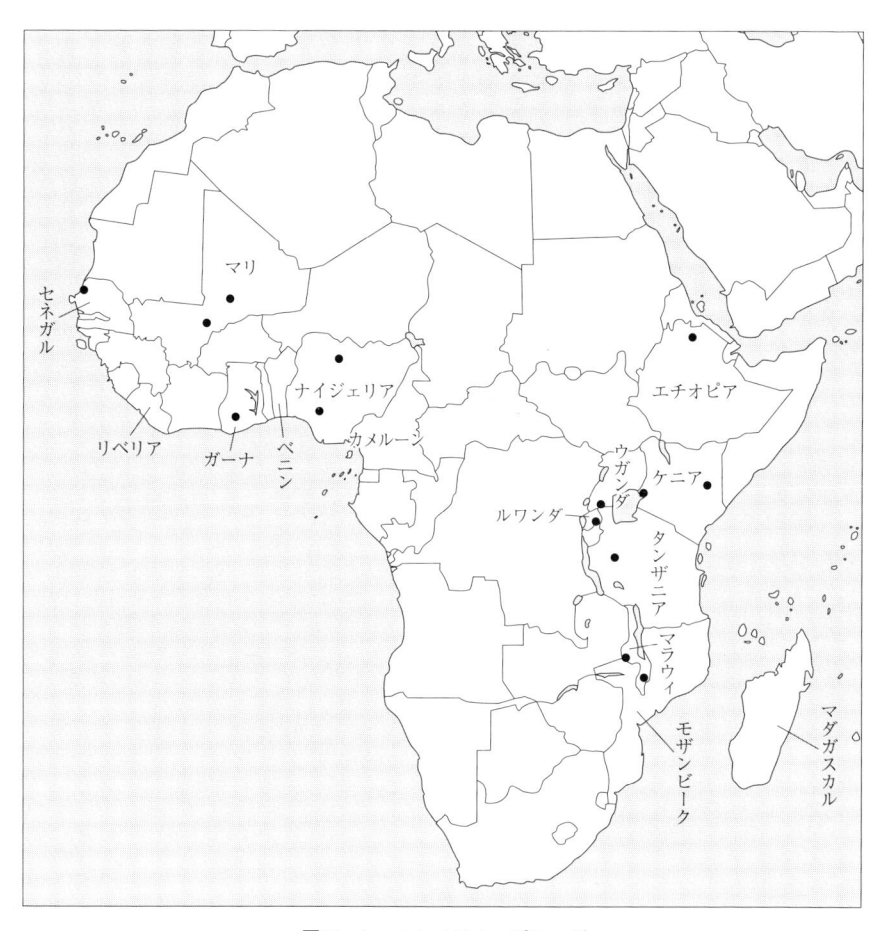

図14-1　ミレニアム・ビレッジ
注：10カ国で始められたミレニアム・ビレッジは，リベリア，マダガスカル，ベニン，カメルーン，モザンビークにも拡大しつつある。●がプロジェクトの行われているミレニアム・ビレッジを示している。
出典：http://modi.mech.columbia.edu/wp-content/uploads/2010/05/AEZmap-Farming-Systems-MVs-1-21-09.jpg

されるのに合わせ，その出場国である2カ国において，ソニーの大型映像装置と技術を用いて試合を中継し公開するというパブリック・ビューイングをおこない，試合の前後とハーフタイム中にHIV／エイズについての啓発・教育活動を実施したのである。

出場国であるにもかかわらず両国にはテレビを持たない貧困家庭が多いということ，サッカーがとりわけ若者に人気のスポーツであること，さらにはHIV／エイズの感染が主として若者の間に多いことから，この組み合わせは多くの若者に影響を与えることができ，効果的であった。サハラ以南アフリカには，全世界のHIV／エイズ患者の実に3分の2に当たる2200万人が集中していると言われており，社会経済的に深刻な状況に陥っている。会場ではHIV／エイズに関する劇やクイズ大会が開かれただけでなく，コンドームの配布やカウンセリングと検査も実施された。最終的にイベントへの参加者はカメルーンで約5350人，ガーナで約1万8650人，検査受診者もカメルーンでは約1800人，ガーナでは約3000人に上ったと報告されている。HIV／エイズに関する啓発活動の多くは学校の教育カリキュラムを通しておこなわれるが，このように人が多数集まるイベントを利用することで，学校に通えない子どもや若者にも啓発活動をおこなうことができる。多様なアクターが集うことによって，それまでにないアイデアが持ち込まれ，問題解決の突破口が開かれる可能性があると言えるだろう。

（2）ミレニアム・ビレッジでの取組み

サハラ以南アフリカでは，低い農業生産性，マラリアやHIV／エイズの蔓延，慢性的な貧困といった要因がMDGsの達成を阻害している。そのような問題を解決する具体的な行動を計画するために，2002年に国連ミレニアム・プロジェクトがアナン国連事務総長により立案された。その後，米国コロンビア大学のジェフリー・サックス教授が率いる研究チームは，サハラ以南アフリカの農村部であっても，外部から最新の研究成果を持ち込んで包括的な支援をすればMDGsの達成が可能であることを示すために，試験的にミレニアム・ビレッジを設立した（図14-1）。

2006年から本格的に稼働したプロジェクトは，サックス教授の所属するコロンビア大学地球研究所，UNDP，それにNPOのミレニアム・プロミスの三者が連携して進めている。2010年時点で10カ国（エチオピア，ガーナ，ケニア，マラウイ，マリ，ナイジェリア，ルワンダ，セネガル，タンザニア，ウガンダ）の14サイト，80を数える農村で取り組まれており，50万人近い人びとが受益者となっている。それぞれの村の規模は5000人ほどだが，その選定に当たっては，①慢性的な貧困状態にあり，病気が蔓延しているにもかかわらず医療へのアクセスが難しく，またイ

ンフラが整備されていないこと，②比較的平和的な国家にあって，政府が説明責任を果たしていること，③現地のコミュニティと政府が国際機関および NGO と進んで協働する意思があること，が条件とされている。

　その成果については，まず健康面における蚊帳の普及が挙げられる。普及率は開始後 3 年間でおよそ 7 倍になり，マラリアの罹患率は平均して60％減少したとされている。次に，農業分野においては，品種改良された種子と肥料が投入されたおかげで穀物生産が 2 倍以上になり，2 歳以下の乳幼児における恒常的な栄養不足が35％も軽減できたという。また，現地の人びとが余剰農産物を提供してくれたおかげで，子どもたちの 8 割は学校給食を受けられるようになり，登校率が改善されるとともに学修結果も良くなったという。さらに，インフラ面では学校の施設が改善され，初等教育における入学率は高い水準に達している。医療施設についても診療所が新設されたり改善されたりするとともに，必須医薬品が整備されるようになっている。HIV の検査率は 3 倍に増加し，助産師が介在することで妊産婦の死亡率も低下している。安全な水へのアクセスも 3 倍に増え，質の高い下水設備も 7 倍に増加している。

6　国連が果たす役割

　国際開発援助のなかで国連にはどのような役割があるのかを確認して本章を締めくくろう。

　1 つ目の役割として国連がもつフォーラムとしての機能と，そこでの決定が国際公約として加盟国を拘束するという機能が挙げられる。国連を舞台にして議論がおこなわれることによってルールや規範の形成が進み，それが当該イシューにおけるレジームの形成を促すばかりか，2011年 7 月時点で193もの国が加盟していることから，国連が開催する会議での決定事項は国際公約としての性格を帯びる。MDGs についても数値目標と達成期限が設定され，それが全加盟国の承認を得ていることから，罰則規定が無くとも加盟国は実現に向けての取組みを真摯におこなうことが求められる。

　2 つ目の役割は UNDP が「人間開発」で示した知的貢献である。すでに述べたように，「人間開発」という概念の登場によって，開発概念のパラダイムシフトが生じたのである。すなわち，トップ・ダウン型による物質的豊かさを追求す

る「開発」から，ボトム・アップ型による識字や健康といった生活の質に関わる豊かさを追求する「発展」へとシフトしたのである。言い換えれば，develop という単語の他動詞的意味（～を開発する）から自動詞的意味（～が発展する）への転換ととらえても良いだろう。開発援助のこれまでの長年にわたる失敗を受け，抜本的な思考の変更が要求された状況下で，UNDP が提示した答えが「人間開発」なのであり，それは今日の開発援助の基本的な考え方になりつつある。

　3つ目は実践主体としての国連の役割である。国連は巨大な組織であり，その活動には無駄が多く非効率的であった。それは開発援助の世界全体にもあてはまる現象であり，効率的な援助を目指して「援助の調和化」が推進されるに至った。そのような状況下で，国連における諸々の改革は，システム内でどうすればうまく調和化が達成できるのかを実験しているものととらえられるだろう。

　最後の役割はファシリテーターとしての役割である。MDGs を達成するには多くの主体が関わり，連携することが必要である。そこで国連も様々な連携を提案し，新しい組み合わせによる援助を始めている。その代表例が民間セクターとの連携であり，これまでにない斬新なアイデアが援助の現場に持ち込まれることによって，新たな可能性が示されつつある。それと同時に，国連に不足している部分を補うことも可能となる。それは資金力である。全世界の援助資金に占める国連の割合は必ずしも大きいとは言えない。いや，むしろ2国間援助に比べればはるかに小さい。だからこそ他の主体との協働も必要になっていると言える。MDGs を達成するには既存の枠組みを超えた新たな取組みが必要であり，それぞれの主体が持つ比較優位を活かしていくことが鍵となるだろう。

今後の学習のための参考文献

(1)初級
功刀達朗・内田孟男編著（2006）『国連と地球市民社会の新しい地平』東信堂。
　　＊5部構成になっており，環境問題や企業とのパートナーシップ，さらには紛争解決における国連の役割など内容は多岐に及ぶ。それらの各テーマにおいて新たなアクターである企業，NGO，市民社会がどのような役割をもち，国連とどのような関係を構築しつつあるのかが論じられている。
功刀達朗・野村彰男編著（2008）『社会的責任の時代』東信堂。
　　＊本書は2006年発行の『国連と地球市民社会の新しい地平』の続編として位置づけられ，新しいアクターである企業，NGO，市民社会と国連が協働していくなかで，公共性の観点から，「社会的責任」を軸に諸問題を解決するに当たっての可能性と

課題を考察している。

(2)中級

大平剛（2008）『国連開発援助の変容と国際政治――UNDPの40年』有信堂高文社。
　＊UNDPの役割と活動に焦点を当て，国連による開発援助の変容を歴史的に考察している。とくに，冷戦終結後は「開発の政治化」現象が世界的に生じ，開発援助が政治的色彩を帯びるなかで，国連でもそのような動きに呼応した改革がおこなわれてきたことを明らかにしている。

馬橋憲男（1999）『国連とNGO』有信堂高文社。
　＊国連の経済社会理事会におけるNGO協議制度の歴史を振り返り，NGOの政治参加を通して国連における協議の民主化が図られてきた過程を考察している。また，冷戦終結後の世界において世界会議にNGOが参加することの意義と問題点が示されている。

日本国際連合学会編（2000年から毎年）『国連研究』国際書院。
　＊1998年に設立された日本国際連合学会の学会誌であり，年に1回発行されている。毎号特集テーマが組まれ，国内外の国連研究者の論考や実務家による現場の視点でとらえた考察が掲載される。安全保障だけでなく，開発や人権などバランスの取れた編集となっている。

(3)上級

Thomas G. Weiss et al. (2009), *The United Nations and Changing World Politics, 6th edition*, Boulder: Westview Press.
　＊国連研究における第一人者であるWeiss氏を中心に，4名の国連研究者がそれぞれの専門分野について執筆している。人道問題，持続可能な開発，安全保障，人権問題と幅広く国連活動をとらえることができる。

United Nations Intellectual History Project, Indiana University Press.
　＊1999年に開始された同名のプロジェクトの成果が，インディアナ大学出版から随時刊行されている。国連の経済社会分野における活動を振り返る内容となっており，開発，貿易，人権などの問題が扱われている。

(4)ウェブサイト

国連システム学術評議会（Academic Council on the United Nations System: ACUNS）
　＊国連研究やグローバル・ガバナンスについて最新の研究動向がわかる。
　http://www.acuns.org/

国連開発計画（UNDP）
　http://www.undp.org/

国連開発グループ（UNDG）
　http://www.undg.org/

Column 14

人間の安全保障

「人間の安全保障（human security）」という言葉が最初に広く知られるようになった契機は、国連開発計画（UNDP）による『人間開発報告書1994年版（HDR 1994）』の発行である。冷戦の終焉後、国内紛争の激化とグローバル化の進展という文脈において、「恐怖からの自由」と「欠乏からの自由」という2つの側面から、人間を中心に安全を保障する国際社会のあり方を提起した。

カナダは、「恐怖からの自由」を中核とした「人間の安全保障」論を展開し、1999年以降、国連加盟国のなかで「人間の安全保障ネットワーク」を形成した。カナダの議論は、当初は人道的介入に踏み込む内容で一部の国からの強い反発を招いたが、その後、「保護する責任」という概念を中心として、ジェノサイド、戦争犯罪、民族浄化、人道への罪から人びとを保護する国際的な責任を追及するようになった。その概念は、「介入と国家主権に関する国際委員会」の報告書（ICISS 2001）を経て、2005年の世界サミットでの採択文書に盛り込まれた。

日本は、UNDPの包括的な「人間の安全保障」の概念を受け継ぎ、緒方貞子とアマルティア・センを共同議長とする「人間の安全保障委員会」で議論を続け、2003年に報告書（CHS 2003）を提出した。また同時に、国連加盟国のなかで「人間の安全保障フレンズ」を形成した。概念を実践につなげるために、国連に「人間の安全保障基金」を設置することを主導した。このことは、国連機関における「人間の安全保障」の周知につながったことは間違いなく、一部の機関においては主流化にも至っている。たとえば、汎アメリカ保健機関（PAHO）は、2010年に「アメリカ大陸におけ

「人間の安全保障」と「保護する責任」の関係

（2011年6月2～3日に三田共用会議所で開催されたMDGsフォローアップ会合〔日本政府主催：UNDP, UNICEF, 世界銀行、JICA共催〕の分科会3で筆者が発表）

る健康，福利，人間の安全保障の推進」という決議を採択している。

　パン・ギムン国連事務総長の2010年報告書は，「人間の安全保障」が，国家主権への武力の使用を含まないこと，「保護する責任」とは異なることを明確にした。そして，①恐怖からの自由，②欠乏からの自由，③尊厳をもって生きる自由という3つのゴールを統合するものが「人間の安全保障」だとした。

　貧困だけでなく，暴力や差別を視野に入れた「人間の安全保障」論は，「開発」「平和」「人権」といった相関性のある国連の使命を包括的に捉えようとする。また，貧困そのものをなくすうえでも，国内の格差に注目し，紛争や差別によって基礎的な社会サービスから排除されがちな脆弱な人びとへ配慮した「公平性を重視したアプローチ」を推進することにもなる。そういう意味で，MDGsの年限である2015年以降の「ポストMDGs」アジェンダの設定においても，「人間の安全保障」は重要な意味をもつと思われる。

参考文献　勝間靖（2013）「人間の安全保障」日本国際保健医療学会編『国際保健医療学（第三版）』杏林書院。

（勝間　靖）

第15章 NGO と開発協力
―― MDGs の達成と NGO の可能性 ――

上村雄彦

―― この章で学ぶこと

　加速する地球環境破壊，深刻な貧困問題，拡大する格差，感染症の蔓延など，現在，地球社会は様々な困難に直面している。これらの問題を解決するために，2000年にミレニアム開発目標（MDGs）が設定されたが，この目標の達成に向けて，国際機関や各国政府と並んで，大きな役割を果たしているのが非営利の民間団体（non-governmental organization: NGO）である。

　本章では，まずこの NGO の特徴を考察し，それが MDGs の達成に重要な役割を担う可能性を吟味する。続いて，主として途上国の開発協力に取り組む NGO に焦点を当て，その起源と理念，そして活動の変遷を「5世代仮説」として整理する。そのうえで，NGO がどの程度 MDGs の達成に貢献しているかということを具体的に理解するために，長らくスリランカにおいて「気づき」をキーワードに，現地の伝統と価値観にのっとり，住民参加農村開発を展開してきたサルボダヤ・シュラマダーナ運動を取り上げる。ここでは先進国 NGO とのパートナーシップを中心に，サルボダヤ運動の理念と実際，そして課題を考察する。

　また，MDGs の達成のためには，巨額の開発資金の調達が欠かせない。そこで，イギリスで NGO ネットワークを形成し，政府や国際機関とのパートナーシップ（協働），ロビー活動，アドボカシー（政策提言）を通じて通貨取引税を実現し，MDGs に必要な資金の創出をめざしている NGO「スタンプ・アウト・ポヴァティ（貧困を踏み消そう）」について，それが2010年から展開している「ロビン・フッド・タックス・キャンペーン」を含めて検討をおこなう。

　これらの考察を通じて，時代とともに途上国開発における NGO の理念や活動が変化してきたこと，そして MDGs の達成に NGO が不可欠な役割を果たしていることが理解されるだろう。同時に NGO が直面している課題の考察を通じて，MDGs の達成に向けて，NGO 活動の今後の方向性を浮かび上がらせることも射程に入れて，議論を展開していきたい。

キーワード　NGO，開発教育，ネットワーク，パートナーシップ，アドボカシー

1　NGO とミレニアム開発目標

　2015年までに「1日1ドル未満で生活する人口を半減させる」などの目標を掲げたミレニアム開発目標が2000年に定められたが，これが意味するところは2つある。

　1つは，これまで政府や国際機関が主体となっておこなってきた開発協力が十分な成果を上げてこなかったということ，すなわち，途上国の抱える諸問題を政府や国際機関だけでは解決できないということである。

　2つ目は，先進国が30年以上前に約束したODAのGNI比0.7％の拠出がいまだに達成されていないということである。今も多くの先進国は経済が停滞し，財政赤字や援助疲れに陥っており，数値目標の達成は困難である。ちなみに，MDGsを達成するためには，現在のODAに加えて最低でも年間500億ドル（4兆円。1ドル＝80円で計算。以下同様）が必要であるが，政府が拠出するODAの大幅な増額が望めない現在，新たな方法で巨額の資金を創出しなければならない。

　これらの困難を打破する主体として，NGOが注目を集めている。一口にNGOといっても，その規模，扱うテーマ，活動領域，手法など，きわめて多様であるが，一般に政府や国際機関との対比で，以下のような特徴を備えている。まず，組織が官僚的ではなく，柔軟で小回りが利き，きめ細かな援助をおこなっている。次に，現地との密な連携により現場に関する豊富な情報とネットワークを有し，現地のニーズにあった援助を展開している。第3に，特定分野に特化し，もっぱらその分野に焦点を当てた活動をしているため，政府や国際機関以上に専門知識を有するNGOも数多く存在する。

　開発資金の創出の面でもNGOの役割は大きい。たとえば，現在ODAに代わる革新的資金メカニズムの1つとして，グローバル・タックスないし国際連帯税が議論されている。これは「グローバルな活動に，グローバルに課税し，税収を地球環境破壊，世界の貧困など，地球規模問題の解決にあてていく税の仕組み」のことをいうが，その実現のためには，各国政府への圧力や世論の喚起が欠かせない。その点で，専門的な情報に基づき，各国政府に対し効果的なロビー活動をおこない，キャンペーンを展開して世論を効果的に喚起しているのが，まさしくNGOやそのネットワークである。

このように，MDGsを達成するためには，NGO活動の拡大がますます期待されているが，以下ではまずNGOの全体像と最新の動向を理解するために，NGOの起源から現在までを大まかにたどっていこう。

2　NGOの起源と開発NGOの「5世代仮説」

（1）第1世代——チャリティの時代

　NGOの発祥は，18世紀の植民地時代まで遡る。当時，世界を植民地化していたヨーロッパ諸国のキリスト教宣教師が，布教をおこなうために植民地に出向き，附随で慈善活動をしたことがNGOの嚆矢と言われている。その後，第1次，第2次世界大戦など紛争の際に，戦地においておこなわれた医療活動や緊急人道支援がNGOの創設を促した。

　ここでは，さらに現代に時間を近づけて，NGOの軌跡をたどるが，その変化を「5世代仮説」として整理する。これから説明する5つの世代は，時が経つにつれて次の世代に移行していくことを示唆しているが，もちろんすべてのNGOが一斉に移っていくわけではない。むしろ，様々な世代が混在して，今も同時並行で活動がおこなわれている。そのことを念頭に，NGOの歴史をさらに進めてみよう。

　まずNGOの第1世代は，「かわいそうな人たち」にモノやお金を送るチャリティ（慈善活動）から始まった。有名な事例として，1984年にエチオピアで飢饉が起こったときに，飢餓で苦しむ人びとを救うために，著名なミュージシャンが開催したライブエイドがある。同様に，多くの人びとがアフリカや途上国の貧しい人びとに食料，衣類，お金などを送るようになったが，その寄付や寄贈を呼びかけ，収集し，現地に送り届ける活動の中心となったのが，第1世代のNGOであった。

　しかし，お金やモノを途上国に送るだけでは，貧困問題は解決しない。送ったお金が相手国政府の高官のポケットに入ったり，送ったモノが途上国の港で野ざらしにされたりして，援助物資が一番必要な人びとの手に渡らないことが多かったからだ。

　それどころか，食料援助で与えられた物資が横流しされ，大量の安い食料が地元の市場に流入し，地元の農作物が売れなくなって農業が壊滅し，海外からの食

料に依存するようになったケースもある。

　他方，途上国の貧しい子どもの里親になることを推進する NGO も現れた。しかし，ある特定の子どもだけが援助を受け，それ以外の子どもたちは援助を受けられないという状況が生まれ，格差と羨望と不公平感を生み出す結果となった。

（2）第2世代——現地での活動

　これらの弊害に気がついた NGO は，次の段階（第2世代）に移行する。それは，先進国でお金やモノを集めて途上国に送り届けるのではなく，また，ただ里親を増やして満足するのでもなく，まずもってみずからが現地に赴き，現地の人びとと苦楽をともにしながら，彼らの生活を改善するという理念と活動であった。

　しかしながら，このような援助がうまくいくことは稀であった。現地の状況や問題を本当に理解し，真に必要なニーズを見出し，現地の人たちの厚い信頼を得ながら，効果的な活動を継続していくことは並大抵なことではない。現地に出向いた NGO のスタッフが，「私は途上国の人びとに必要なことを教え，彼らを助けるために現地に赴いた。でも，教えられ，助けられたのは自分だった」と述べているのをよく耳にするが，それは直接支援のむずかしさを表しているといえるだろう。

　また，たとえ成功したとしても，それはそれで問題となるところに直接支援のむずかしさがある。なぜなら，活動が成功することにより，現地の人びとの外部 NGO に対する依存が高まり，彼らの自立を損なうからだ。

（3）第3世代——現地の NGO とのパートナーシップ

　以上の理由から，NGO の理念と活動は第3世代に移行することになる。それは，みずからが途上国に出向いて直接支援をおこなうのではなく，現地の NGO と協働し，彼らを側面から支援することで，問題を解決しようとする試みである。つまり，「開発の主役はあくまでも現地の人びとであり，外部の者は主役になってはいけない」という理念がこの時期の NGO に横たわっている（第3章を参照）。

　たとえば，オランダ国際支援組織（NOVIB）は，バングラデシュの NGO であるバングラデシュ農村向上委員会（BRAC）に，長年にわたり資金やアドバイスを提供したが，その成果もあって，BRAC は現在バングラデシュ最大の NGO となっている（BRAC については，第2章，第5章，第11章にも記述がある）。

この世代の援助の多くは成功を収め，現在に至るまで活動が継続されているが，もちろん課題も抱えている。その事例として，第3節でスリランカのサルボダヤ運動を検討するが，いずれにしても，現地のNGOとのパートナーシップだけで途上国の問題が解決されたわけではない。そこで，多くのNGOは途上国ではなく，先進国に目を向けるようになった。

（4）第4世代——開発教育，持続可能な開発のための教育

　これまでは「先進国はこんなにも豊かなのに，なぜ途上国は貧しいのだろう」という疑問からNGOの活動が展開されていたのに対し，「先進国の私たちが豊かだから，途上国は必然的に貧しい」という発想の転換が起こったのが第4世代である。

　先進国は途上国の資源を安く買い叩き，途上国の人びとを低賃金で雇って大量かつ安くモノを生産している。それを途上国に高く売ればどうなるのか。「先進国が豊かだから，途上国は貧しい」という表現は，このような先進国と途上国の格差を拡大させる不公正な構造（仕組み）がなくならない限り，途上国の問題は解決されないこと，そしてそのためには先進国が変わることが必要だということを表している。

　また，新自由主義的グローバリゼーションが進むなかで，先進国—途上国という枠組みを越えて，多国籍企業など国際社会の少数の強者がどんどん豊かになる一方で，多数の弱者がどんどん貧しくなっていくという構造が強化されている。

　このような貧富の格差を生み出す構造を認識し，先進国において人びとの意識，価値観，ライフスタイルの変革を目的とした教育（これを開発教育という）をおこなうNGOを，第4世代のNGOと呼ぶ。彼らはまた，途上国の貧困問題のみならず，地球環境問題や紛争問題なども，先進国の私たちと密接に関係していることを明らかにし，問題解決に果敢に挑戦する人材の養成を試みる持続可能な開発のための教育もおこなっている。

（5）第5世代——ネットワーク，パートナーシップ，アドボカシー

　教育や人材育成は必要であるが，長い時間を要することに加え，そもそもこれだけで万事がうまくいくわけでもない。そこで，一番最近の第5世代NGOは，ネットワーク，パートナーシップ，アドボカシーを展開している。先に述べた格

差や貧しさを生み出す構造を変えるために，様々なNGOが活動を続けてきたが，一向に構造を変えることはできなかった。なぜなら，1つのNGOにできることは限られているからだ。そこで，1990年代に入り，多くのNGOが相互につながり始め，情報を共有し，協働でアクションを起こし始めた（ネットワークの形成）。

しかし，NGOネットワークだけですべての問題を解決できるわけではない。そこで，国際機関，各国政府，大学，労働組合，場合によっては企業も含めて，多様な異なるアクターによるパートナーシップが模索されるようになった。

同時にこの世代のNGOやNGOネットワークの活動の柱は，アドボカシー（政策提言）にある。ただ何かに反対するだけでなく，具体的な政策を提言し，政府や国際機関などと交渉してよりよい政策の実現をめざしつつ，同時に市民にもその政策の重要性を訴えかけるような活動をアドボカシーという。有名な事例が，1997年に対人地雷禁止条約を締結させた地雷禁止国際キャンペーン（International Campaign to Ban Landmines: ICBL）である。

このように，NGOの理念と活動は，時とともに変化してきたわけであるが，以下では第3世代の事例としてサルボダヤ運動を，第5世代の事例としてイギリスのNGOネットワークであるスタンプ・アウト・ポヴァティを詳しく見ていこう。

3　第3世代の成功と転機
──サルボダヤ・シュラマダーナ運動──

（1）サルボダヤ運動の始まり

サルボダヤ・シュラマダーナ運動（The Sarvodaya Shramadana Movement）とは，アハンガマ・アリヤラトネ（Ahangama Ariyaratne）によって始められたスリランカの伝統と仏教の教えに基づいて推進されている草の根の農村開発運動である。1958年，高校教師であった彼は，同僚とともに低カーストの非常に貧しい村へ生徒を連れて行き，2週間のワーク・キャンプをおこなった。このワーク・キャンプは多くの村人にとって，前代未聞の出来事で，衝撃的でさえあった。なぜなら，「それまでなら見ただけでも身体がぶるぶる震える存在であった」高カーストの教師や生徒が，低カーストの人びととともに暮らし，汗を流して働いたからである。

彼らは，はじめから村人自身は何を必要としているのか，欲しているのかを学びに行き，村人の質素な家に住み，食事をともにし，井戸を掘ったり，畑を耕したりしてともに働いた。そして，村の「家族集会」で毎晩夜遅くまで話し合った。彼らはシュラマ（労働，エネルギー）をダーナ（与えること，わかち合うこと）することから，そのキャンプをシュラマダーナと呼んだ。そこでの経験はたいへん好評で，2～3年のうちに何百もの学校が週末での村のキャンプに参加するようになった。
　それまではまったく外部からの援助に頼らず，自力で運動を進めていたサルボダヤは10年後，先進国 NGO の資金援助を得て100農村開発計画を開始し，10年で200の農村に広がり，次の3年で4000以上の村に拡大した。ここに先進国 NGO と途上国 NGO のパートナーシップの成功を見ることができる。しかしながら，その後，その先進国 NGO との間に軋轢が深まり，結局サルボダヤは自主路線を歩むことになる。
　以下では，サルボダヤの理念，実践，転機，課題について，述べていくことにしよう。

（2）サルボダヤ運動の理念

　サルボダヤのキーワードは，その名前の由来にもなっている「目覚め」もしくは「気づき」(awakening) である。これは人びとがみずからの潜在力に気づくことこそが，貧困から脱出し，持続可能な社会を築く鍵になるということを意味している。この気づきは個人に限定されているわけではなく，サルボダヤは家族の潜在力，村の，地域の，国の，そして世界の潜在力の気づきの促進を試みている。このような気づきを通じて，サルボダヤは一人ひとりの心を変え，そのことによって，彼らが住んでいる村の，国の，世界の社会環境を変革しようとする「二重革命」をめざしている。
　サルボダヤは，住民参加と地域からのイニシアティブを中核に据える。サルボダヤ・ワーカーは村人を無気力と従属から解き放つために，最初に出会った瞬間から，村人たちに開発のプロセスへの参加を促す。そして，プロジェクトの最初から終わりまで，村のすべてのセクターからすべての年齢の人びとがプロジェクトの選定や組織化に関与し，農村共同体全体で努力をおこなうプロジェクトを推進している。さらに，その目標は物質的な充足をはるかに超えて，地域のイニシ

アティブとリーダーシップの育成にまで及んでいる。

　経済的には人びとの基本的人間ニーズを満たしていくことをめざしているが，サルボダヤはとりわけ地元に適した技術で地元の資源を最大限に活用することによって，発展を進めようとしている。とくに，地元にある最大の資源として，人びと自身が団結して無償でおこなう労働を挙げ，この力こそ共同体に眠っている潜在力であり，それが1つになったとき，様々なプロジェクトが可能になり，農村の発展が促されると考えている。

　サルボダヤはスリランカの伝統・文化の良さを再確認し，それに立脚した運動を推進しようとしていることも忘れてはならない。もしみずからの伝統や文化を劣ったものと感じ，文化的な劣等感に覆われていれば，人びとやコミュニティのエネルギーを解き放ち，その自立をめざすのは困難だからである。それゆえ，サルボダヤは伝統・文化の良さを強調し，それを運動に取り込もうとしている。

　サルボダヤの理念がめざす最終的な目標は，人びとの自立である。自立とは次の2つの意味を含んでいる。1つは，他人の手に自らの発展の決定や実施を委ねるのではなく，みずからニーズに気づき，その達成へ向けて直接に参加し，実現していくことである。いま1つは，外部からの援助に依存することなしに，生活を営むことである。そして究極的には，それぞれの伝統や文化に基づき，貧困もなく，不平等もなく，浪費もなく，人びとが「一緒にいる」と感じられる新しい社会を，近代社会を回避して，古い社会から直接，建設しようとしている。

（3）サルボダヤ運動の実践

　サルボダヤの実践は大きくミクロレベルとマクロレベルに分けて検討できる。まず，ミクロレベルでの実践の核は，シュラマダーナ・キャンプである。このキャンプは，灌漑用貯水層の掃除や，家や道路の建設というようなコミュニティごとの仕事を完遂するためになされるものである。しかし，同時にそれは参加者の考え方，話し方，行動を，平等で協調的で開かれたものにしていくというねらいももっている。

　このキャンプの中心は家族集会である。そこでは，村の人びとが一堂に会し，瞑想し，祈り，歌い，踊り，互いにしていることを発表・共有し，サルボダヤの考えを学んでいる。また，家族集会は村人たちに討論の場を与え，村の問題をともに考え，村のニーズを明確にしていく機能を担っている。このキャンプを通じ

て村人の間で潜在的な指導者が次第に認識され，そこで選ばれたリーダーは中心的役割を担えるよう，サルボダヤ開発教育センターでトレーニングを受けている。

このように，シュラマダーナ・キャンプは住民参加そのものであり，村人に互いに与え合う機会や，共同で物事を成し遂げる機会を提供することによって，村人の心のなかに，そしてコミュニティに自立の基盤を築きあげようとしている。同時に，このキャンプは村人が直面している物理的・社会的制約に彼らの関心を向けさせ，コミュニティのニーズを浮き彫りにするだけでなく，コミュニティのリーダーシップを見出し，育てようとしている。

次に，サルボダヤの実践をマクロレベルで考察しよう。そこでは，人びとの気づきと「新しい社会」の創造を達成するための5段階のステージが設定され，おおむね以下の段階を踏んでプロジェクトを進めている。

第1ステージはサルボダヤとのコンタクトの始まりである。まずサルボダヤは，村のやる気をはかるために貯金をさせ，一定の金額が集まったら，プロジェクトを開始する旨を伝える。次に，村人が協力して集めた資金と同額の資金を拠出し，村の開発資金とする。そして，サルボダヤ・ワーカーは地元の有力な人物を調べ，彼らに家族集会を開かせる。そこで出された村人たちの声をニーズとして把握する調査を終えたのち，サルボダヤはシュラマダーナ・キャンプを組織する。

第2ステージはトレーニングと社会的インフラの構築段階である。この段階でサルボダヤは，村の参加者に水平横断的なグループ，つまり若者グループ，母親グループ，子どもグループ，職業別グループといったものを創設する。これらのグループは，家庭菜園，保育園，地域給食，種子銀行の設立など，それぞれが希望するプロジェクトを立案し，サルボダヤ・ワーカーの手助けを得てプロジェクトを開始する。

第3ステージは村人が基本的人間ニーズを満たし，サミティ（村の発展委員会）を設立する段階である。サミティは，それぞれの機能グループの選ばれた代表からなり，同時にサミティ代表をも選出する。

第4ステージは村がより自立的になり，所得創出活動により，開発資金を賄える段階である。最後に第5ステージは，村が得た余剰を他のコミュニティを支援するために，分かち合いを開始する段階である。

以上のような活動を通じて，サルボダヤは貧しい人びとの基本的人間ニーズを充足し，自立を図るだけでなく，人びとに自己の潜在力を「気づかせる」ことに

よって，社会の変革をめざしている。この運動は，スリランカにある約2万4000の農村のうち，現在およそ1万5000の村まで拡大している。

（4）転機を迎えたサルボダヤ運動

このように，サルボダヤ運動は概してスリランカの農村の発展と貧困緩和に，すなわちMDGsの達成に，重要な貢献してきたと見なすことができるが，1990年代に入り大きな困難と転機を迎える。そもそもサルボダヤは外部資金に頼らず活動を続けてきたが，その活動を拡大するなかで，徐々に外部資金に依存するようになっていった。ここでいう困難と転機とは，サルボダヤの活動資金の最大80％を供給してきた海外のドナーが援助資金を大幅に削減したことを指している。その発端は，1986年にサルボダヤが資金援助をおこなっている主要な5団体と協定を交わし，これらのドナーが協議会を創設することに合意した時に遡る。その後，協議会はサルボダヤに対してあれこれ口を出し，サルボダヤの基本理念とぶつかり始めたのである。

サルボダヤに対する協議会の要求は，次の3点に要約できる。①組織としてのサルボダヤと運動としてのサルボダヤを分離すること，②もっと中央集権型の組織体制を構築し，経済プログラムを担当する専門スタッフを雇用すること，③サルボダヤが資金提供団体に進捗状況を正確に報告できるよう，発展を数量化できる方法を見つけること。

協議会はこれらの要求をサルボダヤに飲ませながら，多くの監査・評価ミッションを送り出し，1993年には協議会は援助資金の40％を削減する計画をサルボダヤ側に伝えた。その結果，サルボダヤは1000人以上のスタッフを解雇せざるをえなくなった。この解雇によりサルボダヤの活動は実質的に停止に追い込まれた。

窮地に追い込まれたサルボダヤは，ついにドナーと手を切り，自らの原点に帰ることを宣言し，1994年に「1万農村発展プログラム」に着手した。これは，2001年までに1万の村落がサルボダヤとともに「新しい社会革命」の道を歩むことをめざすものである。しかし，ドナーからの大幅な資金削減という逆風のなかで，どのようにして1991年の5248，1994年の3500から，2001年までに1万に「新しい社会」を拡大することができるのだろうか？

サルボダヤがとった戦略は，前述の5段階アプローチに3つの新しいカテゴリーを組み込む「先駆的村計画」であった。すなわち，第3から第5ステージにあ

る村を「先駆的村」, プログラムを開始したばかりの村を「周辺的村」, その中間にある村を「中間的村」に分類し, 「先駆的村」に大きな役割を与えたのである。

　サルボダヤは「先駆的村」が「中間的村」と「周辺的村」を支援できるプログラムを構築し, 近隣の4つの「中間的村」と5つの「周辺的村」と連携する手助けをおこなった。こうすれば, 各々の「先駆的村」は他の9つの村々とつながり, 発展を促す役割を担えることになる。つまり, もしサルボダヤが1000の「先駆的村」を見出せれば, ないし育成すれば, 大幅な資金とスタッフの削減にもかかわらず, 1万の村で運動を展開できることになる。

　その成果についてサルボダヤは, 1995年から1998年の間に, 1034の「先駆的村」, 4036の「中間的村」, 6330の「周辺的村」で活動をおこなっており, その後さらに数が増え, 現在は合計1万5000の村がサルボダヤがめざす社会変革に関わるようになったと宣言している。

（5）サルボダヤ運動が抱える課題

　このように, サルボダヤ運動は1990年代初頭に大きな危機を迎えながらも, それを脱して, 再び上昇軌道に乗り始めたように見える。しかし, 今後に向けて課題は山積している。

　まず, 政府との関係がある。両者の関係はその創設以来, 複雑に発展してきたが, おおむね政府はサルボダヤに協調的であった。しかし, 政府が進める新自由主義的な開発政策に対してサルボダヤは批判的であり, 現在のところ以前ほど協力関係はみられなくなっている。

　次に, 先進国ドナーとの関係である。既述のとおり, 1994年以降, サルボダヤは自立の道を歩み始める。しかし, 現在も外部資金が投入されているように, これだけの活動をすべて自前で賄えるわけではない。先進国ドナーとの協力と自立の均衡点はどこにあるのか, その模索は続いている。

　第3に, リーダーシップの問題がある。サルボダヤはリーダーシップをその創設者であり, カリスマ的指導者であるアリヤラトネに大きく委ねている。これは, もしアリヤラトネがサルボダヤを離れるような事態になった場合, サルボダヤは彼なしにやっていけるのか, 彼の後継者はどのように決まっていくのかということと関連している。

　これらの問題は組織の民主的かつ持続的な運営の観点から, 今後のNGOの動

向を見据えるうえで,重要な課題を提起しているといえるだろう。

4　開発資金の調達を目指す第5世代
―― スタンプ・アウト・ポヴァティ（SOP）――

（1）SOPの創設と理念

スタンプ・アウト・ポヴァティ（stamp out poverty : SOP; 貧困を踏み消そう）は,MDGs の達成に必要な資金を生み出すために,国際連帯税,とりわけ通貨取引税の実現をめざして,2005年4月に設立された NGO ネットワークである。既述のとおり,国際連帯税とは「グローバルな活動に,グローバルに課税し,税収を地球環境破壊,世界の貧困など,地球規模問題の解決に充てていく税の仕組み」のことをいう。たとえば,国境を越えておこなわれている外国為替取引に税金をかけ,投機を抑制しつつ,税収を上げようとする通貨取引税構想がある（この構想はトービン税とも呼ばれている）。

SOP の母体は,1951年に創設された開発 NGO の War on Want（貧困との闘い）である。War on Want は1998年にトービン税のキャンペーンを開始したが,2002年にトービン税ネットワークを設立し,より包括的な活動をおこなうこととなった。このネットワークは,キャンペーン団体,慈善団体,宗教団体,労働組合,オックスファムをはじめとする開発 NGO など,50以上の団体から構成されている。その後,トービン税ネットワークは,一般にホワイトバンド・キャンペーンとして知られる "Make Poverty History" キャンペーンと連携し,"Stamp Out Poverty" という名前で活動をおこなうこととなった。

（2）SOPの活動

SOP は,南北の不平等・格差問題とそのギャップを埋めうる通貨取引税の税収に焦点を置いた議論をわかりやすく整理し,それをホームページに掲載しているほか,容易な要約を記した数多くの専門的な報告書も刊行し,ビデオや報告も貧しい人びとの映像を使うなど,人びとの心に訴え,惹きつける工夫をしている。

また,SOP はイギリスの国会議員の超党派議員連盟「債務,援助,貿易に関する超党派議員連盟」にイギリス政府が通貨取引税を導入することを要求するように強く働きかけたが,それが実って,この超党派議員連盟は通貨取引税の導入

をイギリス政府に強く求めている。

さらに,「革新的開発資金に関するリーディング・グループ」にも SOP が大きく貢献している。日本も含めて63カ国が加盟するこのグループは,貧困問題,環境問題,保健・衛生の問題など,地球社会が抱える諸問題を解決するためには,巨額の資金が必要になることから,これまでとは違った形で,いかに資金を創出するかということを議論し,具体的に政策に落とし込んでいくために創設されたグループである。

SOP は2007年に開催された第2回リーディング・グループ総会の際,議長国のノルウェー政府から通貨取引税に関する報告書を作成することを要請され,その報告書は会議の正式な文書として報告されている。その後のリーディング・グループ総会へも,SOP の代表が必ず出席し,総会の場でプレゼンテーションをおこない,通貨取引税の重要性を各国政府に説いている。

(3) ロビン・フッド・タックス (RHT) キャンペーン

その SOP が2010年初頭以降,最も力を入れているのが,ロビン・フッド・タックス (Robin Hood tax: RHT) キャンペーンである。周知のとおり,ロビン・フッドは,中世イングランドの伝説上の義賊で,弓の名手。富める者から財貨を奪い,貧しい者に分け与えたとされる。キャンペーンは,富める金融業界に課税し,税収を貧しい者に分け与えることをロビン・フッドに喩えている。

このキャンペーンの背景には,2007年以降,顕在化した世界金融危機がある。金融業界が引き起こしたこの危機は実体経済に大きなダメージを与えているにもかかわらず,イギリスの銀行業界には1兆ドル以上の救済資金が支払われ,幹部は巨額のボーナスを受け取っている。

これに反感と怒りを覚えた庶民の声を背景に,金融業界に課税を求めるキャンペーンが RHT キャンペーンである。とりわけ,通貨取引をはじめ,すべての金融取引に0.05％の税を課す金融取引税の実現をキャンペーンは目指している。なぜなら,もしこれが現実化すれば,6550億ドル (52兆4000億円) の税収がもたらされるからである。キャンペーンは税収の半分を MDGs の達成と気候変動対策に,残りの半分を課税実施国の貧困対策に振り分けることを提唱している。

その実現に向けて,キャンペーンはイギリスのみならず,世界中の開発 NGO,環境活動家,反貧困団体,労働組合,宗教者団体,女性団体などと連携し,現在

110団体以上が参加している。

2005年の"Make Poverty History"のスローガンやホワイトバンドのアイデアを出した映画プロデューサーのリチャード・カーチス（Richard Curtis）がこのキャンペーンの基本アイデアを出し，キャンペーンが開設したホームページの動画サイトでは，英国アカデミー賞助演男優賞などを受賞したビル・ナイ（Bill Nighy）や，アカデミー賞の主演男優賞を受賞したベン・キングズレー（Ben Kingsley）が主役を演じるなど，一般大衆に効果的なアピールをおこなっている。

さらに，キャンペーンはイギリスを超えて，各国に広がり，フランス，ドイツ，イタリア，アメリカ，カナダ，オーストラリアでも実施されている。

（4）SOPおよびRHTキャンペーンの成果と課題

このように，SOPは効果的なネットワーキング，ロビー活動，パートナーシップ，キャンペーンを展開し，数年前まではまったく「夢物語」であった通貨取引税や金融取引税を，「実現可能なもの」に近づけた。たとえば，2009年8月に，イギリス金融サービス庁長官であったアデール・ターナー（Adair Turner）は，「シティにおける金融業界は肥大化しすぎたばかりでなく，『社会的に無益だ』」と評し，過度の暴利行為を防止するためにシティに対する課税を支持すると表明し，「もし自己資本比率の引き上げで不十分であれば，私は金融取引に対する課税——トービン税——を喜んで考慮する」と言明した。

これに対し，イギリスのゴードン・ブラウン（Gordon Brown）首相（当時）は，同年9月に開催された主要20カ国・地域（G20）財務相・中央銀行総裁会議で，国際金融取引税導入を提唱している。これに同調して，ペール・シュタインブリュック（Peer Steinbrück）ドイツ財務大臣（当時）は，「すべての金融商品取引に対して0.05％の課税を実施することを目指し，G20が具体的措置を取るよう提案する。……（中略）……グローバル金融取引税を進める論拠は明らかである——この税は公正であり，害にならず，多くの利益をもたらす。もしこの案より適当な，公正な負担共有の方法があるならば，聞かせてもらいたい。もしないのならば，この税をただちに導入しようではないか」と主張している。

その後，通貨取引税や金融取引税は，G20，欧州連合（EU），国際通貨基金（IMF）の場で議題に上がり，とりわけ2010年9月に開催された国連MDGsレビュー・サミットでは，フランスのニコラス・サルコジ（Nicolas Sarköz）大統領が

各国の代表を前に通貨取引税を提唱し，G8でもアジェンダにすることを表明している。そして，2011年9月28日には，EUの執行機関である欧州委員会が，株式，債券，デリヴァティブの取引に課税する金融取引税を，2014年にも導入する方針を，加盟国と欧州議会に対して提案するに至っている。

他方，SOPは「その実践においては，あからさまに『ミドルクラス』，『大卒』，『金融に関心のある者』，『男性』の色彩を帯びてきた」と評する研究者もいる。また，政府サイドからは「0.05％という高い税率を，金融取引全般に課すことは現実的ではない」という批判が，社会運動サイドからは「本来であれば，いかに金融資本を抑制するかが大切であるにもかかわらず，税収のみに焦点を当てすぎている」との声が上がるなど，対応のむずかしい批判にさらされている。

イギリスにおけるNGOネットワークを越えて，各国政府と協働し，具体的に政策提言をおこなうSOPは，とくにMDGsのための資金創出に資する政策を現実化させるという観点から積極的に評価できるだけに，これらの批判をどう乗り越えて行けるのかが注目される。

5　NGOの今後

これまで，NGOと開発協力について，まず途上国開発に携わるNGOの理念と活動を中心に，「5つの世代」に分けて説明してきた。今後，第1世代，第2世代のタイプの援助は先細りになる一方で，第3世代，第4世代，第5世代のNGO，とくにネットワーク，パートナーシップ，アドボカシーを鍵とする第5世代のNGOは，とりわけ先進国では今後ますます中核になっていくと思われる。

他方，途上国のNGOは，第3世代を中心に展開していくことになると思われるが，その際，先進国のNGOや援助機関とのパートナーシップの負の側面をいかに乗り越えることができるかが問われている。

この課題を越えていくためには，ドナー側と現地NGOの間で，絶え間のない話し合いが必要である。その際，ドナー側は援助の効果や効率ばかりを求めるのではなく，開発協力には時間がかかること，そして何よりも現地の意向が最も尊重されなければならないことを念頭に，開発協力を進めていかなければならない。

また，SOPのかかえる課題を乗り越え，政策を現実化していくためには，時間軸の設定が求められる。すなわち，短期的には実現しやすいものをまずは提唱

し，それが実現した後に，より急進的なものに転化していく時間戦略が必要であろう。この戦略によって，一方で政府，他方で社会運動の要求を，時間軸をずらしながら満たしていくことが可能になると思われる。

2015年の MDGs 達成期限が目前に迫り，中長期的には地球規模問題の深刻化が予測されるこれからの時代に，ますます NGO の役割は大きくなっていくだろう。その際，各 NGO は自らがどの世代に属し，どのような可能性と限界をもっているのかを確認しながら，ねばり強い対話と時間戦略を持って，効果的な活動を進めていくことが求められている。

＊ 本章は，上村雄彦「NGO による開発支援の変化──先進国 NGO の 5 世代理論と現在の動向」中村都編『国際関係論へのファーストステップ』(法律文化社，2011年) に大幅に加筆，修正したものである。

今後の学習のための参考文献

(1)初級

田中優・樫田秀樹・マエキタミヤコ編著 (2006)『世界から貧しさをなくす30の方法』合同出版。
　＊世界の貧困と私たちの関係をわかりやすく解きほぐし，貧困をなくすために具体的に身近なところからできるさまざまな方法を紹介している。高校生でも読める入門書。
小林正弥・上村雄彦編著 (2007)『世界の貧困問題をいかに解決できるか──「ホワイトバンド」の取り組みを事例として』現代図書。
　＊貧困問題の現状，原因，解決策について，研究者，NGO スタッフ，国連職員，企業関係者など，多彩な人材が多様な観点から論じている。とくに，「ほっとけない世界のまずしさ」キャンペーンやホワイトバンドの活動について知りたい方には必読の書。
上村雄彦編著 (2014)『グローバル協力論入門──地球政治経済論からの接近』法律文化社。
中村都編 (2011)『国際関係論へのファーストステップ』法律文化社。
伊勢崎賢治 (2010)『国際貢献のウソ』ちくまプリマー新書。

(2)中級

馬橋憲男・高柳彰夫編著 (2007)『グローバル問題と NGO・市民社会』明石書店。
目加田説子 (2003)『国境を越える市民ネットワーク──トランスナショナル・シビルソサエティ』東洋経済新報社。
　＊NGO がいかにしてネットワークを形成し，各国政府に対してロビー活動をおこな

い，グローバルなレベルで政策形成に影響を与えてきたかということについて，地球温暖化交渉や対人地雷禁止条約などを事例に論を展開している。

真崎克彦（2010）『支援，発想転換，NGO──国際協力の「裏舞台」から』新評論。
　＊国際協力の現場の「裏舞台」で多くの NGO が困難に直面し，「根本的な課題」に向き合わずに，「当面のニーズ」に応える活動に終始してしまうさまを紹介。その解決策について論じている。NGO の現場をよく知るには最適の書。

(3)上級

上村雄彦（2009）『グローバル・タックスの可能性──持続可能な福祉社会のガヴァナンスをめざして』ミネルヴァ書房。
　＊地球規模問題の解決に貢献し，グローバル・ガヴァナンスを転換しうる処方箋（政策）として，グローバル・タックスを提示。航空券連帯税，通貨取引税などを事例に，グローバル・タックスとグローバル・ガヴァナンスの関係を理解できる専門書。

George D. Bond (2004), *Buddhism at Work : Community Development, Social Empowerment and the Sarvodaya Movement*, Bloomfield: Kumarian Press.

David Korten (1990), *Getting to the 21st Century : Voluntary Action and the Global Agenda*, Bloomfield: Kumarian Press.

(4)ウェブサイト

サルボダヤ・シュラマダーナ運動（Sarvodaya Shramadana Movement）
　http://www.sarvodaya.org/
スタンプ・アウト・ポヴァティ（SOP）
　http://www.stampoutpoverty.org/
ロビン・フッド・タックス（RHT）キャンペーン
　http://robinhoodtax.org.uk/
革新的開発資金に関するリーディング・グループ
　http://www.leadinggroup.org/rubrique20.html

Column 15

貧困問題の構造的解決を目指す NGO のアドボカシー活動

「アドボカシー」の語源は「弁護」「擁護」を意味するラテン語にあり，現代スペイン語では弁護士を意味する。開発分野では，貧困層など当事者の権利擁護の観点から，義務履行者たる政府や企業，機関，そして NGO に対して，政策，方針，行動の変容・改善を働きかける活動を意味する。

保健分野の MDGs を例にとってみよう。日本で NGO の保健活動といえば，現場での医療活動や人材育成，診療所の建設などが思い浮かぶだろう。しかし，そもそも

の問題は公的な保健制度の不備（徒歩圏内にある施設の不足，医療費の個人負担による貧困層の排除，医師・看護師などの人材不足，医薬品・機器の不足，都市と農村の格差など）であり，NGOが「対処療法」以上の構造的解決を目指すのであれば，当該国の政府に対するアドボカシーは不可欠となる。

　さらに，当該国政府が適切な政策を試みると，多くの国際的な阻害要因に直面する。保健予算を蝕む対外債務，財政収支の改善のためとして国際通貨基金（IMF）などが課す政府の保健支出制限，当事国の事情に合わない援助，製薬企業に偏重した知財権制度による医薬品価格の高騰，保健人材の先進国への流出がその例である。これらを克服するには，先進国の政府や企業などへの働きかけが必要で，その役割は先進国NGOに求められる。

オックスファムによるメディア向けのパフォーマンス
（2008年のG8北海道洞爺湖サミットの際に，途上国への援助公約を守ろうとしないG8首脳を皮肉る。Ⓒ Oxfam）

　アドボカシー活動の実態は，「政策提言」という訳語から想像される，担当官庁への専門的提言ももちろん含むが，官僚の権限を超えた政策変更を要する場合には，政治への働きかけ，ひいては世論喚起のために，キャンペーンをおこなうこともある。

　当事国のためには国際社会が歩調を合わせる必要があり，対先進国アドボカシーも，国際ネットワークを通じて情勢分析や戦略を共有し，G8などの機会に合わせて同時多発的な活動をおこなうことが多くなっている。

　日本における最大の課題は，NGOのアドボカシー活動に資金が回りにくいこと，そして政府，議会，メディアともに多国間の議論を先導する「ソフトパワー」を重視した体制になっておらず，NGOとの間に共通の土俵や利害が成立しにくいことにある。

（山田太雲）

第16章　企業の社会貢献と社会的責任
―― 本業の強みを生かした継続的な活動 ――

吉田秀美

この章で学ぶこと

　本章では，企業がミレニアム開発目標（MDGs）の目標達成に果たす役割を「企業の社会的責任」（corporate social responsibility: CSR），あるいはインクルーシブ・ビジネス（inclusive business）の視点で学ぶ。伝統的な開発経済学が企業に期待してきた役割とは，直接投資による工業部門での雇用創出や輸出産業の発展を通じたマクロ経済成長だった。この役割は MDGs の達成には必要不可欠な要素である。とくに貧困率の半減という目標に向けて大幅に前進しているのが中国やインドであることからも，この事実はまず押さえておくべきであろう。

　だが本章で学ぶのは，より直接的な貧困削減に対して企業が果たせる役割についてである。第1節で，国際協力の一員として企業の役割がどのように変化してきたかを概観する。第2節では CSR について日本企業の事例を交えて学び，第3節では国連と企業の関係について概観する。第4節では，実際の取組み事例を紹介する。1つめの事例は，通信企業がマイクロファイナンスの決済や送金を効率的に行うためのサービスを開発したもので，IT技術という企業の強みをいかした活動である。2つ目の事例は，先進国の医薬品会社による，途上国に多い病気の治療薬の開発・流通である。これらの事例に共通しているのは，企業が本業の強みをいかしつつ，途上国の社会問題の解決に取り組んだという点である。これが今日，企業に期待される CSR のエッセンスである。本業とは異なる分野への寄付行為とは異なり，活動の持続性が期待される一方，企業にとっても新たなビジネスチャンスにつながると考えられているのである。

キーワード　企業の社会的責任（CSR），インクルーシブ・ビジネス，社会起業家，戦略的 CSR，グローバル・コンパクト

1　国際協力の新たな担い手としての企業

（1）政府，市民社会，企業の特質とは何か

　国際協力の担い手といえば，伝統的には国際協力機構（JICA）などの ODA 実施機関，国際機関や NGO だった。援助は外交や政治，人道支援を目的におこなわれるものであり，そもそも営利を目的とする活動ではない。

　図16-1に各アクターの属性を示した。図の左側は，外交や社会人道的目的をミッションに掲げ，税金や補助金や寄付を財源として活動する非営利部門である。図の上部は公的部門で下部は民間部門である。非営利の公的部門でおこなわれる活動が ODA であり，実際のアクターとしては先進国の援助機関や国際機関，受け手である途上国の政府がここに含まれる。非営利の民間部門でおこなわれるのが民間国際協力であり，主なアクターには先進国の NGO，途上国の NGO や住民組織がある。これまでの援助業界のアクターとは，この ODA 実施機関や NGO が中心であった。

　図16-1の右側は，事業をおこなって利潤を得ることを目的に活動する営利部門である。国営企業や公社なども含まれるが，民間企業がその代表選手である。民間企業は，自己資金や借金を元手に，モノやサービスを提供して代金を受け取り，収入（利潤）を得る。これを借金返済に充てたり，次の事業に再投資したりする。利潤がなければ企業は事業を存続できない。したがって，従来の援助の発想では，民間企業は ODA 事業を下請けして，確実に政府機関から支払いを受けられる事業（インフラ建設や機材の調達，コンサルティング業務といった「援助ビジネス」）を担う役割を期待されるにすぎなかった。

（2）営利・非営利の枠組みを超える動き

　しかし，新しい動きとして注目されているのが，従来の営利・非営利の枠組みを超えた動きである。1つは，企業が社会問題などに取り組む動きであり，もう1つは，社会的目標を掲げつつ，寄付や補助金に頼らずにビジネスとして事業を展開する社会起業家の活躍である。

　まず，企業による社会問題への取組みとして CSR 活動がある。営利活動で得られた余剰資金を社会に還元する事業，すなわちメセナやフィランソロピー（社

```
                        公的部門
                          ↑
   ODA                    │           国際金融公社,
     先進国援助機関         │           途上国政府の
     国際機関              政府          国営企業, 公社
     途上国政府             │
                          │
 非営利 ←─────────────────┼─────────────────→ 営利
   民間国際協力            │            援助ビジネス・直接投資
     先進国NGO             │              先進国企業
     途上国NGO    市民社会 ⇐  ⇒ 民間企業   途上国企業
     途上国住民組織         │
                     ⇗    ⇒
            ┌─────────┐    ┌─────────┐
            │ 社会起業家 │    │ CSR活動  │
            └─────────┘    └─────────┘
                      民間部門
                  ⎣インクルーシブ・ビジネス⎦
```

図16-1　国際協力の担い手

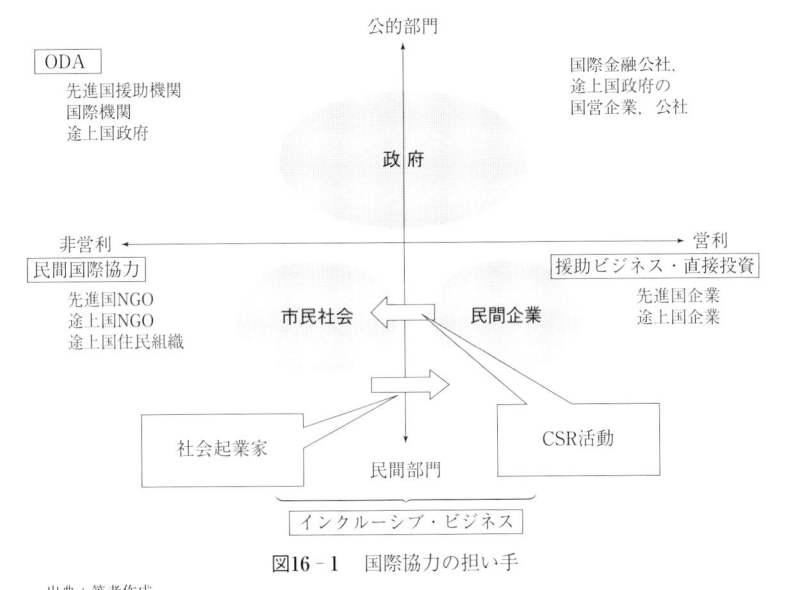

出典：筆者作成。

会貢献）活動は以前からおこなわれてきた。しかし，これらの活動が本業と切り離されているのに対し，CSRは企業が本業で社会や環境に負の影響を与えないために取り組む活動である。より積極的には，本業をいかして社会環境問題の解決に取り組む活動である。企業は今や，経営面でも企業イメージの面でも，CSRに取り組まざるを得ない時代を迎えつつある。

一方，援助の観点からは，非営利部門にはない能力をもつ企業への期待が高まっており，MDGs達成のためには民間企業の協力が不可欠だと考えられている。企業，とくにグローバルに活動する多国籍企業は，マネジメント能力・資金調達力・技術開発力・マーケティング力などに秀でており，その企業が途上国の貧困問題と向き合えば，政府機関やNGOだけではなし得なかったことが達成できると考えられているのである。

MDGsでも医薬品と情報通信の分野で，企業と協力することが明記されている。これらの分野では，先進国企業が優れた技術をもっているが，企業が伝統的な利潤追求一辺倒の姿勢でいる限り，目標達成は困難である。企業もグローバル社会の一員として，貧困問題に前向きに取り組むことが求められているのである。

こうした先進国の企業の取組みに加え，もう1つの流れとして近年目立つのがNGOマインドをもつ人びとがビジネスを志向する動きである。社会起業家などと呼ばれている。彼らは社会的ミッションを掲げつつも，補助金に頼らずに革新的な手法でビジネスをおこなうことを目指している。補助金に頼った活動は，規模が限定されるし，補助金が途切れれば活動が停止してしまう。これに対し，利用料その他で経費をカバーできれば，活動を継続・拡大することができる。もっとも有名な社会起業家の1人が，グラミン銀行を設立したムハマド・ユヌス氏であろう。グラミン銀行に象徴されるマイクロファイナンスは，低所得層を対象に融資や貯蓄サービスを提供するもので，実施機関のミッションは貧困削減という社会問題への取組みだが，コストに見合った貸付金利を設定して，事業の継続・拡大を可能にしている（第2章を参照）。

　そして企業のCSRも社会起業家も，これまでの営利・非営利の発想の枠を超えたパートナーシップを組んで活動を展開している。こうした活動のうち，とくに途上国を舞台として，貧困層にサービスを提供するビジネスや，貧困層とともにおこなうビジネスを総称してインクルーシブ・ビジネスという。

　なお，類似した概念でBOPビジネスという用語も多用されている。全世界の約40億人がBOP（base of the pyramid；経済ピラミッドの底辺部の人びと）に該当し，彼らを「援助の対象となる貧困層」ではなく「ビジネスの顧客」とみなせば，企業は新規市場を開拓できるし，商品やサービスの提供を通じてBOP層の生活向上につなげることができるという「BOP理論」に基づいている。しかし，最近の日本では「先進国企業が新興市場の消費者をターゲットにおこなうビジネス」というニュアンスで使われることが多く，利潤第一主義の従来のビジネスの発想とあまり違いがない。本章で言及するインクルーシブ・ビジネスが強調するのは，「企業がビジネスを通じて人びとの生計向上や社会問題の解決に貢献できる側面」である。「利潤」は事業が継続していく必須条件であって，唯一無二の目的ではない。

2　企業の社会的責任（CSR）とは何か

(1) 企業の責任範囲の変化

　CSRとは，「持続可能な社会を作るために企業が果たすべき責任」である。

企業のもっとも基本的な責任とは，商品やサービスを社会に提供することである。しかし，企業活動が社会や環境に負の影響を与えることがある。たとえば工場排水が適切に処理されないと環境を汚染する。日本の近代化の過程においてそれが容認されていた時代もあったが，被害が深刻化して社会からの批判が高まると，政府が法律を整備し，事業者や行政機関が公害を防止する責任を明確化していった（環境基本法の前身である公害対策基本法は1967年に施行された）。法律で規定されたことを守らなければ，企業は罰則を受けるし，企業イメージも悪化するので，取り組まざるを得ない。

　しかし，企業活動がグローバル化し，社会の情報化が進み，消費者の意識も高まった近年では，そのような「既存の法律を守る」行動だけでは不十分である。

　これを象徴するのが，植物素材（パーム油）の石鹸を製造する日本のメーカー「サラヤ」の経験である。2004年の報道番組で，油ヤシのプランテーションの乱開発によりボルネオで熱帯雨林の破壊が起きている現状が報道された。他のメーカーがコメントを控えたなか，サラヤの更家悠介社長は番組の取材に応え「原材料の供給地で起きていることまでは把握していなかった」と正直に発言したところ，消費者からの批判を受けた。たとえ日本の法令にのっとった企業活動をしていたとしても，ボルネオの環境破壊に間接的に加担していることが「企業として問題だ」とみなされたのである。つまり，社会が考える「企業の責任範囲」が以前よりも拡大しているのである。

　サラヤはこの批判を受けて現状把握に努め，油ヤシに関係する企業や政府やNGOで構成される国際組織である「持続可能なパーム油のための円卓会議（Roundtable on Sustainable Palm Oil: RSPO）」に参加した。パーム油の購入者としてのメーカーの立場を利用し，環境保護団体だけではなし得なかった，プランテーションの経営者との対話を始めた。そして野生動物保護に配慮して生産したパーム油を認証する制度の設立を後押しし，認証を受けた原材料を購入するようになった。また野生動物が移動できる回廊を保全するトラスト活動を展開し，パーム油を原料とする商品の売上げの１％をこれに充てている。サラヤは原材料調達先までをみずからの責任範囲としてとらえ，環境破壊という負の影響を抑制しただけでなく，環境保護活動を自社製品の販売とリンクさせることで自社製品の価値を高めていったのである。

（2）企業が目指すべき CSR とは

　サラヤの事例からわかるように，企業はみずからのおこなう事業に直接間接に関係する社会環境問題への責任を意識せざるを得なくなっている。企業の原材料や部品の調達，製品の生産から最終消費者にいたる取引をサプライチェーンと呼ぶが，みずからが携わる部分だけでなく，取引先が環境や社会に悪影響を与えないようにすることまでが，企業の責任範囲とみなされるようになったのである。こうした社会環境問題への配慮は，企業にとっては追加的コストになりかねないが，企業の利益確保との両立は可能だと考えられている。

　たとえば，ある企業の取引先企業が児童労働者を雇用していると，その企業自身が直接関与していなくても，人権擁護活動団体などから批判を受けてブランドイメージが低下し，場合によっては不買運動に発展することもある。一方で，取引先で適切な労働管理がおこなわれていることを把握して公開すれば，消費者の信頼は高まる。

　また，商品の生産過程で省エネルギーを徹底すれば，環境への負荷を減らすだけでなく，経費削減という利益が得られるし，エコ商品の開発は新規市場の開発につながり，企業にとっても見返りが大きい。このように，企業利益と両立できる社会環境への配慮が持続性の高い CSR なのである。

　さらに CSR をより積極的に社会貢献へと展開していく活動を「戦略的 CSR」と呼ぶ。本業とはまったく別分野でおこなうフィランソロピーとは異なり，「本業を社会問題の解決につなげていく」「それがひいては本業の価値を高め，イノベーションを生み出す」という発想である。前述のサラヤは，消費者からの倫理的批判に対応して，本業の原材料調達を環境に配慮した調達（CSR 調達）に切り替えただけでなく，野生動物保護活動という社会貢献的責任も果たしていった。そして商品の購入が野生動物保護に役立つという点を消費者に PR することで商品価値を高めた。まさに戦略的 CSR へと活動を発展させていったのである。

　この企業の責任範囲の変化と CSR の段階は図16-2のように表すことができる。

（3）類似した概念との違い

　CSR という用語が登場したのは2000年以降だが，それ以前から企業による社会環境問題への取組みはおこなわれてきた。

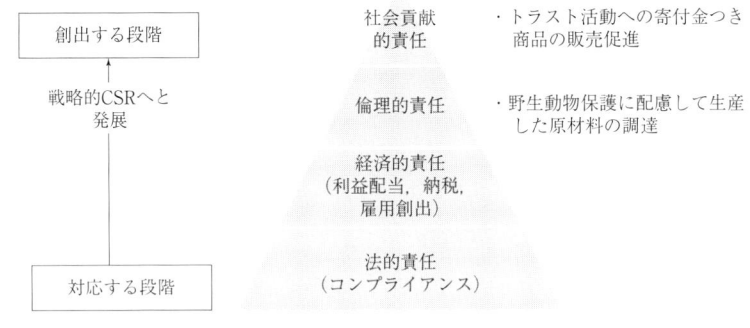

図16-2 企業の責任範囲とCSRの段階

出典:関(2008)5頁をもとに筆者作成。

　社会貢献活動(フィランソロピー)とは,本業で得た利益を社会に役立つ活動に使う行為(地元の祭りへの寄付・参加や,難民支援団体への寄付など)である。アメリカではフィランソロピーの伝統が強く,古くから知られているのがロックフェラー財団,最近のものではマイクロソフト社の元CEOが設立したビル&メリンダ・ゲイツ財団があり,様々な分野に巨額の資金援助をおこなっている。

　環境保全も,本業で得た利益を社会貢献の一環として環境分野に寄付するという形でおこなわれる場合が多い。日本ではとくに,自然保護活動への資金援助や社員ボランティアによる植林活動に携わる企業が少なくない。

　現状では,これらをCSRととらえている企業も少なくない。だが,これらは「企業の余剰資金で行う本業の周辺的な活動」にすぎず,よほど資金規模の大きい企業の財団でもない限り,企業業績が悪化した時には真っ先に経費削減の対象として切り捨てられかねない。また,本業に組み込まれたCSRであるならば,企業の業績に直結するだけに企業も真剣に取り組まざるを得ないが,余剰資金でおこなう限り,宣伝効果の高さや取り組みやすさが重視され,支援される側の真のニーズや持続性は軽視されかねない。

(4) CSRの国際規格

　企業が重視するCSRはそれぞれの社会を反映したものとなっているが,国際的に共通の規範や規格も設けられている。1976年に設けられて2000年に改定され

たOECDの「多国籍企業行動指針」，ILOの「労働における基本的原則および権利に関するILO宣言」，国際標準化機構によるISO14001（環境国際規格）などがある。また，2010年にはISO26000（組織の社会的責任に関する国際規格）も発行された。

　これらに加えて，企業が環境や社会問題配慮の指針としているのが，次節で述べる国連グローバル・コンパクト（United Nations Global Compact: UNGC）である。

3　国連と企業

（1）国連と企業の連携

　国連と企業との連携は，環境分野が先行している。1972年にストックホルム国連人間環境会議の事務局長を務めたのは，カナダ人のビジネスマンだったモーリス・ストロングで，彼は1992年のリオの国連地球サミットの事務局長も務めた。この時に彼の呼びかけで設立された「持続可能な開発のための世界経済人会議（The World Business Council for Sustainable Development: WBCSD）」は，環境とビジネスを両立させる企業の取組みを後押ししている。

　貧困削減の分野で国連と企業との積極的な連携を推進したのは，前国連事務総長のコフィ・アナンである。彼は1999年の「世界経済フォーラム」で，経済界のリーダーに対して環境や人権に関する企業の自主的な行動を促すグローバル・コンパクトの設立を呼び掛けた。また，2000年に採択されたMDGsでも企業の積極的な貢献を求めていったのである。

（2）国連グローバル・コンパクト（UNGC）

　UNGCは，各企業の最高経営責任者が国連事務総長に書簡を送って，人権，労働，環境保全，腐敗防止の4分野10原則を取り込んだ経営をすることを約束するという形態をとり，法律的な強制ではなく，企業が責任ある「企業市民」として自主的に行動することを促している（表16-1）。UNGCをより実行力のあるものにするため，オランダのNGOグローバル・レポーティング・イニシアティブが「サステナビリティ報告書ガイドライン」を設定している。日本でもこれにのっとってCSR報告書を作成している企業が多い。

表16-1 国連グローバル・コンパクトの10原則

人権	企業は,
原則1	国際的に宣言されている人権の保護を支持, 尊重し,
原則2	自らが人権侵害に加担しないよう確保すべきである。
労働基準	企業は,
原則3	組合結成の自由と団体交渉の権利の実効的な承認を支持し,
原則4	あらゆる形態の強制労働の撤廃を支持し,
原則5	児童労働の実効的な廃止を支持し,
原則6	雇用と職業における差別の撤廃を支持すべきである。
環境	企業は,
原則7	環境上の課題に対する予防原則的アプローチを支持し,
原則8	環境に関するより大きな責任を率先して引き受け,
原則9	環境に優しい技術の開発と普及を奨励すべきである。
腐敗防止	企業は,
原則10	強要と贈収賄を含むあらゆる形態の腐敗の防止に取り組むべきである。

出典:http://www.unic.or.jp/globalcomp/glo_02.htm

(3) MDGsと企業

2000年の国連総会で採択されたMDGsでは,企業とのパートナーシップが明確に掲げられ,2つの具体的分野(安価な薬品の提供,情報・通信などの新技術の利益提供)に企業と協力して取り組むとしている。

また,2004年に「民間セクターと開発に関する国連委員会」が『企業家精神の促進──貧困者の事業支援の成功へ向けて』という報告書を提出した。これに応えて,WBCSDでも開発問題に取り組み,企業がMDGsに貢献している事例を集めた報告書『開発のためのビジネス──ミレニアム開発目標を支えるビジネス・ソリューション』を2005年に刊行した。

これらの流れを受けて,国連開発計画(UNDP)は,調査研究プロジェクト「包括的な市場育成(growing inclusive markets: GIM)イニシアティブ」や企業の実践を支援する「持続可能なビジネス育成(growing sustainable business: GSB)プログラム」などを実施している。

4 　企業の取組み事例

（1）ケニアにおける携帯会社とマイクロファイナンス機関の連携

　アフリカでは急速に携帯電話が普及している。2005年に12.3％だった普及率が2010年には41.4％にまで増加している。携帯電話の技術は，道路などの物理的インフラの欠如や広大な土地に人口が散在する状況に起因する困難を乗り越える原動力となる。その好例が金融サービスへの貢献である。

　アフリカでも1990年代以降，マイクロファイナンスの導入が進んだが，人口過密なバングラデシュで成功したグラミン銀行のモデルを持ち込んでも，移動コストが高すぎて農村への浸透は進まなかった。都市部では成功を収めるマイクロファイナンス機関もあったが，回線電話が普及していないことや，技術水準が低いため，業務が効率的におこなえないなどの問題を抱えていた。

　これらの課題を克服するために，携帯電話のショートメッセージサービス（SMS）機能で電子マネー（M-PESA）を送金するシステムと既存のマイクロファイナンスとを組み合わせた取組みが，2005年にケニアで始まった。

　世界有数の携帯電話会社ボーダフォンは，商業的利益だけでなく社会的価値のある商品の開発に投じる目的で2004年に社会投資基金を設立した。この基金の活動の一環として始めたパイロットプロジェクトがM-PESA事業である。このパイロットプロジェクトには，イギリス国際開発省からもほぼ同額の資金が提供された。そして，ボーダフォンが株式を保有するケニアの携帯電話会社サファリコムが技術開発を担当した。マイクロファイナンスの実施機関はファウル・ケニアである。ファウルは，グループ連帯保証制を使って低所得層に貸付をおこなっており，当時の顧客数は10万人の規模，返済率は96％という実績だった。プロジェクトにはファウルの顧客450人が参加することになった。ファウルは，発行する電子マネーに相当する現金をケニア商業銀行にM-PESA口座を設けて預金し，これに基づき，顧客に電子マネーで融資する。融資が承認された顧客は，ファウルのフィールドスタッフから自分の携帯電話のM-PESA口座に電子マネーを送金される。顧客はサファリコムの代理店で電子マネーと引き換えに現金を受け取ったり，電子マネーをそのまま取引先に送金して決済したりする。顧客が融資を返済するときには，現金を代理店に持ち込んで代わりに電子マネーを受け取り，

各グループの会計がまとめてファウルに電子マネーで返金する。

M-PESA のおかげで,利用者は現金を持ち歩かなくてよくなり,現金を引き出したり支払ったりするために遠くの銀行まで時間と交通費をかけて行かなくてよくなった。送金も手軽に安い費用でおこなえる。ファウルにとっても,電子化された取引のおかげで,融資や返済が顧客管理システムに瞬時に反映されて,融資管理が効率化した。また,多額の現金をスタッフが持ち歩く必要もなくなり,リスクも軽減された。

こうして M-PESA のパイロットプロジェクトは成功し,サファリコムの M-PESA 事業は急速に成長している。2009年からは水道などの公共サービス会社と連携して M-PESA を料金決済に使える制度も導入され,さらにサービスを充実させている。

また,ファウルも顧客数を25万人まで増やし,M-PESA だけでなく,サファリコムと競合する携帯電話会社ザインの電子マネーサービス(ZAP)による融資や貯蓄サービスも提供している。ちなみに,ザインは政府の高等教育融資委員会と提携し,教育ローンの返済も ZAP でできる制度を設けた。

このように,先進国企業の社会投資資金と援助機関による研究開発支援で生まれたビジネスモデルが,現在では現地企業間の競争でさらなる発展を遂げている。M-PESA の事例は,私たち先進国の人間がインクルーシブ・ビジネスの発展にどのような役割を果たせるかを示した好例と言えよう(第3章を参照)。

(2) 途上国の感染症と向き合う製薬会社

感染症の抑制は MDGs の1つであり,目標達成のためには保健医療制度の整備,予防教育,流行のモニタリング,安価な治療薬の供給,ワクチンや治療薬の開発など他分野にわたる取組みが必要であり,各アクターのパートナーシップが欠かせない(第7章を参照)。

治療薬やワクチンの開発には先進国企業の技術力が求められるが,途上国に多くて先進国には見られない疾病については,従来,企業の開発意欲は高くなかった。新薬の開発には莫大な費用がかかり,投資回収の見込めない途上国向けの医薬品では利益が望めないからである。

そこで,途上国で必要とされる治療薬やワクチンの開発に製薬会社が参入しやすいように,世界エイズ・結核・マラリア対策基金やビル&メリンダ・ゲイツ財

団などが開発費の支援をおこなっている。また，途上国で幅広く医療活動に取り組むNGOである「国境なき医師団（MSF）」はノーベル平和賞の賞金をもとに5カ国の公的機関と協力して「顧みられない病気のための新薬イニシアティブ」（drugs for neglected diseases initiative: DNDi）を立ち上げた。

　自社の費用負担による戦略的CSRとして，途上国で求められる医薬品の開発・提供を積極的におこなっている企業もある。フランスに本社をおく多国籍企業のサノフィ・アヴェンティス社は，2001年に途上国での医療へのアクセス向上を目的とする「治療薬へのアクセス（Access to Medicines）」部門を社内に立ち上げた。活動分野は，研究開発，新たな治療法の導入と既存の治療法の改善，「末端まで徹底した」情報・教育・コミュニケーション，適切な薬価方針と流通方針の策定である。そして，マラリアや結核，睡眠病への対策に取り組んだ。

　サノフィ・アヴェンティス社が最初に成果を上げたのが睡眠病対策である。睡眠病は熱帯地方の伝染病で，ツェツェバエに刺されて伝染する。初期段階で発見すれば治療効果は高いが，病気が進行して症状が出てからでは治療が難しい。1990年代にアフリカで流行の兆しがあり，世界保健機関（WHO）が同社の製造する治療薬の提供を求め，2001年に合意書を結んで支援が始まった。同社がWHOに寄付した治療薬は，アフリカに広い物流ネットワークを持つMSFによって配布された。また同社の財政支援で，WHOはフィールドスタッフにトレーニングをおこない，診断を受けた人や治療を受けた人の数は大幅に増加した。新たな症例も激減し，現在は撲滅の可能性も考えられている。

　サノフィ・アヴェンティス社はマラリアに関する取組みも積極的におこなっている。マラリア原虫は治療薬への耐性を短期間につけてしまうため，新薬の開発を恒常的に進める必要があり，新しい薬と既存薬とを併用することで耐性拡大を阻止する必要がある。そこで同社はDNDiと協力して，新旧薬を1つの錠剤にまとめ，アルテミシニンをベースにした併用療法（artemisinin-based combination therapy: ACT）を開発した。治療薬は「企業に利益も損失も発生しない」価格に設定されている。民間薬局で販売する場合，通常価格と貧困世帯向け価格がある。後者の価格での販売方法は，「抗マラリア薬アクセス・カード・プログラム」でカードを支給された世帯に対し，卸売業者や薬局が利益を放棄した分の優遇価格で販売するというものである。公的機関が購入する場合は，同社も入札に参加して提供する。また，各国研究機関やNGOと連携して，医療スタッフや住民に向

けた研修をおこなっている。

　このように，製薬会社の途上国向けの活動は，WHOやNGOに対して治療薬を無償提供するもの，活動資金を支援するもの，薬価格を低めに設定するものなど，寄付や資金支援を含む「社会貢献的」要素が強い。大手製薬会社が子会社を設立してHIV／エイズ治療のためのジェネリック薬品を低価格で販売して成功している事例もあるが，薬の買い手は政府などの公的機関が中心である。あるいはWHOなどの国際機関に販売する援助ビジネスである。

　保健医療分野では，企業と顧客が商業ベースで取引できる携帯電話やマイクロファイナンスなどの分野とは異なり，マラリアやHIVに感染した貧しい患者が全額自費で治療薬を購入するというビジネスモデルは難しいのかもしれない。単に資金面の問題だけでなく，適切な処方をおこなうこと，治療薬へのアクセスがより困難な遠隔地へ普及させていくことのためには，公的機関やNGOとのパートナーシップが欠かせない分野だと言える。

　サノフィ・アヴェンティス社は，製薬会社の強みを最大限にいかしつつ，各アクターと連携して大きな成果を上げた。これは同社のブランドを高めることにもつながり，戦略的CSR活動の成功例と言えよう。

5　ミレニアム開発目標達成のために

　本章で紹介した事例は，MDGsに企業の役割が明記されている分野にすぎない。しかし，これ以外にも，企業が貢献できる分野は数多く存在する。とくにMDGsの目標1に関連する生計向上は，ビジネスのノウハウに優れた企業が直接的に貢献できる分野であろう。保健医療・教育・水などの分野でも，企業が他のアクターとパートナーシップを組んでその能力を発揮できることは多い。重要なのは，開発のニーズを知るODA実施機関やNGOなどが，企業とのパートナーシップを積極的に推進していくことである。サラヤの事例からわかるように，NGOが企業活動の負の側面を批判するだけでは物事は前に進まない。企業と同じ土俵に立って，企業の戦略的CSRを引き出すくらいの積極的なパートナーシップを組んでいく姿勢が求められるのではないか。

　企業の側も，目先の利益を生む市場として途上国の貧困層をとらえるのではなく，より長期的な視点でインクルーシブ・ビジネスやCSRに取り組んでいくこ

とが，企業価値を高め，グローバル化した時代の生き残りにつながっていくのではないだろうか。

今後の学習のための参考文献

(1) 初級

国連開発計画編，吉田秀美訳（2010）『世界とつながるビジネス——BOP市場を開拓する5つの方法』英治出版。
　　＊UNDPのインクルーシブ・ビジネスに関する研究プロジェクトの報告書（2008年度版）の本文と17の事例を所収している。途上国でビジネスをおこなううえでの制約要因とそれを克服する戦略が事例をもとに整理されている。

菅原秀幸・大野泉・槌屋詩野（2011）『BOPビジネス入門——パートナーシップで世界の貧困に挑む』中央経済社。
　　＊国際ビジネス論，開発援助，BOPビジネスの専門家による共著。用語は「BOPビジネス」を用いているが，本章で紹介したインクルーシブ・ビジネスの概念をわかりやすく解説している。日本企業の事例が多数紹介されている。

海野みづえ（2009）『企業の社会的責任［CSR］の基本が良くわかる本』中経出版。

更家悠介（2010）『世界で一番小さな象が教えてくれたこと』東洋経済新報社。

(2) 中級

スチュワート・L・ハート著，石原薫訳（2008）『未来をつくる資本主義——世界の難問をビジネスは解決できるか』英治出版。
　　＊持続可能な開発と環境保護に関するビジネス戦略経営の世界的権威である著者が，企業の社会的責任，環境，BOPビジネス戦略について，歴史的経緯や理論的背景も踏まえて解説した良書。

スチュワート・L・ハート／テッド・ロンドン著，清川幸美訳（2011）『BOPビジネス——市場共創の戦略』英治出版。
　　＊ハートを含む研究者や実践者8人がパイロット事業の失敗事例なども紹介しつつ，新たなBOPビジネスの方向性を示した著作。貧困層を新規市場としてのみとらえるBOPの発想から，「BOPと価値を共創する」フレーミングへの転換を提唱している。

ムハマド・ユヌス著，猪熊弘子訳（2008）『貧困のない世界を創る——ソーシャル・ビジネスと新しい資本主義』早川書房。

関智恵（2008）『開発途上国における社会起業およびCSR活動——JICA事業との連携』国際協力機構。

藤井敏彦・新谷大輔（2008）『アジアのCSRと日本のCSR——持続可能な成長のために何をすべきか』日科技連。

(3)上級

Beth Jenkins, et al. (2010), "Scaling up inclusive business: Advancing the knowledge and action agenda", International Financial Cooperation and Harvard Kennedy School.
  ＊民間企業育成に携わっている国際金融公社（IFC）の支援対象先の事例を分析したもの。なお，IFC の事例集では，以下のものが和訳されている。
ベス・ジェンキンズ／石川エリ子／アレクシス・ジャノティス／ジョン・ポール著，猿田志乃・高橋孝郎訳（2011）『インクルーシブ・ビジネスの成功例――BOP 層の機会とアクセスの拡大に向けて』IFC。

(4)ウェブサイト
包括的な市場育成（GIM）イニシアティブ
  http://www.growinginclusivemarkets.org/
持続可能な開発のための世界経済人会議（WBCSD）
  http://www.wbcsd.org/templates/TemplateWBCSD5/layout.asp?MenuID=1
ハーバード・ケネディスクール CSR イニシアティブ
  http://www.hks.harvard.edu/m-rcbg/CSRI/index.html
日本経団連「企業の社会的責任」
  http://www.keidanren.or.jp/japanese/policy/csr.html
国際開発高等教育機構　研究・調査「民間企業と国際開発」
  http://www.fasid.or.jp/chosa/kokusai/index.html#1
サノフィ・アヴェンティス社
  http://www.sanofi-aventis.co.jp
国境なき医師団（MSF）
  http://www.msf.or.jp
ファウル・ケニア
  http://www.faulukenya.com/
国際金融公社による BOP 向け"インクルーシブ・ビジネス"支援
  http://www.ifc.org/tokyo.nsf/Content/BOP_Inclusive_Business

---

Column 16

殺虫加工した蚊帳をめぐる技術革新

　第 7 章で登場する「ロール・バック・マラリア（RBM）」は，1998年に WHO，UNICEF, UNDP, 世界銀行が中心となって形成したマラリア対策のための国際的な政策枠組みである。RBM は，殺虫剤で加工した蚊帳（insecticide-treated net: ITN）の普及を促進している。ITN の使用は，殺虫加工されていない蚊帳と比較し

て，マラリアによる子どもの死亡率を大幅に下げるという調査と研究に基づいている。そもそも，アフリカでは蚊帳はそれほど普及していたわけではないので，まずはITNタイプの蚊帳の普及が重要だ。

従来のITNは，9カ月くらいすると殺虫成分がとれてくるので，再処理しなくてはならない。あらかじめ蚊帳と一緒に配布された殺虫剤の錠剤をバケツのなかで水に溶かし，そこにITNを浸け込んだのち，乾燥させる。そうすると，さらに9カ月間，蚊帳に触れた蚊を退治し続けてくれるのだ。ところが問題は，その再処理を怠る家族が多いことだ。錠剤をなくしたり，そもそも必要性を感じていなかったり，面倒くさかったり，理由はいろいろである。

住友化学がタンザニアに蚊帳の生産拠点をつくることを記念した式典
（筆者撮影）

そうしたなか，民間企業による技術革新によって，定期的な再処理を必要としない長期薬効型の蚊帳（long-lasting insecticidal net: LLIN）が登場した。そのまま5年にわたって蚊を退治してくれる優れものである。2000年にWHOが初めて承認したLLINは，日本の住友化学株式会社が開発した「オリセット（Olyset）」蚊帳であった。その3年後の2003年，デンマークのVestergaard Frandsenという企業のPermanet 2.0がWHOの承認を受けた。その後，サハラ以南アフリカ諸国において大量のLLINが配布されるようになると，ほかの企業も関心を持つようになり，一気にLLIN市場は活性化した。目標4～6の保健分野でのMDGsの達成へ向けた官民パートナーシップ（public-private partnership: PPP）であり，MDGsの目標8の「開発のためのグローバルなパートナーシップの推進」の好例だといえる。

参考文献 勝間靖（2010）「アフリカにおける保健・環境衛生論——マラリアとの闘いを中心として」舩田クラーセンさやか編『アフリカ学入門——ポップカルチャーから政治経済まで』明石書店。

（勝間　靖）

略語一覧

A

ACT（Artemisinin-based combination therapy）　アルテミシニンをベースにした併用療法
ADB（Asian Development Bank）　アジア開発銀行
AIDS（acquired immune deficiency syndrome）　後天性免疫不全症候群（エイズ）
AMDD（averting maternal death and disability）　妊産婦の死亡と障害の防止

B

BEGIN（basic education for growth initiative）　成長のための基礎教育イニシアティブ
BOP（base［またはbottom］of the pyramid）　経済ピラミッドの底辺部の人びと
BRAC（Bangladesh Rural Advancement Committee）　バングラデシュ農村向上委員会

C

CCA（common country assessment）　共通国別アセスメント
CCM（country coordinating mechanism）　国別調整機関
CDF（comprehensive development framework）　包括的開発枠組み
CEB（UN Chief Executive Board for Coordination）　国連主要執行理事会
CG［meeting］（consulting group［meeting］）　支援国［会合］
CHS（Commission on Human Security）　人間の安全保障委員会
C-IMCI（Community-IMCI）　コミュニティ小児期疾病統合管理
CLTS（community-led total sanitation）　コミュニティ主導トータル・サニテーション
CMH（Commission on Macroeconomics and Health）　マクロ経済と保健に関する諮問委員会
CRM（cause-related marketing）　コーズ・リレーティッド・マーケティング
CSR（corporate social responsibility）　企業の社会的責任

D

DAC（Development Assistance Committee）　開発援助委員会
DHS（demographic and health survey）　人口保健調査
DNDi（drugs for neglected diseases initiative）　顧みられない病気のための新薬イニシアティブ
DOTS（directly observed treatment short course）　直接監視下短期化学療法

E

E9（nine highly populated developing countries）　人口の多い9カ国（バングラデシュ，ブラジル，中国，エジプト，インド，インドネシア，メキシコ，ナイジェリア，パキスタン）
EASAN（East Asia Ministerial Conference on Sanitation and Hygiene）　公衆衛生に関する東アジア閣僚会議
ECCD（early childhood care and development）　乳幼児のケアと発達
ECCE（early childhood care and education）　乳幼児のケアと教育
ECD（early childhood development）　乳幼児の発達
EFA（education for all）　万人のための教育
EFA-FTI（EFA Fast Track Initiative）　EFAファスト・トラック・イニシアティブ
EFA-GMR（EFA global monitoring report）　EFAグローバル・モニタリング・レポート
ELDS（early learning and development standards）　乳幼児の学習と発達の基準
EPI（expanded program on immunization）　拡大予防接種プログラム
EU（European Union）　欧州連合

F

FAWE（Forum for African Women Educationalists）　アフリカ女性教育者フォーラム
FHI（Family Health International）　ファミリー・ヘルス・インターナショナル

G

G8［Summit］（Group of Eight［Summit］）　主要国［首脳会議］
GAD（gender and development）　ジェンダーと開発
GAID（Global Alliance for ICT and Development）　情報通信技術と開発のための世界同盟
GAP（global action plan）　グローバル行動計画
GAVI（Global Alliance for Vaccines and Immunisation）　ワクチンと予防接種のための世界同盟
GDI（Gender-related Development Index）　ジェンダー開発指数
GDP（Gross Domestic Product）　国内総生産
GEM（Gender Empowerment Measure）　ジェンダー・エンパワーメント指数
GFATM（The Global Fund to Fight AIDS, Tuberculosis and Malaria）　世界エイズ・結核・マラリア対策基金
GIM（growing inclusive markets）　包括的な市場育成
GMR（global monitoring report）　グローバル・モニタリング・レポート
GNI（Gross National Income）　国民総所得

GPI (Gender Parity Index)　ジェンダー均衡指数
GSB (growing sustainable business)　持続可能なビジネス育成
GWP (Global Water Partnership)　世界水パートナーシップ

H

HDR (Human Development Report)　人間開発報告書
Hib (Haemophilus influenza type b)　ヘモフィルス・インフルエンザb型菌
HIPCs (highly indebted poor countries)　重債務貧困国
HIV (human immunodeficiency virus)　人免疫不全ウィルス

I

ICBL (International Campaign to Ban Landmines)　地雷禁止国際キャンペーン
ICISS (International Commission on Intervention and State Sovereignty)　介入と国家主権に関する国際委員会
ICORC (International Committee on the Reconstruction of Cambodia)　カンボジア復興開発委員会
ICT (information and communication technology)　情報通信技術
IDA (International Development Association)　国際開発協会
IDGs (international development goals)　国際開発目標
IDU (injecting drug use)　注射薬物使用者
IEA (International Association for the Evaluation of Educational Achievement)　国際教育到達度評価学会
IFFIm (International Finance Facility for Immunisation)　予防接種のための国際金融ファシリティ
ILO (International Labour Organization)　国際労働機関
IMCI (integrated management for childhood illnesses)　小児期疾病統合管理
IMF (International Monetary Fund)　国際通貨基金
IPCC (Intergovernmental Panel on Climate Change)　気候変動に関する政府間パネル
IPPF (International Planned Parenthood Federation)　国際家族計画連盟
ISO (International Standardization Organization)　国際標準化機構
ITN (insecticide-treated net)　殺虫剤で加工した蚊帳

J

JICA (Japan International Cooperation Agency)　国際協力機構
JMP (joint monitoring programme)　合同モニタリング・プログラム

L

LICUS (low-income countries under stress)　脆弱な低所得国

LLIN (long-lasting insecticidal net)　長期薬効型の蚊帳

M

MAF (MDG acceleration framework)　ミレニアム開発目標の加速化枠組み
MDGs (Millennium Development Goals)　ミレニアム開発目標
MDRI (Multilateral Debt Relief Initiative)　多国間債務救済イニシアティブ
MDR-TB (multi-drug resistant tuberculosis)　多剤耐性結核
MICS (multiple indicator cluster survey)　複数指標クラスター調査
MMR (maternal mortality ratio)　妊産婦死亡率
MPI (multidimensional poverty index)　多次元貧困指数
MTEF (mid-term expenditure framework)　中期公共支出枠組み

N

NGO (non-governmental organization)　非政府組織，非営利民間団体
NOVIB (Netherlands Organisation for International Assistance)　オランダ国際支援組織（国際連合体オックスファムのメンバー）

O

ODA (official development assistance)　政府開発援助
OECD (Organisation for Economic Cooperation and Development)　経済協力開発機構
OLPC (one laptop per child)　1人の子どもに1台のラップトップを
ORS (oral rehydration salt)　経口補水塩

P

PAHO (Pan American Health Organization)　汎アメリカ保健機関
PHC (primary health care)　プライマリ・ヘルス・ケア
PISA (programme for international student assessment)　生徒の学習到達度調査
PLA (participatory learning and action)　参加型学習と行動
PPP (public-private partnership)　官民パートナーシップ
PRA (participatory rural appraisal)　参加型農村調査法
PRSP (poverty reduction strategy paper)　貧困削減戦略報告書

R

RBM (Roll Back Malaria)　ロール・バック・マラリア
RC (resident coordinator)　常駐調整官
RHT (Robin Hood tax)　ロビン・フッド・タックス
RSPO (Roundtable on Sustainable Palm Oil)　持続可能なパームオイルの円卓会議

S

SAQME (Southern and Eastern Africa Consortium for Monitoring Educational Quality)　教育の質測定のための南東部アフリカ連合
SOP (stamp out poverty)　貧困を踏み消そう
SSHE (school sanitation and hygiene education)　学校衛生設備と衛生教育
SWAp (sector-wide approach)　セクター・ワイド・アプローチ
SWiM (sector-wide management)　セクター・ワイド・マネジメント

T

TB (Tuberculosis)　結核
TBA (traditional birth attendant)　伝統的な産婆
TDR (special programme for research and training in tropical diseases)　熱帯病研究研修特別計画
TICAD (Tokyo International Conference on African Development)　アフリカ開発会議
TIMSS (trends in international mathematics and science study)　国際数学・理科教育動向調査
TWG (technical working group)　テクニカル・ワーキング・グループ

U

UNAIDS (Joint United Nations Programme on HIV/AIDS)　国連合同エイズ計画
UNCT (United Nations country team)　国連カントリーチーム
UNDAF (United Nations development assistance framework)　国連開発援助枠組み
UNDG (United Nations Development Group)　国連開発グループ
UNDP (United Nations Development Programme)　国連開発計画
UNESCO (United Nations Educational, Scientific and Cultural Organization)　国連教育科学文化機関（ユネスコ）
UNFPA (United Nations Population Fund)　国連人口基金
UNGC (United Nations Global Compact)　国連グローバル・コンパクト
UNGEI (United Nations Girls' Education Initiative)　国連女子教育イニシアティブ
UNHCR (United Nations High Commissioner for Refugees)　国連難民高等弁務官事務所
UNICEF (United Nations Children's Fund)　国連児童基金（ユニセフ）
UNIFEM (United Nations Development Fund for Women)　国連婦人開発基金
UNODC (United Nations Office on Drugs and Crime)　国連薬物犯罪事務所
UNTAC (United Nations Transitional Authority in Cambodia)　国連カンボジア暫定統治機構

USAID（United States Agency for International Development）　米国国際開発庁

W・X

WASH（water, sanitation and hygiene）　水・衛生設備・公衆衛生
WBCSD（World Business Council for Sustainable Development）　持続可能な開発のための世界経済人会議
WFP（World Food Programme）　世界食糧計画
WG（working group）　ワーキング・グループ
WHO（World Health Organization）　世界保健機関
WID（women in development）　開発と女性
WSSCC（Water Supply and Sanitation Collaborative Council）　水供給衛生協調会議
WSSD（World Summit on Sustainable Development）　持続可能な開発に関する世界首脳会議
WWC（World Water Council）　世界水会議
XDR-TB（extensively drug-resistant tuberculosis）　超多剤耐性結核

索　引
（＊印は人名）

あ　行

ISO26000　313
ILO　313
ICT　16, 229, 234, 241, 242, 245
IDA13 次増資交渉　255
IDA14 次増資交渉　255
IT 憲章　233
アクラ行動計画　258
アジア開発銀行　264
アドボカシー（政策提言）　119, 288, 292, 293, 302, 304
アフリカ開発会議（TICAD）　206
アラインメント　5, 252, 259, 262
＊アリヤラトネ, A.　293, 298
アルマ・アタ宣言　18, 98, 146
安全な水　150-152, 154, 157, 158, 164, 165
安全な母性（safe motherhood）プログラム　108
安全保障理事会　272
EFA グローバル・モニタリング・レポート　177, 198, 229
EFA ファスト・トラック・イニシアティブ　204, 270
ELDS　182
ECD　178
イギリス国際開発省　315
育児・母子プログラム　186
＊石川滋　37
一丸となっての支援　5, 20, 256, 279
一貫性ハイレベル・パネル　256
インクルーシブ教育　17, 201
インクルーシブ・ビジネス（Inclusive Business）　306, 309

インドネシア　58
インフラの整備　84, 85
＊ウォルフェンソン, J.　253, 254
エイズ（後天性免疫不全症候群）　105, 129, 131, 134-139
エイズ遺児　105, 137
衛生行動　152, 165, 166
衛生設備　154, 165
HIV（人免疫不全ウイルス）　105, 114, 131
栄養失調　96, 97
栄養不足　76
栄養不足人口の比率　74, 75, 77-79
栄養不良　76, 78, 80, 90, 102
SWiM　264
エチオピア　36, 90, 167
NGO　53, 63, 68, 145, 288-290, 303
NGO ネットワーク　117, 288, 299, 302
FOSS　236, 237
FGT 指数　35
MICS（複数指標クラスター調査）　10, 182
MDG 加速化枠組み　13
M-PESA　46, 49, 315
援助協調　274
援助疲れ　251, 252, 289
援助の効率化　251
援助の調和化　5, 252, 275
エンパワーメント（empowerment）　27, 45, 50, 51, 115, 217, 224
オーナーシップ　5, 58, 60, 251, 255, 258, 262, 266
オフラインメディア　238
オランダ国際支援組織（NOVIB）　291

329

か 行

＊カーチス，R. 301
ガーナ 68
開発教育 292
開発金融 42
開発調査 187
開発と女性（WID） 216
開発における人権の主流化 16
カイロ国際人口開発会議 116
革新的開発資金に関するリーディング・グループ 300
拡大予防接種プログラム（EPI） 100, 133
隠れたカリキュラム（hidden curriculum） 213, 221
過剰揚水 164
家族計画 114
ガバナンス 83, 251, 254, 261, 264
感染経路 151, 152
感染症対策イニシアティブ 123
完全母乳 103
カンボジア 11, 36, 262
カンボジア開発評議会 266
カンボジア支援国会合 262
カンボジア復興開発委員会 262
カンボジア・ミレニアム開発目標 264
官民パートナーシップ 92, 321
飢餓 74, 76, 78, 79, 88
企業の社会的責任（CSR） 5, 141, 280, 306-309
飢饉 78, 80
気候変動 164
基礎教育 181
基礎的な衛生設備 150, 157, 158, 165
基本的人権 162
基本的人間ニーズ 295, 296
キャッシュ・フォー・ワーク 88
キャパシティ・ビルディング 183
急性の栄養不良 90
教育の質 202, 229
教育の質測定のための南東部アフリカ連合 202
教育のためのグローバルパートナーシップ 204
共通国別アセスメント 11, 278
協同組合づくり 63, 64
拠点システム構築 187
緊急産科 121, 128
＊キングズレー，B. 301
金融システムアプローチ 52
金融取引税 300-302
草の根技術協力 187
グラミン銀行 43, 44, 47, 51, 309, 315
クリントン財団 145
growth monitoring 106
グローバル・ガバナンス 268
グローバル・タックス 289
クワシオコール 97
経口補水塩 103
経済協力開発機構（OECD） 3, 168, 258, 273, 313
経済社会理事会 272
継続ケア 101
啓発活動 120
結核 129, 132
ケニア 72
下痢症 150, 151
下痢性疾患 103
健康教育 141
公共財政管理 264
後天性免疫不全症候群（エイズ） 105, 129, 131
公平性を重視したアプローチ 16, 287
抗レトロウィルス薬 105
コーズ・リレーティッド・マーケティング 169
呼吸器感染症（肺炎） 103
国際衛生年 160, 161
国際教育到達度評価学会（IEA） 187
国際協力機構（JICA） 58

国際数学・理科教育動向調査　202
国際通貨基金（IMF）　254
国際連帯税　289, 299
国際ロータリークラブ　133
国内総生産　30, 277
国内避難民　87
国連開発援助枠組み　5, 20, 256, 278
国連開発グループ（UNDG）　5, 11, 13, 20, 256, 275
国連開発計画（UNDP）　15, 39, 67, 131, 276, 314
国連カントリーチーム　277
国連カンボジア暫定統治機構（UNTAC）　265, 266
国連グローバル・コンパクト（UNGC）　20, 313
国連グローバル・コンパクトの10原則　314
国連合同エイズ計画（UNAIDS）　129, 141
国連識字の10年　232
国連児童基金（UNICEF）　10, 16, 99, 133, 166
国連女子教育イニシアティブ（UNGEI）　220
国連の改革　256
国連ミレニアム・サミット　198, 257
国連ミレニアム宣言　4, 18, 59, 66, 273
5歳未満児の死亡率　174, 176
5歳未満死亡　95
5世代仮説　288, 290
国家戦略開発計画（NSDP）　264
国家貧困削減戦略（NPRS）　264
国境なき医師団（MSF）　317
子ども　78, 79, 87, 89, 182
子ども中心　188
子どもの権利条約（児童の権利に関する条約）　3, 180, 199
子どもの権利宣言　180, 199
子どもの生存革命（child survival revolution）　95, 99
子どものための世界サミット　3, 10, 11, 273
コミュニティ学習センター（CLC）　241, 242

コミュニティ小児期疾病統合管理（C-IMCI）　101
コモン・バスケット　260
コモン・ファンド　260
コモン・プール　260
コンディショナリティ　254, 255

さ行

財政支援　260
債務帳消し　254
サノフィ・アヴェンティス社　317
サハラ以南アフリカ　2, 12, 28, 29, 75, 104, 134, 176, 195
サファリコム　315
差別的でない金融システム　46, 48
サラマンカ宣言　201
サラヤ　310
*サルコジ, N.　301
サルボダヤ　294, 295
サルボダヤ運動　297, 298
サルボダヤ・シュラマダーナ運動　288, 293
参加型アプローチ　156, 163, 166
参加型学習と行動（PLA）　62
参加型ガバナンス支援　66, 70
参加型農村調査法（PRA）　62
ザンビア　36, 128
GAID　233
CLTS（コミュニティ主導トータル・サニテーション）　166
GOBI　99
GOBI-FFF　99
支援国（CG）会合　255
ジェンダー　115, 135, 153, 154, 181
ジェンダー・ギャップ指数（Gender Gap Index）　214
ジェンダー・エンパワーメント指数（GEM）　214
ジェンダー開発指数（GDI）　214
ジェンダー格差　211

ジェンダー均衡指数（GPI） 214, 221
ジェンダー秩序 214
ジェンダーと開発（GAD） 217
ジェンダーの主流化（gender mainstreaming） 216
識字率 30, 174
持続可能な開発に関する世界首脳会議（WSSD） 157
持続可能な開発のための教育 292
持続可能な開発のための世界経済人会議（WBCSD） 313
シティズンシップ・アプローチ 68, 70
児童労働 200
市民社会 261, 266
社会起業家 307, 309
社会経済開発計画（SEDP） 264, 265
社会的使命 50, 53
社会的責任 280
社会的保護 183
収益率 181
就学前教育 177
就学率 30, 154, 166, 174
就学レディネス 174
重債務貧困国 254
＊シュタインブリュック, P. 301
手段としての参加 59, 62
出生登録 190
ジュビリー2000 254
シュラマダーナ 294-296
純就学率 193
常駐代表 277
常駐調整官 257, 278
小児期疾病統合管理（IMCI） 100
情報格差（デジタル・デバイド） 232
情報通信基盤 243
食料安全保障 77, 86-88
食料入手可能性 77, 82-84, 86
食料の買い占め 85
食料備蓄 84, 88, 89

女子の就学 181
女性と子どもの健康のためのグローバル戦略 18
女性の地位の向上 126
女性の役割 43, 86, 89
初等教育の無償化 203
所得 27
地雷禁止国際キャンペーン（ICBL） 293
自立 295, 296, 298
人権を基盤としたアプローチ 16, 117, 220, 278
人口・エイズに関する地球規模問題イニシアティブ 123
人口政策 116
人口増加 79
新興ドナー 251, 267
人工妊娠中絶 117
人口保健調査 10
人口抑制 115
新生児期 106
水因性疾患 151, 165
垂直型アプローチ 100, 104
水平型アプローチ 104
スタンプ・アウト・ポヴァティ（SOP；貧困を踏み消そう） 288, 299, 302
StopTBプログラム 133
性感染症 114
政策枠組み 264
政治体制 89
脆弱性 52, 53
成人非識字者 229
成長のための基礎教育イニシアティブ（BEGIN） 206
生徒の学習到達度調査 202
青年海外協力隊 187
製薬会社 316
性や生殖に関する健康問題 115
世界エイズ・結核・マラリア対策基金（GFATM） 129, 143, 316
世界銀行 39

世界子ども白書　102
世界3大感染症　129
世界社会開発サミット　3
世界食料サミット　77
世界人権宣言（1948年）　197
世界手洗いの日　161
世界の食料安全保障に関するローマ宣言　80
世界保健機関（WHO）　129, 133, 317
世界水フォーラム　156, 157
セクター・ワイド・アプローチ（SWAp）　255, 259
石鹸による手洗い　150, 152, 153, 165, 167
絶対的貧困　2
＊セン, A.　30, 38
1990年代の開発協力　258
潜在能力　30
先住民族　55, 186
選択的PHC　100
戦略的CSR　311
早期警戒システム　84
相互扶助　85
疎外されている（marginalized）児童　200
組織間政治　265
粗就学率　193

た 行

＊ターナー, A.　301
対応対照群実験　185
大衆組織　184
ダカール行動枠組み　197, 199, 232
多次元貧困指数　2
地球サミット　157
知識共有ネットワーク　244
知識の銀行　253
ChildInfo　11
中期公共支出枠組み　259
中国　267, 268
チュニス・サミット文書　233
長期追跡研究　185

長期薬効型の蚊帳　149, 321
「超多剤耐性」結核（XDR-TB）　132
調和化　252, 259
直接監視下短期化学療法（DOTS）　133
貯蓄グループ　64, 65
通貨取引税　299-301
TB/HIV重複感染　139
DAC新開発戦略　3, 258
低体重児　106, 176
低体重児の比率　74, 75, 77-79
DevInfo　11
トイレ　152-155, 166, 167
20/20イニシアティブ　3
投機の規制　87
トービン税　299, 301
トービン税ネットワーク　299
トップダウン型開発事業　57
取引費用　252, 275

な 行

＊ナイ, B.　301
ナイジェリア　227, 241
難民　87
ニジェール　148, 209
2乗貧困ギャップ比率　34, 36
日本の教育協力政策2011～2015　206
乳児死亡率　174
ニュー・パブリック・マネジメント　259
乳幼児のケアと教育（ECCE）　174
乳幼児のケアと発達（ECCD）　179
人間開発指数　30, 277
人間開発報告書　131, 154, 233, 277, 286
人間の安全保障　26, 123, 129, 131, 286
妊産婦死亡　120
妊産婦死亡率（MMR）　108
熱帯病研究研修特別計画（TDR）　144
ネットワーク　292, 293, 302
ネットワーキング　301
望まない妊娠　118

は 行

パートナーシップ（協働） 241, 251, 258, 288, 291-294, 301, 302, 318
パートナーシップ・アプローチ 255
パキスタン 247
波及効果 184
*バグワティ, J. 37
はしか 176
バックラッシュ 117
パリ援助効果宣言 5, 258
バングラデシュ農村向上委員会（BRAC） 47, 51, 109, 223, 291
BancoSol 48, 51, 55
万人のための教育（EFA） 14, 19, 177, 210, 218, 229, 231
万人のための教育世界会議 197
万人のための教育世界宣言 3, 197, 231
PRA/PLA 70
PRODEM 48, 55
BOP（base of the pyramid）ビジネス 5, 92, 248, 280, 309
BOP 理論 309
東ティモール 190
ビタミンAカプセルの投与 106
ピット・ラトリン 155, 159
ビデオCD教材 239
人免疫不全ウイルス（HIV） 105, 114, 131
費用対効果 243
微量栄養素欠乏 106
ビル＆メリンダ・ゲイツ財団 119, 145, 312, 316
敏感期 179
貧困 26, 45, 47, 50, 98, 138, 154
貧困ギャップ比率 33, 36
貧困削減 45, 50, 181
貧困削減戦略文書（PRSP） 91, 204, 251, 254, 259
貧困削減目的アプローチ 51

貧困人口比率 28, 32, 36
貧困線 28, 32
貧困層 45, 154
貧困病 141
ファウル・ケニア 315
ファシリテーター 58
Family Health International 145
ブータン 67
フード・フォー・ワーク 88
複合教材 243
複数指標クラスター調査（MICS） 10, 182
プライマリ・ヘルス・ケア（PHC） 18, 95, 98, 119, 133, 146
*ブラウン, G. 301
プログラム援助 260
紛争 80, 83, 87
平均寿命 30
米国国際開発庁（USAID） 10, 55, 145
平和の構築 87
ヘルス・プロモーション 99
保育 178
包括的開発枠組み（CDF） 254
包括的かつ継続的ケア 107
包括的プログラム 186
飽食の時代 76
ボーダフォン 315
保健医療のジレンマ 99
母子健康手帳 188, 190
母子保健 118, 183
補助食 97
*ボズラップ, E. 43
「ほっとけない　世界のまずしさ」 39
ボリビア 48, 55, 162
ホワイトリボン 125

ま 行

マイクロクレジット 42, 43
マイクロファイナンス 37, 42, 55, 309, 315
マクロ経済と健康に関する諮問委員会（CMH）

129, 130
マダガスカル　270
マラスムス　97
マラリア　104, 129, 133, 317
マルチメディア学習教材　237
慢性の栄養不良　90
水供給衛生協調会議（WSSCC）　161
水ビジネス　162
緑の革命　42, 82, 84
ミレニアム開発目標モニター　12, 257
ミレニアム・サミット　272
ミレニアム・ビレッジ　282
民営化　161, 162
民間企業　161, 162, 164
民間部門との開発パートナーシップ　46, 49
無作為対照実験　185
目的としての参加　59, 62
モニタリング　245
モンテレー合意　4, 204

や　行

野外排泄　160, 166
＊ユヌス，M.　43, 309
良い政策　254
良い統治　59
予防接種　104

ら　行

ライン省庁　266
ラテンアメリカにおける教育の質評価研究　202
リーダーシップ　295, 296, 298
リオ地球サミット　156
リスクの多様化　86
リプロダクティブヘルス・ライツ　116
留年率　193
臨界期　179
ローテク　245
ローマ調和化宣言　258
ロール・バック・マラリア（RBM）　144
ロビー活動　117, 288, 289, 301
ロビン・フッド・タックス（RHT）キャンペーン　288, 300

わ　行

War on Want（貧困との闘い）　299
World Vision　145
ワクチン債　111
ワクチンと予防接種のための世界同盟（GAVI）　111, 133
One Laptop per Child: OLPC　236

執筆者紹介（執筆順）

勝間　　靖（かつま・やすし）はじめに，序章，コラム2，9，14，16
編著者紹介参照

山形　辰史（やまがた・たつふみ）第1章
現　在　ジェトロ・アジア経済研究所国際交流・研修室長，開発スクール事務局長・教授
職　歴　バングラデシュ開発研究所客員研究員，を経て現職
学　位　経済学士および経済学修士（慶應義塾大学），Ph.D.（ロチェスター大学）

伊東　早苗（いとう・さなえ）第2章
現　在　名古屋大学大学院国際開発研究科教授
職　歴　青年海外協力隊員，国際協力機構ジュニア専門員，国際開発高等教育機構国際開発研究センター研究員，を経て現職
学　位　教養学士（国際基督教大学），M.Phil.およびD.Phil.（サセックス大学）

真崎　克彦（まさき・かつひこ）第3章
現　在　甲南大学マネジメント創造学部教授
職　歴　UNDPネパール事務所，国際開発高等教育機構，コーエイ総合研究所，清泉女子大学文学部地球市民学科准教授，を経て現職
学　位　社会学士（関西学院大学），法学修士（大阪大学），M.P.S.（コーネル大学），D.Phil.（サセックス大学）

高橋　基樹（たかはし・もとき）第4章
現　在　京都大学大学院アジア・アフリカ地域研究研究科教授
職　歴　日本郵船，国際開発センター，ダルエスサラーム大学経済研究所客員研究員，ロンドン大学東洋アフリカ学院，を経て現職
学　位　経済学士（東京大学），M.A.（ジョンズ・ホプキンス大学）

松山　章子（まつやま・あきこ）第5章
現　在　長崎大学大学院国際健康開発研究科教授
職　歴　UNICEFパキスタン事務所，BRAC（バングラデシュ農村向上委員会），グローバル・リンク・マネージメント研究員，JICA専門家（インドネシア），を経て現職
学　位　学芸学学士（津田塾大学），M.P.H.（ハーバード大学），Ph.D.（ジョンズ・ホプキンス大学）

兵藤　智佳（ひょうどう・ちか）第6章
現　在　早稲田大学平山郁夫記念ボランティアセンター准教授
職　歴　エイズ予防財団リサーチレジデント，ミシガン大学客員研究員，UNFPAタイ国際フェロー，早稲田大学アジア太平洋研究センター助手，を経て現職
学　位　教育学修士（東京大学）

大谷　順子（おおたに・じゅんこ）第7章
現　在　大阪大学副理事・東アジアセンター長，大阪大学大学院人間科学研究科教授
職　歴　ハーバード国際エイズ政策センター，米国疾病予防管理センター（CDC），結核予防会結核研究所，世界銀行，WHO（中国，ジュネーブ本部），九州大学，を経て現職
学　位　歯学士（大阪大学），M.P.H.およびM.S.（ハーバード大学），Ph.D.（ロンドン大学）

杉田　映理（すぎた・えり）第8章
現　在　東洋大学国際地域学部教授
職　歴　国際協力機構，ロンドン大学衛生学熱帯医学大学院，Water and Sanitation Program（WSP）コンサルタント，を経て現職
学　位　教養学士（東京大学），Ph.D.（フロリダ大学）

浜野　隆（はまの・たかし）第9章
現　在　お茶の水女子大学基幹研究院教授
職　歴　東京工業大学工学部助手，武蔵野大学現代社会学部講師・助教授，広島大学教育開発国際協力研究センター助教授，を経て現職
学　位　教育学士および教育学修士（名古屋大学）

櫻井　里穂（さくらい・りほ）第10章
- 現　在　広島大学教育開発国際協力研究センター准教授
- 職　歴　日本人学校教諭（メキシコ），UNESCO パリ本部教育局コンサルタント，京都大学大学院グローバル COE 研究員，などを経て現職
- 学　位　英文学学士（津田塾大学），M.A.（スタンフォード大学），国際関係学修士（早稲田大学），Ph.D.（ペンシルベニア州立大学）

北村　友人（きたむら・ゆうと）第11章
- 現　在　東京大学大学院教育学研究科准教授
- 職　歴　UNESCO パリ本部教育局，名古屋大学大学院国際開発研究科准教授，ジョージ・ワシントン大学客員研究員，ダッカ大学客員教授，上智大学総合人間科学部准教授，などを経て現職
- 学　位　人間関係学士（慶應義塾大学），M.A. および Ph.D.（カリフォルニア大学ロサンゼルス校）

山口しのぶ（やまぐち・しのぶ）第12章
- 現　在　東京工業大学学術国際情報センター教授
- 職　歴　UNESCO（パリ本部，中国），青山学院大学文学部講師，を経て現職
- 学　位　文学士（青山学院大学），Ph.D.（コロンビア大学）

稲田　十一（いなだ・じゅういち）第13章
- 現　在　専修大学経済学部教授
- 職　歴　野村総合研究所，日本国際問題研究所，山梨大学教育学部助教授，ハーバード大学国際問題センター客員研究員，世界銀行政策調査局・業務政策局，を経て現職
- 学　位　教養学士および国際学修士（東京大学）

大平　剛（おおひら・つよし）第14章
- 現　在　北九州市立大学外国語学部教授
- 職　歴　名古屋大学大学院国際開発研究科助手，を経て現職
- 学　位　経済学士（京都大学），M.A.（ウォリック大学），学術博士（名古屋大学）

上村　雄彦（うえむら・たけひこ）**第15章**
現　在　横浜市立大学学術院国際総合科学群教授
職　歴　カナダ国際教育局，国連食糧農業機関（FAO），奈良大学教養部専任講師，千葉大学地球福祉研究センター准教授，を経て現職
学　位　社会科学士（三重大学），法学修士（大阪大学），M.A.（カールトン大学），学術博士（千葉大学）

吉田　秀美（よしだ・ひでみ）**第16章**
現　在　法政大学大学院公共政策研究科兼任講師
職　歴　NGO職員，国際開発高等教育機構，アイ・シー・ネット（株），を経て現職
学　位　文学士（慶應義塾大学），国際開発学修士（埼玉大学）

コラム執筆者（執筆順）

長島　美紀（ながしま・みき）**コラム1**
一般財団法人mudef事務局長

勝間　靖（かつま・やすし）**コラム2，9，14，16**
編著者紹介参照

永岡　宏昌（ながおか・ひろあき）**コラム3**
特定非営利活動法人アフリカ地域開発市民の会〔CanDo〕代表理事

岡村　恭子（おかむら・きょうこ）**コラム4**
グローバルリンク・マネージメント（株）職員，元UNICEF栄養専門官

清水　栄一（しみず・えいいち）**コラム5**
元GAVIアライアンス・対外関係担当マネージャー

石井　澄江（いしい・すみえ）**コラム6**
財団法人ジョイセフ（家族計画国際協力財団）理事長

國枝　美佳（くにえだ・みか）**コラム7**
元ニジェール国マラリア対策支援プロジェクト専門家

中井　裕真（なかい・ひろまさ）**コラム8**
公益財団法人日本ユニセフ協会広報室長

國枝　信宏（くにえだ・のぶひろ）**コラム10**
セネガル国教育環境改善プロジェクト（フェーズ2）チーフアドバイザー

横関祐見子（よこぜき・ゆみこ）**コラム11**
UNICEF 中西部アフリカ地域事務所教育アドバイザー

宮沢　一朗（みやざわ・いちろう）**コラム12**
UNESCO 識字生涯教育担当官

保坂菜穂子（ほさか・なおこ）**コラム13**
世界銀行独立評価グループ評価担当官，元 UNICEF マダガスカル事務所計画モニタリング担当官

山田　太雲（やまだ・たくも）**コラム15**
特定非営利活動法人オックスファム・ジャパン・アドボカシーマネージャー

《編著者紹介》

勝間　靖（かつま・やすし）

現　在　早稲田大学国際学術院アジア太平洋研究科国際関係学専攻教授
職　歴　海外コンサルティング企業協会研究員，UNICEF（メキシコ国事務所，アフガニスタン国事務所，本部東京事務所）職員，ジョージ・ワシントン大学エリオット国際情勢スクール客員研究員，を経て現職
学　位　教養学士（国際基督教大学），法学士および法学修士（大阪大学），Ph.D.（ウィスコンシン大学マディソン校）
主　著　『アジアの人権ガバナンス』（編著）勁草書房，2011年
　　　　『国際社会を学ぶ』（共編著）晃洋書房，2012年
　　　　『国際緊急人道支援』（共編著）ナカニシヤ出版，2008年

　　　　　　　　　テキスト国際開発論
　　　　　　──貧困をなくすミレニアム開発目標へのアプローチ──

2012年3月31日　初版第1刷発行　　　　〈検印省略〉
2017年5月20日　初版第4刷発行
　　　　　　　　　　　　　　　　　　定価はカバーに
　　　　　　　　　　　　　　　　　　表示しています

　　　　編著者　　勝　間　　　靖
　　　　発行者　　杉　田　啓　三
　　　　印刷者　　江　戸　孝　典

　　　発行所　株式会社　ミネルヴァ書房
　　　　　607-8494　京都市山科区日ノ岡堤谷町1
　　　　　　　　　　電話代表（075）581-5191番
　　　　　　　　　　振替口座　01020-0-8076番

　　　© 勝間　靖ほか，2012　　　共同印刷工業・藤沢製本

ISBN978-4-623-06139-6
Printed in Japan

国際政治学入門

大芝 亮 編著

A5判美装カバー　242頁　本体2800円

理論的枠組みから国際政治の舞台で実際に起こっている事例までをわかりやすく解説した，初めて学ぶ人の11章。

新版 現代の国際政治

長谷川雄一／高杉忠明 編著

A5判美装カバー　436頁　本体3500円

●冷戦後の日本外交を考える視角
国際政治の諸相を，日本外交の将来を見通し，考察する。

グローバル時代の国際政治史

佐藤信一／太田正登 編著

A5判美装カバー　248頁　本体2500円

第二次世界大戦を画期とするパックス・アメリカーナの成立とグローバル時代の到来を重ね合わせて捉え，考察する。

開発途上国の政治的リーダーたち

石井貫太郎 編著

A5判美装カバー　384頁　本体3600円

●祖国の建設と再建に挑んだ14人
途上国の政治指導者の生涯と，当該国の発展の歴史。

現代世界の女性リーダーたち

石井貫太郎 編著

A5判美装カバー　280頁　本体3200円

●世界を駆け抜けた11人
情熱と努力を傾けた彼女たちの熱い生き様がよみがえる。

東南アジア現代政治入門

清水一史／田村慶子／横山豪志 編著

A5判上製カバー　280頁　本体3000円

各国の基礎知識から，政治体制の変容，多文化社会の実像，経済発展の光と影までを明快に解説する。

――― ミネルヴァ書房 ―――

http://www.minervashobo.co.jp/